LA FANTAISIE

DE

VICTOR HUGO

TOME 3

BIBLIOTHÈQUE FRANÇAISE ET ROMANE

publiée par le

Centre de Philologie et de Littératures romanes
de l'Université des Sciences Humaines de Strasbourg

Directeur : Georges STRAKA

Série C : ÉTUDES LITTÉRAIRES

— XLV —

JEAN-BERTRAND BARRÈRE

LA FANTAISIE

DE

VICTOR HUGO

TOME 3

THÈMES ET MOTIFS

> La fantaisie de Dieu, la fantaisie du
> poète, la fantaisie du paysage sont des
> mondes. Le même motif donne la baie
> de Constantinople, la baie de Naples et
> la baie de Rio-Janeiro.
>
> (V. H., *En voyage*, t. II, p. 380.)
>
> La nature nous rejette et nous redonne
> sans cesse, en les rajeunissant, les thèmes
> et les motifs innombrables sur lesquels
> l'imagination des hommes a construit tou-
> tes les vieilles poésies et toutes les vieilles
> mythologies.
>
> (*Ibid.*, p. 312.)

Nouveau tirage corrigé

ÉDITIONS KLINCKSIECK
11, rue de Lille — PARIS-7e
1973

DU MÊME AUTEUR

Explications françaises, Delalain, 1946-1948.

La Fantaisie de Victor Hugo, Tome I, *1802-1851*, José Corti, 1949. Tome II, *1852-1885*, José Corti, 1960. Tome III, *Thèmes et Motifs*, José Corti, 1950. Réimpression aux Éditions Klincksieck, 1972-1973.

Hugo, l'homme et l'œuvre, Boivin, 1952 ; Hatier, 8ᵉ éd. 1970.

Romain Rolland par lui-même, Éditions du Seuil, 1955.

Le Regard d'Orphée, Cambridge University Press, 1956.

La Cure d'amaigrissement du roman, Albin Michel, 1964.

Critique de chambre (Du Bos, Anouilh, Montherlant, Mauriac, Bernanos, Malraux, Sartre), La Palatine, 1964 ; Minard, 1968.

Un carnet des « Misérables », Minard, 1965.

Victor Hugo devant Dieu, Desclée De Brouwer, 1965.

Romain Rolland, l'âme et l'art, Albin Michel, 1966.

Victor Hugo à l'œuvre : le poète en exil et en voyage, Éditions Klincksieck, 1966 ; nouveau tirage, 1970.

L'idée de goût de Pascal à Valéry, Éditions Klincksieck, 1972.

En préparation :

Le Regard d'Orphée, Etudes de motifs nostalgiques chez Rimbaud et Apollinaire.

Claudel, l'homme et l'œuvre.

Sauf quelques corrections ce nouveau tirage est conforme à l'édition originale publiée par la Librairie José Corti en 1949.

ISBN 2-252-01532-2

© Éditions Klincksieck, Paris, 1973.

*A la mémoire de
Charles Bruneau*

INTRODUCTION

Dans le *Conservateur littéraire* de décembre 1819, Victor Hugo annonçait un « fonds de littérature » à vendre. « On y trouve, écrivait-il, une collection complète de documents sur toutes les parties des connaissances humaines, extraits des meilleurs auteurs, et copiés sur de petits carrés de papier qui sont enfilés par ordre de matières dans de petites broches de fer. » Il dénombrait ainsi une *broche des oiseaux, une broche des roses,* etc. « L'homme le moins intelligent, ajoutait-il, peut à l'aide d'un répertoire, et sans peine, confectionner de suite tous les ouvrages (1)... », etc. C'est le travail que je propose aujourd'hui, et sur lui-même. Mais je ne prétends pas qu'on en puisse tirer autant de profit que dut faire l'heureux acquéreur d'une documentation dont Hugo faisait la réclame. Tout ce que je puis avancer est que j'ai fait ce catalogue avec conscience : il aura, j'espère, de quoi satisfaire la curiosité des spécialistes et des lettrés qui n'ont pas eu le temps de pratiquer autant que moi l'œuvre de Victor Hugo en ce domaine moins connu de sa fantaisie et qui auront le goût de s'y aventurer en ma compagnie. Qu'on se rassure : l'aventure avait ses roses, ses oiseaux, qu'on voudrait seulement ne pas donner l'impression d'avoir « embrochés » ou simplement piqués comme les papillons dans la boîte de l'amateur entomologiste.

J'appelle *fantaisie* ce jeu souriant de l'imagination en liberté. Quoi qu'en puisse penser un esprit mal ou non prévenu, elle est fort développée chez Victor Hugo, dont la jovialité avait frappé Alphonse Karr, Jules Janin et de nombreux contemporains admis à son intimité. On a beaucoup insisté sur le côté sombre, prophétique, hanté de ce poète, trop pour qu'il ne soit pas juste de rétablir l'équilibre de cet homme étonnamment sain et doué pour la joie et de restaurer ce portrait noirci par l'ancienneté de commentaires partiaux ou partiels. Je ne reprendrai pas l'analyse que j'ai menée dans le premier volume consacré à l'histoire de la fantaisie hugolienne d'après sa vie et son œuvre. Je me contenterai d'y renvoyer les lecteurs que les problèmes de définition intéressent.

(1) *Littérature et Philosophie mêlées,* Appendice, éd. I. N., p. 358.

Et pour ceux qui aiment se faire l'opinion sur l'exemple, ils n'auront qu'à ouvrir ce livre au hasard.

Les notions de *thème* et de *motif* ne sont pas moins délicates. Quand j'y recourus pour la première fois, je pensais transposer des arts cousins, la musique et la peinture, à la littérature des expressions qui, pour n'y être point usitées, lui étaient fort nécessaires. Si je craignais d'innover, ce scrupule est dépassé : on se sert couramment de ces mots dans les études littéraires, sans autrement les expliquer. C'est qu'ils désignent, sur l'œuvre écrite, un point de vue dont la réalité s'affirme de plus en plus et qui peut, dans une certaine mesure, renouveler ou approfondir l'étude de la création littéraire.

Pourtant, le rapprochement avec la musique est de nature à brouiller les choses plus qu'à les rendre claires. Le compositeur, en effet, appelle *thème* une phrase musicale fondamentale, qu'il reprendra plusieurs fois dans le même ton ou dans un autre et sur laquelle il module ses variations. Une symphonie comme la *Pastorale* en contient plusieurs. Or, pour le littéraire, le *thème* de la *Pastorale*, ce serait le printemps aux champs et aux bois. Un thème, en poésie, est un sujet capable d'émouvoir la sensibilité et de donner le branle à l'imagination. Il suscite des *motifs* qui en sont les illustrations. Ainsi le motif s'insère dans le cadre du thème général, comme un fragment, « anecdotique » dirais-je, de mélodie, propre à frapper l'oreille et à chanter encore dans la mémoire. Ce serait, par exemple, dans la *Pastorale*, telle phrase fugitive, évocatrice de guinguettes rustiques, dont l'écho se fait encore entendre dans la *Neuvième*.

Ce dernier terme s'applique aussi à la peinture, pour laquelle la notion de *thème* ne présente en revanche guère de signification et qui paraît sauter du *genre* au *motif*. Dans la composition dite *nature morte*, le motif du vase et de la pomme est remplacé, chez de nombreux peintres contemporains à tendance plus ou moins surréaliste, par celui du coquillage, du bout de corde ou des copeaux de bois.

Il n'en va pas très différemment en poésie et même dans le roman. Le thème éternel de l'aventure ordinaire, cher à ce dernier, s'exprime dans *la Princesse de Clèves*, roman du XVIIᵉ siècle, par le motif du pavillon caché au fond d'un jardin ; Rousseau, Bernardin de Saint-Pierre et Chateaubriand troquent cette nature arrangée pour un coin de forêt plus ou moins vierge, des bosquets de Clarens au morne de la Découverte et aux rives du Meschacebé. Dans les romans de ces cinquante dernières années, le thème du dépaysement a trouvé un motif d'élection, de Proust à J.-P. Sartre, dans la chambre d'hôtel. On n'aurait certes aucune peine à découvrir à l'origine de ce motif une expérience commune aux deux écrivains et que chacun de nous peut connaître pour son propre compte. Mais la constitution artistique d'une situation de roman, d'une simple image poétique, fait époque et crée une tradition.

De *thème* à *motif* apparaît donc une différence d'ampleur et de portée. Le motif est, à l'intérieur du thème pour ainsi dire, un moyen particulier de l'exprimer. On ne découvre peut-être guère plus d'un thème nouveau par siècle ; mais il y a plus de variété dans la formation des motifs. Le thème appartient à tout le monde, le motif est de l'auteur. C'est sa manière de le traduire ; c'est, pour le poète, cette image de prédilection, qui, dans le cadre du thème, porte sa marque et constitue comme sa signature. Ainsi s'explique sa répétition dans l'œuvre d'un même auteur : autant de fois un auteur aborde un même thème, autant de chances on a de retrouver le même motif, ou plutôt l'un des mêmes. Car il dispose de plusieurs, dont il varie plus ou moins consciemment la combinaison.

La répétition constitue l'élément psychique indispensable à la transmutation et à la fixation poétiques de ces impressions d'abord fugaces. C'est par la répétition que le réel se rencontre avec le rêve créateur dans les images qu'ils se renvoient réciproquement (1). Dans cette zone intermédiaire de leur conjonction, les motifs poétiques naissent de la superposition des images spontanées du réel, qui réveillent des motifs déjà explorés par d'autres consciences poétiques et, pour ainsi dire, les régénèrent. Ainsi prennent-ils vie dans une nouvelle conscience de poète, se moulant dans des cadres étrangers qu'ils épousent d'abord, puis accommodent à sa manière propre. Mais la même répétition, qui leur permet de se former, les destine, une fois parvenus à la perfection de leur être dans cette conscience poétique considérée, à se figer à leur tour par l'exercice de la poésie. Leur accomplissement développe et ruine à la fois leur singularité. Quand ce poète en dispose avec le plus de maîtrise, ils ne sont déjà plus que le produit de l'habitude et constituent comme un musée de formes exemplaires, un musée soigneusement entretenu, mais un musée. C'est pourtant de là que naîtra dans la conscience d'un nouveau poète, au contact d'expériences personnelles, une réinterprétation qui leur rendra vie en les tranformant selon le processus indiqué. Cela explique pourquoi ces motifs, si spontanés d'abord, puis si originaux soient-ils, ne sont jamais purs de toute réminiscence et inaugurent chaque fois une tradition. C'est là l'échange poétique. On verra que, même dans ce domaine essentiellement libre de la fantaisie, des motifs de Victor Hugo ont pu servir de moules initiaux à Verlaine, Mallarmé, H. de Régnier, Apollinaire ou Max Jacob. Il m'est arrivé de noter certaines de ces filiations, sans toutefois les rechercher systématiquement.

Naturellement, on s'était déjà avisé, dans le cas de Victor Hugo, de l'existence de tels « motifs ». Ainsi, M. Charles Baudouin, dans sa *Psychanalyse de Victor Hugo,* a pu en dénombrer qui nous seront communs. Car, si la fantaisie n'est pas le fantastique, il y a différence d'application, non de principe ; c'est toujours la même imagination, et, entre le jour et la nuit, se place cette frange intermédiaire, le crépuscule, où la lumière se fond dans l'ombre : ainsi en va-t-il de ces deux éléments. Mais notre propos diffère : si, pour M. Baudouin, cette collection a pour but de forcer le choix des motifs à trahir des impulsions subconscientes, le nôtre est de s'arrêter à ce qu'ils sont, c'est-à-dire à leur valeur littéraire.

Avant ce dernier, Arsène Alexandre, comparant les dessins de Victor Hugo à son œuvre poétique, avait déjà senti et exprimé avec pertinence le fait dont nous parlons :

---

(1) Je reprends à peu près ici ce que j'ai dit, au passage, dans le tome I, p. 302.
(2) Coll. Action et Pensée, 7, Genève, 1943.

« N'est-ce point là encore un phénomène parallèle à celui qui se produit dans ses vers? Certains thèmes, motifs, personnages ou idées y reviennent plus d'une fois, mais toujours modifiés soit par un travail différent, soit par une émotion nouvelle. L'artiste est comme un orfèvre passionné... qui d'un certain nombre d'éléments coulés dans un métal très beau, très simple et très pur, les assemble, les compose, les reforge en mille arrangements toujours éblouissants de surprise.

« C'est une des plus saisissantes, et sans doute une des plus belles caractéristiques de l'art moderne à proprement parler... le nombre relativement restreint des objets, mais leurs combinaisons innombrables (1). »

Puis, après avoir comparé la manière dont se comportait Hugo dans sa création à celle de Wagner, il rectifie :

« Victor Hugo le créa (« ce que Wagner fit par système »), le pratiqua, avec un instinct grandiose, une espèce de colossale inconscience, et nullement en partant de la théorie pour arriver à l'exécution. »

Voilà bien l'essentiel. Rien ne serait plus inexact que d'imaginer Hugo développant consciencieusement et consciemment dans sa carrière un certain nombre de thèmes et de motifs qu'il aurait découverts à ses débuts. Les premiers exemples cités dans chaque catégorie ne sont même pas toujours de la fantaisie. Mais ils expliquent le point de départ, l'origine, ce protoplasme où, comme la cellule et son noyau, le futur thème et le futur motif *ont pris forme :* c'est généralement une « chose vue », non pas nécessairement dans la nature d'ailleurs — ce peut être aussi bien un tableau comme vraisemblablement pour les *Fêtes galantes*, encore que de fraîches ou lointaines images de bal masqué s'y mêlent —, de l'impression fugitive à l'observation ou à la contemplation soutenue. Ces premiers exemples ont leur raison d'être à leur place, car ils constituent des étapes de la création et de précieux points de repère. Il est inutile d'ajouter que leur choix est le plus délicat et aussi le plus susceptible de contestation.

C'est seulement par la suite, et assez longtemps après, que le motif paraît se fixer, se figer, ou, plus justement, comme disent les chimistes, *se précipiter*. Ce n'est guère avant 1850 que le poète donne l'impression d' « exploiter » l'un de ces motifs dont la répétition, d'abord inconsciente, lui fait, à la longue, prendre conscience. Et peut-être est-ce seulement le signe d'une constance de soi-même, assez familière à ceux qui créent d'une manière ou d'une autre, que la même chose se représente plusieurs fois de suite à l'esprit sous une forme approchée, analogue, ou, finalement, identique : ils s'en avisent après coup, le plus souvent, et de la meilleure foi du monde. Il n'y a donc rien de systématique dans cette évolution, ou, s'il y apparaît, ce sera au lecteur de se faire là-dessus son opinion, ou de se référer aux conclusions du précédent volume.

Aussi bien est-ce la manière même dont ces motifs se sont présentés à moi : c'est à force de les rencontrer que j'ai commencé à les noter. Rien de dogmatique ni de préjugé dans ce choix : les motifs se sont distingués d'eux-mêmes par leur fréquence, et ce choix s'est imposé en quelque sorte à mon attention. C'est à la fois, je l'entends bien, ce qui fait sa force et sa fragilité. Il représente, on l'imagine, une revue complète

_____

(1) Victor Hugo artiste, in *La Maison de Victor Hugo*, Paris, Hachette, 1903, p. 147.

de l'œuvre de Victor Hugo et par conséquent plus d'une lecture. Ce n'est pas à la première que ces motifs ont attiré mon attention, mais à la seconde ou à la troisième, et il va de soi que j'ai été obligé de revenir plus souvent sur les volumes par lesquels j'avais commencé cette enquête. On ne pourra donc pas me reprocher d'avoir inventé, les textes sont là avec leurs références exactes à l'édition définitive, au moins pour l'heure, des *Œuvres complètes* de Victor Hugo, je veux dire l'édition de l'Imprimerie Nationale, entreprise par l'éditeur Ollendorff et continuée par Albin Michel : on peut les y retrouver, ils parlent d'eux-mêmes. Mais je sens bien qu'on pourra toujours me faire un procès de tendance, me reprocher d'inclure tel élément ou de ne pas tenir compte de tel autre. Qui ne s'y attendrait en pareille matière ? J'ai fait de mon mieux, sans trop de parti pris, je crois, c'est tout ce que je peux dire. J'ai essayé de compenser les faiblesses de l'intuition par une construction ordonnée qui permît d'y voir clair. Ainsi fait-on pour le musée où l'on dispose ses tableaux. Fragile architecture parfois, commandée par le dessein du collectionneur, non du peintre. Mais comment faire pour les montrer hors de la vie créatrice de celui qui les a conçus, qui est elle-même une abstraction et pour lui-même un mytère ? Il arrive qu'on les classe par affinités et dans l'ordre chronologique.

C'est ce que j'ai fait, ou tenté de faire. J'ai réuni les motifs d'après le thème ou l'atmosphère auxquels ils se référaient — ainsi des thèmes, quand il y en avait — et je les ai classés d'après la date de composition des pièces auxquelles ils appartenaient.

Quelques explications sur l'ordre auquel j'ai abouti. Je ne l'ai pas imposé, il va de soi, à ma matière : il s'est dégagé des éléments que j'avais rassemblés. Il a fallu marcher du particulier toujours au général et accéder ainsi à des divisions plus ou moins arbitraires, et d'autant plus qu'elles embrassaient un plus grand nombre de thèmes et de motifs. Voici, en sens inverse, le chemin que j'ai parcouru.

Dans l'ensemble, ces thèmes et motifs se répartissent en deux grandes catégories, suivant qu'ils se rapportent à l'humanité ou à la nature. Cela s'entend *en gros*, comme on le verra bientôt : là encore les transitions sont nuancées.

Le *Côté des Hommes* est dominé par *Eros*, l'amour. Mais, autres temps, autres mœurs. Autrefois,

> Dans ce passé crépusculaire,
> Les femmes se laissaient charmer
> Par les gousses d'ail et l'eau claire
> Dont se composait l'art d'aimer.

Aujourd'hui,

> Le cœur ne fait plus de bêtises.
> Avoir des chèques est plus doux
> Que d'aller sous les frais cytises
> Verdir dans l'herbe ses genoux (1).

---

(1) *C. R. B.*, I, II, 9, *Senior est Junior :* dernière strophe de la div. III et première de la div. V.

Est-il bien vrai ? et Hugo est-il si désabusé que ces vers, par jeu, le laissent entendre ? Il n'en paraît rien en tout cas tout au long de son œuvre. Il n'y a donc, de l'idylle ou pastorale mythologique à la pastorale moderne, qu'une différence de décor. Je n'ai pas cru être infidèle à la pensée du poète en introduisant cette division dans sa fantaisie : il me donnait l'exemple, écrivant « bergerade biblique (1) » sur l'album aux pages duquel il confiait les premières strophes de cette pièce de vers. Ce n'est que le mouvement inverse et toute la pièce repose sur cette dualité.

Le parallélisme se poursuit, curieusement nuancé, dans les principes qui ouvrent la lecture de ces deux séries et les commandent respectivement. A *Orphée au bois du Caystre*, symbole des voyants de la nature, qui aperçoivent les dryades à travers les arbres, répond du côté moderne le *Faune voyeur*, c'est-à-dire cet indiscret témoin de l'idylle qui, s'il existait dans l'idylle ancienne, figure au coin du tableau l'artiste et son inlassable curiosité sensuelle sans laquelle ces « choses vues » ou senties ne le seraient pas pour nous lecteurs.

Le premier motif de la *Pastorale moderne* est suivi de deux annexes, où, comme je le ferai parfois, j'attire l'attention sur des *détails* de ce motif : ainsi fait-on pour le geste d'Adam ou la Sibylle des fresques de la Chapelle Sixtine. Les pieds nus de la belle fille sauvage, le fichu de la grisette ou le mouvement de la cueillette dans l'idylle, détachés de l'ensemble et comme agrandis, aident à le mieux considérer.

Si je me contente le plus souvent de titres simples et explicites pour désigner ces divers motifs et ces sections où je les dispose, ou, lorsque j'ai cette aubaine, de celui que lui donnait Hugo, je n'ai pas cru trahir sa fantaisie en rangeant les motifs précieux de la poésie de l'enfance et du passé sous la rubrique du *Temps perdu*, qui, si elle est le mot d'un autre écrivain, symbolise bien pour nous la poésie qui s'y attache et que Victor Hugo y devinait. C'est dans le même esprit qu'on trouvera dans cette section des *Amours enfantines* et des *Fêtes galantes* : ce sont des expressions qui ont connu une telle fortune qu'elles se sont détachées de l'auteur qui les avait rendues célèbres pour courir toutes seules une carrière dorée. Je dis bien de l'auteur qui les avait rendues célèbres : c'est à Verlaine qu'on pense, et non à Charles Blanc, auteur d'un ouvrage d'histoire de l'art sur *les Peintres de Fêtes galantes (Watteau, Lancret, Pater, Boucher)*, publié en 1854 (2).

Eros domine aussi le *Côté de la Nature*, mais s'y fond dans le grand *Pan*, « dieu des halliers, des rochers et des plaines (3) ». On ne trouvera pas mauvais, j'espère, que, pour ménager les transitions, et parce que cela est ainsi, j'aie rappelé l'importance qu'a pour Hugo le spectacle de la nature, *livre* sacré, Bible comme il disait, offert à ses contemplations et ses plaisirs, dont la *lecture* évoque en sourdine les *Voyants de la nature*, et les *Leçons des Jardins*, notamment du Jardin des Feuillantines, auquel il pensait devoir son initiation.

Dès *le Jardin*, on voit que le thème qui l'a enchanté est l'éveil du

(1) *Promenade dans un Album de Voyage de Victor Hugo* (1865), *Revue d'Histoire de la Philosophie*, n° 43, p. 265 (p. 36 de l'Album n° 4).
(2) Verlaine, *Poésies complètes*, coll. La Pléiade, notes Y.-G. Le Dantec, p. 895.
(3) *A. G. P.*, IV, VII, 5 septembre 1875.

Printemps, comme pour bien d'autres artistes avant et après lui : on ne se lasse pas de s'émerveiller de ce renouveau, ce *Vere novo*, comme dit Hugo après Virgile, qu'on l'appelle *Sacre du Printemps* avec Strawinsky ou *Spring Running* avec Rudyard Kipling. Ai-je eu tort de grouper, en souvenir de Beethoven, ces *vere novo* dans ce que j'appelle la *Sonate du Printemps* ou, comme dit Hugo, *Floréal?* Je ne le pense pas. Ce titre a le mérite de rappeler deux choses : la part de la musique aux yeux du poète dans ce thème ; la part de l'exercice, de la virtuosité aussi, évoquée par le terme de Sonate. Cinq *Annexes*, j'aurais aimé dire cinq corollaires, mais ce serait trop géométrique, cinq grands types de *Variations* accom_ pagnent le thème principal : même si les hommes les encombrent, elle sont là à leur place, faisant miroiter le printemps sous tous les angles, légèrement différents, sous lesquels Hugo l'a contemplé.

Viennent ensuite tous les exécutants de cette *Symphonie pastorale*. Comme dans un orchestre on sépare les Cordes et les Instruments à vent, il y a en gros dans ce concert, d'un côté *les Insectes et les Fleurs*, de l'autre *les Oiseaux et les Arbres*. Pour clore dignement cette symphonie, j'ai réuni trois thèmes qui assimilent la nature à une église, à un théâtre, à un orchestre, où chaque élément de la nature joue un rôle défini. Bien que j'eusse aimé laisser la « Cathédrale des Fleurs » près des Fleurs, outre que les arbres et les oiseaux avaient aussi leur mot à dire, j'ai considéré que ces trois thèmes formaient une transition heureuse et comme un pré- lude à la dernière section, l'*Humanisation de la Nature* : ils découlent de ce même principe.

Sous ce dernier titre, j'ai rangé tous les thèmes et motifs qui s'inspi- raient d'une assimilation de quelque partie que ce soit de la nature à l'un quelconque des objets et des usages de notre vie en société. Cette forme d'imagination est latente sous la fantaisie hugolienne et, à y bien réfléchir, peut-être sous toute fantaisie.

Enfin, j'ai fait précéder le tout d'une manière de Prologue intitulé *Unité et Variété de la Nature* et destiné à rappeler que, dans l'esprit du poète, ces diverses variations concourent à un effet unique de joie et de liberté. C'est la grande loi de la nature, qui domine l'ensemble de cette fantaisie.

* *

Tel est *grosso modo* le programme de cette exposition. A l'intérieur de chaque section, on trouvera les thèmes et motifs classés dans l'ordre chronologique de leur création, le seul qui compte. Ici se pose précisé- ment le problème des dates. On a renoncé à croire aux dates de l'édition qui différaient des dates des manuscrits, et on suit, en règle générale, ces dernières. J'ai dit là-dessus ailleurs ce que j'en pensais (1). Je me contente de le résumer, dans la mesure où ces considérations intéressent cette étude. Plusieurs cas peuvent se présenter. Il arrive qu'on n'ait pas d'autres dates que celles de l'édition : faute de preuve à leur opposer, je m'y suis fié. C'est ce qui se passe en particulier pour les œuvres du premier tiers de sa vie. Il faut ajouter que lorsque, dans ce cas, le manus- crit mentionne une date, c'est souvent alors la même que celle de l'édition.

---

(1) Cf. *Promenade dans un Album de Voyage de Victor Hugo, Revue d'Histoire de la Philosophie,* nᵒˢ 41 et 43, *passim,* et notamment dans la conclusion.

Il arrive aussi qu'aucune mention de date ne figure ni sur l'édition, ni sur le manuscrit : c'est le cas de nombreuses pièces recueillies au contraire à la fin de la vie de Victor Hugo dans les derniers recueils ou même après sa mort. Pour la plupart, non pas toutes, l'édition de l'Imprimerie Nationale propose des millésimes approximatifs, établis d'après la différence d'encre, de papier et d'écriture, où Mme Daubray, servie par une longue et patiente et dévote familiarité avec les manuscrits du poète, a acquis une véritable dextérité. Ces dates probables sont précieuses, mais elles ne sont pas certaines. C'est le cas de la pièce XVIII du livre II de *Toute la Lyre*, dont on retrouve une strophe dans l'Album de 1865, comme l'éditeur le signale d'ailleurs lui-même, et qui reste imperturbablement attribuée à « 1870-1872 ». Ce qui est bien possible après tout pour qui connaît les habitudes d'économie du poète : comme il amassait du papier sur lequel il écrivait parfois plusieurs années après se l'être procuré, il gardait ainsi des vers, des strophes, des fragments qu'il reprenait plus tard (1). J'ai pourtant suivi ces dates hypothétiques, sauf lorsque j'avais de sérieuses présomptions d'une date différente (2).

Cela n'a pas aussi bien tellement d'importance. Nous ne saurons jamais exactement quel jour il écrivit quelle pièce. Et comment l'aurait-il su davantage ? La création poétique a de ces fantaisies. Lorsqu'il datait une pièce sur le manuscrit, c'était du jour où il l'avait terminée, voire recopiée. Mais la première inspiration, mais la première strophe ? Elles devraient parfois être affectées chacune d'une date différente. De là des différences variant d'un jour à plusieurs, à un mois, parfois peut-être à un an ou même davantage. C'est là le cas extrême, bien entendu, et l'exception. Mais lui-même nous invite à douter. Ses manuscrits présentent souvent deux dates, dont l'une est rayée : laquelle croire, laquelle croyait-il lui-même, et savait-il bien seulement ? Ce qui est évident pour les morceaux de longue haleine comme Hugo en écrivit plus d'un, par centaines de vers, ne l'est pas moins pour de petites pièces de rien : nous voyons dans le Reliquat des *Chansons* une pochade de trois strophes (*R.* 319) intitulée *Dans les bois* et datée 15 *avril* 1855 avec *mai* écrit de la même main au-dessus d'*avril*. Qu'est-ce que ce 15 *avril* qui peut être un 15 *mai* pour une aussi mince affaire ? Et que penser alors de plus importantes ? Or, le motif, en tout cela, peut appartenir au début, au milieu ou à la fin de la composition de telles pièces. Il faut donc, en tout état de cause, se résoudre à accepter une marge d'approximation. Ce n'était pas une raison, loin de là, pour se contenter paresseusement de réunir les motifs par recueils : ce qui nous intéresse est de suivre autant que possible la courbe créatrice du motif et l'on sait que certains recueils, pour ne pas dire tous, s'étalent sur des périodes variant de cinq à cinquante années : les *Contemplations* comprennent des pièces allant de 1834 (II, x) à 1856, les *Chansons* sont bloquées dans les étés 59 et 65, *Toute la Lyre* va de 1829 (VII, I-II) à 1880 (3).

(1) *Ibid.*
(2) Elles figurent entre crochets, suivies d'un point d'interrogation.
(3) Comme les recueils composent néanmoins un classement commode, j'ai ajouté à la fin un *index* où l'on pourra retrouver classées par recueils et dans l'ordre des pièces de ces recueils les références des diverses citations que j'en extrayais. J'ai pensé qu'il serait précieux à celui qui étudie une pièce et qui pourra ainsi en retrouver les divers motifs dans le cadre de leur évolution.

Du reste, puisque nous parlons de recueils, cette collection ne prétend pas être exhaustive. Chaque fois que je reprends une œuvre de Victor Hugo j'y fais de nouvelles découvertes. Il fallait s'arrêter. Je laisse le soin et le plaisir au lecteur de la continuer à sa guise. J'ai moins cherché à exploiter à fond l'un de ces trois recueils cités ci-dessus et où la fantaisie déborde (pour *les Contemplations*, je veux parler des deux premiers livres) qu'à montrer qu'elle se glissait un peu partout et même dans les recueils de pièces graves où on s'y attendait le moins, comme *la Légende des Siècles*, sans parler même du *Groupe des Idylles*, qui n'est que fantaisie. On s'étonnera peut-être que j'aie moins souvent recouru au *Théâtre en liberté* qui n'est aussi que fantaisie : c'est un peu par goût de la difficulté ; j'aurais eu trop beau jeu, outre qu'il eût fallu tout citer. Je me suis borné à faire appel à quelques passages, considérés comme des *témoins* évidents de fantaisie, pour montrer en quelque sorte que le motif considéré était bien de la fantaisie. Même si, comme le dit Gautier, « le théâtre exclut absolument la fantaisie (1) », Hugo, Musset, ont soutenu la gageure et démontré le contraire. Mais il reste un peu vrai que « les idées bizarres y sont trop en relief, et les quinquets jettent un jour trop vif sur les frêles créatures de l'imagination ». La fantaisie y prend quelque chose de forcé, comme pour passer une rampe d'ailleurs imaginaire. J'ai peut-être eu, je l'avoue, une certaine tendance à rechercher les passages qui révélaient une fraîcheur, une délicatesse, oui, inconnues, au détriment parfois de la grosse verve éclatante que l'on ne refuse pas à ce poète.

Certaines enfin de ces citations se retrouvent à plusieurs reprises, parce qu'elles coiffaient plusieurs motifs : je les ai reproduites entièrement, quand il était nécessaire, le plus souvent partiellement. C'est le cas de ces pages datées de Heidelberg, octobre 1840 (*Rh.*, XXVIII, pp. 309-312), où Hugo précisément développe la fantaisie que lui inspire une promenade dans les bois : c'est une mine de motifs où l'on reconnaît la fantaisie mythologique, les « magnificences microscopiques », divers motifs procédant de la domestication de la nature, comme la nature-mobilier, etc. D'autres citations hésitent à la frontière du fantastique et du fantasque, « qui n'est autre chose que le fantastique riant (2) ». Il y a des cas de frange évidemment : tout n'est pas aussi simple que pour le motif des *Mois*. Chaque fois qu'il perçait le moindre rayon de soleil dans ces ténèbres et que l'humour se glissait à travers l'épouvante, je les ai retenus. Mais ce n'est pas encore très souvent.

Il me reste à remercier tous ceux qui de loin ou de près se sont intéressés à ce travail : on en oublie toujours. Je me contenterai de rappeler M. Levaillant dont l'attention bienveillante plane sur toute l'entreprise, le regretté M. Ascoli, qui m'avait encouragé très précisément à dresser ce catalogue, M. Bruneau surtout qui l'a surveillé, m'a donné beaucoup de conseils, et encore plus de liberté, M. Pintard enfin, dont les justes observations m'ont permis de rectifier quelques détails.

Sous ce patronage, la galerie est ouverte : puisse-t-elle contribuer à faire mieux connaître et apprécier Victor Hugo et le charmant esprit que sait garder parfois le génie.

_____

(1) *Les Grotesques*, III, *Théophile de Viau*, éd. Michel Lévy, 1871, p. 75.
(2) *Promontorium Somnii*, in *William Shakespeare*, Reliquat, p. 302.

ABRÉVIATIONS UTILISÉES DANS L'OUVRAGE
POUR DÉSIGNER LES TITRES DES ŒUVRES DE V. HUGO

A.	*L'Ane.*
A. F.	*Les Années funestes.*
A. G. P.	*L'Art d'être grand-père.*
Ang.	*Angelo.*
A. P.	*Actes et Paroles.*
A. R.	*Amy Robsart.*
A. T.	*L'Année terrible.*
B.	*Les Ballades.*
B. J.	*Bug-Jargal.*
Burg.	*Les Burgraves.*
C.	*Les Contemplations.*
C. C.	*Les Chants du Crépuscule.*
C. G.	*Claude Gueux.*
C. R. B.	*Les Chansons des rues et des bois.*
Ch.	*Châtiments* (1).
Ch. v., I et II.	*Choses vues,* t. I et II.
C. L.	*Le Conservateur littéraire.*
Corresp.	*Correspondance.*
Cr.	*Cromwell.*
D.	*Dieu.*
D. G.	*Dernière Gerbe.*
D. J.	*Le Dernier Jour d'un Condamné.*
E.	*L'Épée.*
F. A.	*Les Feuilles d'automne.*
F. M.	*La Forêt mouillée.*
F. S.	*La Fin de Satan.*
G. M.	*La Grand'Mère.*
H.	*Hernani.*
H. C.	*Histoire d'un Crime.*
H. I.	*Han d'Islande.*
H. Q. R.	*L'Homme qui rit.*

(1) « L'article *les* n'est pas indifférent... Je dis *Châtiments* et *les Contemplations.* » Victor Hugo, lettre à Noël Parfait, citée par M. LEVAILLANT, *Victor Hugo, Juliette Drouet et « Tristesse d'Olympio »,* p. 105, n. 25.

J.	*Les Jumeaux.*
L. B.	*Lucrèce Borgia.*
L. aux B.	*Lettres aux Bertins.*
L. F.	*Lettres à la Fiancée.*
L. Ph. m.	*Littérature et Philosophie mêlées.*
L. S., P. S., N. S.	*La Légende des Siècles, Première Série, Nouvelle Série.*
L. S., D. S.	*La Légende des Siècles, Dernière Série.*
M. F.	*La Muse française.*
M. F. R.	*Mille francs de récompense.*
M. I.	*Mangeront-ils ?*
Mis.	*Les Misérables.*
M. L.	*Marion de Lorme.*
M. T.	*Marie Tudor.*
N. D. P.	*Notre-Dame de Paris.*
N. P.	*Napoléon-le-Petit.*
O.	*Odes.*
O. B.	*Odes et Ballades.*
Oc.	*Océan.*
Or.	*Les Orientales.*
P.	*Le Pape.*
Pa.	*Paris.*
P. S.	*La Pitié suprême.*
P. S. V.	*Post-Scriptum de ma Vie.*
Prom. Somn.	*Promontorium Somnii.*
Q. V. E.	*Les Quatre Vents de l'Esprit.*
Q. V. T.	*Quatre-vingt-treize.*
R. A.	*Le Roi s'amuse.*
R. B.	*Ruy Blas.*
R. O.	*Les Rayons et les Ombres.*
R. R.	*Religions et Religion.*
Rel.	*Reliquat.*
Rh.	*Le Rhin.*
T.	*Torquemada.*
Tas.	*Tas de pierres.*
T. L.	*Toute la Lyre.*
T. M.	*Les Travailleurs de la mer.*
Th. J.	*Théâtre de Jeunesse.*
Th. lib.	*Théâtre en liberté.*
V., II.	*En voyage, t. II (France et Belgique, Alpes et Pyrénées, etc.).*
V. I.	*Les Voix intérieures.*
V. H. rac.	*Victor Hugo raconté par un témoin de sa vie.*
W. S.	*William Shakespeare.*

N. B. — J'ai, dans la toujours délicate typographie des titres, autant que possible respecté les majuscules et les minuscules de l'auteur lui-même.

Tous les textes sont cités d'après l'édition dite de l'Imprimerie Nationale, Ollendorff-Albin Michel éditeur.

PROLOGUE

UNITÉ ET VARIÉTÉ DE LA NATURE

Ce poète qui *s'en va dans les champs* n'a cessé, notamment depuis que ses voyages, ses promenades, lui ont multiplié les paysages, d'observer dans la nature un mélange paradoxal d'unité et de diversité. Ce trait, à vrai dire, n'est pas particulier à sa poésie ni à sa fantaisie, mais se trouve, plus ou moins affirmé, au principe de toute poésie. Après 1850, Baudelaire, puis les Symbolistes ont fait la quête, poétique par essence, de ces « correspondances » que les Romantiques (Ballanche, Nodier, Leroux) appelaient encore « harmonies ». Un poète anglais contemporain y voit le fond même de l'émotion poétique, ces rapports retrouvés satisfaisant notre besoin d'intellection et d'unité : « Il apparaît, écrit C. Day Lewis, avec une force et une unanimité tout à fait remarquables, à la fois dans les vers et dans les essais critiques des poètes anglais, que la vérité poétique vient de la perception d'une unité sous-jacente à tous les phénomènes et les reliant entre eux, et que la tâche de la poésie consiste à découvrir sans cesse, grâce au pouvoir de faire des images et des métaphores, de nouveaux rapports à l'intérieur de ce cadre et à redécouvrir et à restaurer d'anciens rapports (1). »

Je pense que Victor Hugo aurait approuvé cette formule ; nul ne l'a plus que lui proclamé, au moins de son temps. La fantaisie étant l'imagination créatrice délivrée de toute contrainte, on comprend que son jeu soit de découvrir, à travers des formes et des fonctions apparemment diverses, tout un réseau secret de parentés, et, corrélativement, de distinguer sous des aspects apparemment identiques les nuances qui font leur prix pour l'œil de l'amateur. C'est entre ces deux catégories fondamentales de la poésie que se donne carrière la fantaisie du poète. Comme elle joue par nature de l'effet de surprise, plus ces nuances ou ces affinités valables seront inattendues, plus elle aura d'attrait sur notre esprit engourdi par l'habitude ou le préjugé. Là encore, ce serait la place de rapporter cette opinion du critique John Middleton Murry, citée dans le

(1) C. DAY LEWIS, *The poetic image*, London, J. Cape, 1947, p. 34.

même livre : « Ce que nous demandons avant tout (au poëte), c'est que la ressemblance dégagée soit une vraie ressemblance, et qu'elle ait passé jusque-là inaperçue, ou rarement aperçue de nous, en sorte qu'elle nous apparaisse avec un choc de révélation (1). » C'est ce qui fait précisément, on verra, l'étendue de cet univers poétique où la fonction, une attitude, une couleur, ou une particularité quelconque sont bonnes au poète pour lui permettre d'établir des analogies et de pousser toujours plus loin dans la matière vivante du monde les ramifications de son intuition créatrice.

J'ai vu tout à coup passer un grand épervier qui chassait aux alouettes. J'y aurais fait peu d'attention, si un peu plus loin je n'avais vu sur une haie un charmant petit bouvreuil, tout jeune et gros comme le poing, qui se donnait des airs d'épervier avec les mouches.

(*V.*, II, 58, Granville, juin 1836.)

Une chose me frappait hier matin, tout en rêvant sur ces vieux boulevards de Montreuil-sur-mer. C'est la manière dont l'être se modifie et se transforme constamment, sans secousse, sans disparate, et comme il passe d'une région à l'autre avec calme et harmonie. Il change d'existence presque sans changer de forme. Le végétal devient animal sans qu'il y ait un seul anneau rompu dans la chaîne qui commence à la pierre, dont l'homme est le milieu mystérieux, et dont les derniers chaînons, invisibles et impalpables pour nous, remontent jusqu'à Dieu. Le brin d'herbe s'anime et s'enfuit, c'est un lézard ; le roseau vit et glisse à travers l'eau, c'est une anguille ; la branche brune et marbrée du lichen jaune se met à ramper dans les broussailles et devient couleuvre ; les graines de toutes couleurs, mets-leur des ailes, ce sont des mouches ; le pois et la noisette prennent des pattes, voilà des araignées ; le caillou informe et verdâtre, plombé sous le ventre, sort de la mare et se met à sauteler dans le sillon, c'est un crapaud ; la fleur s'envole et devient papillon. La nature entière est ainsi. Toute chose se reflète, en haut dans une plus parfaite, en bas dans une plus grossière, qui lui ressemblent.
Et quel admirable rayonnement de tout vers le centre! Comme les divers ordres d'êtres créés se superposent et dérivent logiquement l'un de l'autre! Quel syllogisme que la création! Où commencent la branche et la racine, l'arbre commence ; où commence la tête, l'animal commence ; où commence le visage, l'homme commence. Ainsi s'engendrent l'un de l'autre, dans une unité ravissante, les quatre grands faits qui saisissent le globe, la cristallisation, la végétation, la vie, la pensée.

(*V.*, II, 131, Étaples, 5 septembre 1837.)

Je l'ai dit quelque part, l'unité dans la variété, c'est le principe de tout art complet. Sous ce rapport, la nature est la plus grande artiste qu'il y ait. Jamais elle n'abandonne une forme sans lui avoir fait parcourir tous ses logarithmes. Rien ne se ressemble moins en apparence qu'un arbre et un fleuve ; au fond pourtant l'arbre et le fleuve ont la même ligne génératrice. Examinez, l'hiver, un arbre dépouillé de ses feuilles, et couchez-le en esprit à plat sur le sol, vous aurez l'aspect d'un fleuve vu par un géant à vol d'oiseau. Le tronc de l'arbre, ce sera le fleuve ; les grosses branches, ce seront les rivières ; les rameaux et les ramuscules, ce seront les torrents, les ruisseaux et les sources ; l'élargissement de la racine, ce sera l'embouchure. Tous les fleuves, vus sur une carte géographique sont des arbres qui portent des villes tantôt à l'extrémité des rameaux comme des fruits, tantôt dans l'entre-deux des branches comme des nids ; et leurs confluents et leurs affluents innombrables imitent, suivant l'inclinaison des versants et la nature des terrains, les embranchements variés des différentes espèces végétales, qui toutes, comme on sait, tiennent leurs jets plus ou moins écartés de la tige selon la force spéciale de leur sève et la densité de leur bois... Si l'on redresse

(1) *Ibid.*, p. 23.

par la pensée debout sur le sol l'immense silhouette géométrale du fleuve, le Rhin apparaît portant toutes ses rivières à bras tendus et prend la figure d'un chêne.

(*Rh.*, XXV, 264, Mayence, 1er octobre 1840.)

Pour moi, vous le savez, ces grands aspects (*soleils couchants, etc.*) ne sont jamais « la même chose », et je ne me crois pas dispensé de regarder le ciel aujourd'hui parce que je l'ai vu hier.

(*Rh.*, XXVIII, 324, Heidelberg, octobre 1840.)

Il y a là... douze portes de la renaissance..., douze idylles de pierre, auxquelles se mêle, comme sortie des mêmes racines, une admirable et charmante forêt de fleurs sauvages dignes des palatins, *consule dignae*. Je ne saurais vous dire ce qu'il y a d'inexprimable dans ce mélange de l'art et de la réalité ; c'est à la fois une lutte et une harmonie... Les arabesques font des broussailles, les broussailles font des arabesques. On ne sait laquelle choisir et laquelle admirer le plus, de la feuille vivante ou de la feuille sculptée.

(*Rh.*, XXVIII, 333, Heidelberg, octobre 1840.)

La pâquerette

Que de combinaisons mystérieuses pour aboutir à ce ravissant petit soleil jaune aux rayons blancs.

(*Ch. v.*, I, 68, 29 mai 1841.)

Un bouquet d'œillets blancs aux longues tiges frêles,
Dans une urne de marbre agité par le vent,
Se penche, et les regarde, immobile et vivant,
Et frissonne dans l'ombre, et semble, au bord du vase,
Un vol de papillons arrêté dans l'extase.

(*C.*, I, III, La Terrasse, 10 juin 1842.)

Vous savez, mon ami, que, pour les esprits pensifs, toutes les parties de la nature, même les plus disparates au premier coup d'œil, se rattachent entre elles par une foule d'harmonies secrètes, fils invisibles de la création que le contemplateur aperçoit, qui font du grand tout un inextricable réseau vivant d'une seule vie, nourri d'une seule sève, un dans la variété, et qui sont, pour ainsi parler, les racines mêmes de l'être. Ainsi, pour moi, il y a une harmonie entre le chêne et le granit, qui éveillent, l'un dans l'ordre végétal, l'autre dans la région minérale, les mêmes idées que le lion et l'aigle entre les animaux, puissance, grandeur, force, excellence.

Il y a une autre harmonie, plus cachée encore, mais pour moi aussi évidente, entre l'orme et le grès, etc... (1).

(*V.*, II, 352, Pasages, août 1843.)

... Le lézard qui est aux pierres ce que l'oiseau est aux feuilles...

(*V.*, II, *ibid.*)

Il y a une classe de gens, d'esprits, si vous voulez, que l'enthousiasme fatigue ou dépasse, et qui se tirent d'affaire, devant toutes les beautés de l'art ou de la création, avec cette phrase toute faite : C'est toujours la même chose...

Braves imbéciles qui ne se doutent pas du rôle immense que jouent en ce monde le détail et la nuance! Dans la nature, c'est la vie ; dans l'art, c'est le style. Superbes niais dédaigneux, qui ne savent pas que l'air, le soleil, le ciel gris ou serein, le coup de vent, l'accident de lumière, le reflet, la saison, la fantaisie de Dieu, la fantaisie du poète, la fantaisie du paysage, sont des mondes! Le même motif donne la baie de Constantinople, la baie de Naples et la baie de Rio-Janeiro...

(*V.*, II, 380, Pampelune, 12 août 1843.)

(1) Cf. *Arbres, Rochers fantasques*. Même expression que dans l'exemple qui suit : « Il (le grès) est parmi les rochers ce que l'orme est parmi les arbres. »

Vois donc, là-bas, où l'ombre aux flancs des coteaux rampe,
Ces feux jumeaux briller comme une double lampe
Qui remuerait au vent !
Quels sont ces deux foyers qu'au loin la brume voile ?
— L'un est un feu de pâtre et l'autre est une étoile ;
Deux mondes, mon enfant (1) !

(*C.*, III, xxx [1846 ?].)

Et la petite fleur, par-dessus le vieux mur,
Regardait fixement, dans l'éternel azur,
Le grand astre épanchant sa lumière immortelle.
« Et, moi, j'ai des rayons aussi ! » lui disait-elle (2).

(*C*, I, xxv, 2 juillet 1853, Jersey.)

La ronce devient griffe, et la feuille de rose
Devient langue de chat...

(*C.*, VI, xxvi, v. 336, 1ᵉʳ-13 octobre 1854.)

Car Dieu fait un poëme avec des variantes ;
Comme le vieil Homère, il rabâche parfois,
Mais c'est avec les fleurs, les monts, l'onde et les bois !
. . . .
Le pâtre promontoire au chapeau de nuées,
S'accoude et rêve au bruit de tous les infinis...
Pendant que l'ombre tremble, et que l'âpre rafale
Disperse à tous les vents avec son souffle amer
La laine des moutons sinistres de la mer (3).

(*C.*, V, xxiii, La Corbière, 17 décembre 1854.)

Veux-tu te figurer le monde ?
Coupe un tronc d'arbre dans les bois.
L'aubier sur sa surface ronde
Offre cent sphères à la fois.
L'œil peut retrouver chaque orbite
Que la planète d'or habite
Dans les cercles du bois vermeil ;
La sève erre en leur zone obscure
Comme Mars, Vénus et Mercure ;
Le nœud du centre est le soleil.

(*T. L.*, II, xlvi [1858 ?].)

(Dieu)
On croit qu'il renouvelle, il fait la même chose ;
Toujours la même forme en ses œuvres s'épand ;
L'arbre est un hérisson, le fleuve est un serpent ;
La lune jaune accuse, en copiant l'orange,
Une stérilité d'invention étrange ;
Le narcisse est un œil, l'épilobe, une oreille...
O création pauvre, ayant à tes deux bouts
Les soleils ronds des cieux, les yeux ronds des hiboux !...

(1) Cf. *C. C.*, XXVI, le pressentiment de cette « correspondance » :

Comme un clair de lune bleuâtre
Et le rouge brasier du pâtre
Se mirent au même ruisseau.

(2) La marguerite. Le titre de la pièce est *Unité*. Cf. la pâquerette de *Choses vues*.
(3) Image virgilienne d'origine, comme l'a montré CHABERT (*Enéide*, III, v. 655,
cf. éd. Vianey, t. III, p. 124). Hugo l'avait déjà utilisée lors de son voyage dans les
Alpes en 1825 pour décrire le Dru :
« Un jour de pluie, lorsqu'on l'aperçoit confusément à travers le brouillard, on
pense voir le Cyclope de Virgile assis dans la montagne, et les blanches vagues de
la Mer de Glace sont les troupeaux qu'il compte pendant qu'ils passent à ses pieds. »

Et, dans tous les recoins de son œuvre ineffable,
Dans son éclair qui n'est que du rayon cassé, etc...
Dans le cygne pareil au lys, que de redites !

                    (*Q. V. E.*, I, XLII [1857-1860 ?].)

Tandis que là-bas siffle un merle,
La sarcelle des roseaux plats
Sort, ayant au bec une perle ;
Cette perle agonise, hélas !

C'est le poisson qui, tout à l'heure,
Poursuivait l'aragne, courant
Sur sa bleue et vague demeure,
Sinistre monde transparent (1).

                    (*C. R. B.*, II, II, 4, 23 octobre 1859.)

Rien n'est petit en effet ; quiconque est sujet aux pénétrations profondes de la nature, le sait. Bien qu'aucune satisfaction absolue ne soit donnée à la philosophie, pas plus de circonscrire la cause que de limiter l'effet , le contemplateur tombe dans des extases sans fond à cause de toutes ces décompositions de forces aboutissant à l'unité. Tout travaille à tout.

                    (*Mis.*, IV, III, 3, add. 1860-62.)

Il ne saurait y avoir deux lois ; l'unité de loi résulte de l'unité d'essence ; nature et art sont les deux versants d'un même fait.

                    (*W. S.*, I, III, 2, 1863-1864.)

Déserts dont les gavials sont les noirs cénobites,
Où le boa, sans souffle et sans tressaillement,
Semble un tronc d'arbre à terre et dort affreusement...

                    (*A. G. P.*, IV, VII [1874 ?].)

---

(1) Cf. l'épervier et le bouvreuil de Granville, 1836.

EROS

LE CÔTÉ DES HOMMES

> Quel est le maître ? Eros...
> (*T. L.*, VI, L, 1876-1878.)

I

LA PASTORALE MYTHOLOGIQUE

« ORPHÉE AU BOIS DU CAYSTRE... »
OU
LES VOYANTS DE LA NATURE

C'est le titre d'une pièce des *Chansons des rues et des bois* (I, 1, 2).
Victor Hugo l'a placée au début du recueil, car elle le commande, elle
en est l'une des clefs : symbole de l'animation mythologique de la nature.
Victor Hugo dénombre dans ces vers quelques-uns des visionnaires, des
voyants de la nature, Florian à côté d'Ézéchiel, qui ont su voir les dryades
parmi les chênes et les nymphes à travers l'eau. Il se compte naturellement parmi eux. Ce thème est aux motifs qui suivent — *Galatée, Venus
in sylvis* — ce que celui du *Voyeur* sera par la suite aux *Apparitions
de jeunes filles* et leur suite. La seule différence est qu'il demeure sur le
plan mythologique, ce qui lui confère une sorte de caractère sacré.

> Dans l'ombre, au clair de lune, à travers les buissons,
> Avides, nous pourrons voir à la dérobée
> Les satyres dansants qu'imite Alphésibée.
> > (*V. I.*, VII, *A Virgile*, Les Roches, juin 1835.)

> On devine, devant tes tableaux qu'on vénère,
> Que dans les noirs taillis ton œil visionnaire
> Voyait distinctement, par l'ombre recouverts,
> Le faune aux doigts palmés, le sylvain aux yeux verts,
> Pan, qui revêt de fleurs l'antre où tu te recueilles,
> Et l'antique dryade aux mains pleines de feuilles...
> Mainte chimère étrange à la gorge écaillée.
> > (*V. I.*, X, *A Albert Dürer*, 20 avril 1837.)

> Le chasseur songe dans les bois
> A des beautés sur l'herbe assises,
> Et dans l'ombre il croit voir parfois
> Danser des formes indécises.
> > (*R. O.*, XXVI, éd. 23 mai 1839.)

— Horace! ô bon garçon!...
Tu songeais ; tu faisais des odes à Barine...
Tu voyais des lueurs, des formes, des rayons...
Silène digérer dans sa grotte, pensif ;
Et se glisser dans l'ombre, et s'enivrer, lascif,
Aux blanches nudités des nymphes peu vêtues,
Le faune aux pieds de chèvre, aux oreilles pointues!

(*C*., I, XIII, 1846.)

        Orphée, au bois du Caystre,
        Écoutait, quand l'astre luit,
        Le rire obscur et sinistre
        Des inconnus de la nuit.

        . . . .
        O feuillage, tu m'attires ;
        Un dieu t'habite ; et je crois
        Que la danse des satyres
        Tourne encore au fond des bois.

        (*C. R. B.*, I, 1, 2, 22 juillet 1859 (1).)

Les clairs étangs le soir offraient leurs noirs jargons
A Monsieur Florian, officier de dragons ;
Et l'âpre Ezéchiel, l'affreux prophète chauve,
Homme fauve, écoutait parler la bête fauve.

        (*A. C. P.*, IV, II, 30 juillet 1868.)

Théocrite souvent dans le hallier divin
Crut entendre marcher doucement la ménade.

        (*A. G. P.*, I, IX, *Retour à Guernesey*, 30 avril [1872 ?].)

(1) Disant adieu à la fantaisie, le poète renonce à ces gracieuses hallucinations :
        On n'entend plus la bacchante crier...

        (*D. G.*, XX [1861 ?].)

« *GALATÉE SOUS LES SAULES...* »

> ...comme on rêve... la Galatée qui
> s'enfuit sous les saules.
>
> (*V.*, II, p. 297.)

Ce motif a une origine littéraire. Ce sont les deux vers célèbres de Virgile :

Malo me Galatea petit, lasciva puella,
Et fugit ad salices, et se cupit ante videri (1).

Il pourrait donc sembler que Victor Hugo ait cherché à l'appliquer à la nature : il perdrait pour autant sa spontanéité. Je pense que le poète l'a plutôt retrouvé sans le chercher. Il y a rencontre d'une impression réelle avec le souvenir de l'image virgilienne. La preuve en est que le premier exemple caractérisé se trouve dans les *Voyages*. C'est le mouvement que Hugo retient, la grâce de la fuite timide et provocante, et auquel son attention demeure attachée pour le symbole amoureux qu'il contient. Ainsi, dans ces vers de 1877, sans que le nom de Galatée soit même prononcé, son attitude est évoquée à propos de cette fille d'Auteuil, qui « semble née à Mégare » :

Comme la biche accourt et fuit à notre voix,
Elle est apprivoisée et sauvage à la fois (2).

Galatée rejoint ainsi l'*apparition d'une belle fille sauvage*, et l'idylle virgilienne les surprises de la route : « puisqu'on trouve des églogues de Virgile dans l'ombre du Rigi ». C'est encore la meilleure preuve qu'il y a rencontre entre la suggestion littéraire et l'aventure de la vie (3).

---

(1) *Buc.*, III, v. 64-65. Galatée me lance une pomme, la folle enfant, et s'enfuit vers les saules, et veut se faire voir avant de disparaître.
(2) *L. S.*, *N. S.*, XVIII, Id. XVII.
(3) Je ne pense pas que le tableau de *Galatée et Acis* par GLAIZE, que signale Baudelaire dans son Salon de 1845 — à une époque pourtant où Victor Hugo, ami de Mme Biard, fréquentait les milieux artistes — ni que l'opéra-comique *Pygmalion* de J. BARBIER et M. CARRÉ en 1851 aient eu une influence puisque le motif date d'avant ; de telles œuvres et d'autres ont pu cependant le rappeler à l'imagination du poète. On n'en remarque point d'ailleurs d'évolution, mais seulement une utilisation élargie dans le sens de la satire ou de la philosophie (voir l'extrait de *P. S. V.*). Pas d'influence sensible non plus de la *Galatée* de FLORIAN — bien antérieure, celle-ci — sinon de pur rappel.

>   Regarde-les. Regarde encor
>   Comme la vierge, fille d'Ève,
>   Jette, en courant dans les blés d'or,
>   Sa chanson qui contient son rêve!
>
>   (R. O., XXVI, éd. 23 mai 1839.)

La jolie fille du Rigi.

... une jeune fille pieds nus, qui était assise au bord du chemin, est accourue, a jeté en passant trois prunes dans mon cabriolet et s'est enfuie avec un sourire. Pendant que je cherchais quelques batz dans mon gousset, elle avait disparu. Un moment après, je me suis retourné, elle était revenue au bord du chemin tout en se cachant dans la verdure, et elle me regardait de ses yeux brillants à travers les saules comme Galatée... Tout est possible au bon Dieu, puisqu'on rencontre des églogues de Virgile dans l'ombre du Rigi.

                     (V., II, p. 178, Lucerne, 10 septembre 1839.)

La grande belle fille innocente de Bayonne.

Je la vois encore. Elle était blonde et svelte, et me paraissait grande. C'était un regard doux et voilé, un profil virgilien, comme on rêve Amaryllis ou la Galatée qui s'enfuit vers les saules.

                     (V., II, p. 297, Bayonne, 26 juillet 1843.)

>   Aujourd'hui Galatée aux lascives épaules
>   Qui voulait être vue et fuyait sous les saules,
>   Et jetait en courant des pommes aux garçons...
>
>   (T. L., VI, LIX [1840-1844 ?].)

>   Elle bâillait, laissant entrevoir ses épaules ;
>   Puis, comme une naïade ondoyant sous les saules...
>
>   (D. G., LXXV, A André Chénier [1858-1859 ?].)

>   André Chénier sous les saules
>   Avait l'éblouissement
>   De ces fuyantes épaules
>   Dont Virgile fut l'amant.
>
>   (C. R. B., I, I, 2, 22 juillet 1859.)

>   Près d'un vieux pont, dans les saulées,
>   Elle lavait, allait, venait.
>
>   (C. R. B., I, IV, 7, 27 septembre [1859 ?].)

>   J'aime mieux rêver sous les saules
>   Que de lire les mandements
>   De Monsieur le primat des Gaules
>   Contre les poulardes du Mans.
>
>   Je trouve charmantes les belles...
>
>   (Q. V. E., III, L, 25 octobre 1859 (1).)

>   Les seins blancs et les jeunes voix
>   Des Phyllis et des Galatées
>   Conseillent le rire et les bois.
>
>   (Q. V. E., III, V, 1, 28 octobre [1859 ?].)

---

(1) Dans cette pièce de verve qui fronde joyeusement une religion de contrition, sévère aux plaisirs de la terre, la fantaisie est fortement nuancée par l'usage satirique qui en est fait.

La grecque et la parisienne
Font parmi nos couplets railleurs,
Comme à travers l'idylle ancienne,
La même course dans les fleurs.

..., Et Galatée est sous les saules
Comme sous l'éventail Ninon.
(*C. R. B.*, *R.* 344 [1860 ?].)

L'idylle aujourd'hui pend au grand plafond céleste ;
Restaurons-la : suivons Galatée au pied leste ;
Et je serai Virgile, et vous serez Églé,
O belle au frais fichu vainement épinglé !
(*L. S.*, *N. S.*, XVIII, Id. xix, *Chaulieu*, 6 avril 1860.)

... Favourite courait en avant sous les grandes branches vertes... avec une verve de faunesse.

... Ses épais cheveux blonds (*Fantine*)... semblaient faits pour la fuite de Galatée dans les saules.
(*Mis.*, I, iii, 3, 130 [1860-1862 ?].)

Le grand obscur se dérobe, mais veut être poursuivi. L'énigme, cette Galatée formidable, fuit sous les prodigieux branchages de la vie universelle, mais elle vous regarde et désire être vue.
(*P. S. V.*, *Cont. Sup.*, 626 [1863-1864 ?].)

Il veut l'embrasser. Elle s'enfuit en riant derrière le saule.
Ce saule est dans Virgile. — Oh! viens à mes côtés.
(*Th. Lib.*, *G. M.*, sc. 3, 1865.)

C'est vrai, belle, depuis que les blanches épaules
De Galatée ont pris la fuite sous les saules...
Une gloire ineffable est à l'amour mêlée.
(*T. L.*, VI, xviii, 1835, 12 juillet 1874.)

Juvénal transparent laisse entrevoir Virgile ;
Devant la Némésis la Galatée agile
Surgit, folle, et d'un geste aimable et souverain,
Jette en riant sa pomme au noir masque d'airain.
(*A. F.*, XLVIII, 27 juin 1875) (1).

La pomme d'Ève aux mains de Galatée atteint
Virgile...
(*T. L.*, VI, l [1876-1878 ?].)

Le passant ne pourra rencontrer mon idylle
Sans trouble, et, tout à coup, voyant devant ses pas
Une pomme rouler et fuir, ne saura pas
Si dans votre épaisseur sacrée elle est jetée,
Forêts, pour Atalante, ou bien par Galatée.
(*L. S.*, *N. S.*, XVIII, Id. ix, 20 janvier 1877.)

Les jeunes filles vont et viennent sous les saules ;
Leur chevelure cache et montre leurs épaules...
(*L. S.*, *N. S.*, XVIII, Id. iv, 1ᵉʳ février 1877.)

---

(1) Même remarque que ci-dessus : pièce d'inspiration satirique qui met en scène le « rêveur justicier », mais le « printemps vous entre malgré vous ».

Fou d'amour, je m'en fusse en allé n'importe où
Avec la nymphe blanche et pure de Coustou,
Comptant bien l'arracher palpitante à son arbre,
Et voir sous mes baisers rougir ce sein de marbre,
Et faire au Ranelagh, dont j'étais le lion,
Galoper Galatée avec Pygmalion.

(Oc., Tas, 545, s. d.)

« *VENUS IN SYLVIS* »
OU
NUDITÉS DANS LA VERDURE

C'est encore un vers latin qui est l'origine de ce motif ; mais il est de Lucrèce, et prend par là une valeur plus large, presque cosmique, tandis que celui de Virgile n'avait qu'une portée anecdotique — ainsi peut-on rencontrer des motifs comme celui de la nymphe de Mayence. Hugo le cite dans *William Shakespeare* (I, 1, § 6, p. 30) :

> Çà et là une vaste image de l'accouplement s'ébauche dans la forêt. *Tunc Venus in sylvis jungebat corpora amantum* (1) ; et la forêt, c'est la nature.

On le retrouve également sur la page de titre du livre I du manuscrit des *Contemplations* (sous le second titre, *Les nuées du passé*), l'inscription *Venus in sylvis* avait vraisemblablement la valeur d'une épigraphe et annonçait l'inspiration idyllique de ce premier livre.

Au sujet du mécanisme psychologique selon lequel le souvenir antique prend vie dans l'observation de la nature, Victor Hugo nous donne lui-même de précieuses indications. C'est à propos de sa rencontre avec la nymphe de Biarritz, qui chantait *Gastibelza...* :

> Est-ce que vous ne trouvez pas dans ceci je ne sais quel air d'Ulysse écoutant la sirène ? La nature nous rejette et nous redonne sans cesse, en les rajeunissant, les thèmes et les motifs innombrables sur lesquels l'imagination des hommes a construit toutes les vieilles poésies et toutes les vieilles mythologies. (*V.*, II, 312, Biarritz, 25 juillet 1843.)

Il est évident que Hugo a été hanté par la vision érotique du nu sur le vert. L'influence des tableaux mythologiques n'y est pas étrangère. Lui-même a dessiné au moins deux nus — d'ailleurs remarquables — mais sur fond de couvertures rayées (2). D'une manière générale, il est très sensible aux formes féminines qu'il souligne, comme fait l'étoffe mouillée, familière aux sculpteurs, dont il est parfois question dans ses descriptions écrites.

---

(1) LUCRÈCE, *De natura rerum*, ch. V, v. 963. Alors Vénus dans les forêts accouplait les corps des amants.
(2) Voir la reproduction de l'un d'eux, *C. R. B.*, éd. I. N., p. 489. Les deux figurent dans la collection de la Maison de Victor Hugo.

> Contempler dans son bain sans voiles
> Une fille aux yeux innocents...
>
> (*F. A.*, XXV, 12 septembre 1828.)

> Avez-vous vu jouer les beautés dans les herbes... ?
>
> (*R. O.*, XXXVI, 19 mars 1837.)

La baigneuse d'Ostende.

Vers midi, comme il faisait beau, on se baignait..., les femmes en peignoir. Ce peignoir est une simple chemise d'étoffe de laine fort légère qui descend jusqu'à la cheville, mais qui, mouillée, est fort collante, et que la vague relève souvent. Il y avait une jeune femme qui était fort belle ainsi, trop belle peut-être. Par moments c'était comme une de ces statues antiques de bronze avec une tunique à petits plis. Ainsi entourée d'écume, cette belle créature était tout à fait mythologique.

> (*V.*, II, 114, Ostende, 31 août 1837.)

> Parmi les ornements sculptés dans le treillage,
> Colombine dormait dans un gros coquillage,
> Et, quand elle montrait son sein et ses bras nus,
> On eût cru voir la conque, et l'on eût dit Vénus.
>
> (*C.*, I, XXII, 16 février 1840.)

La nymphe de Mayence.

Du côté de Mayence rayonne, étincelle et verdoie la fameuse plaine-paradis qui ouvre le Rhingau... Ici la nature rit comme une belle nymphe étendue toute nue sur l'herbe...

> (*Rh.*, XXII, 230, Mayence, 15 septembre 1840.)

La baigneuse de Biarritz.

Une belle jeune fille qui nageait vêtue d'une chemise blanche et d'un jupon court dans une petite crique fermée par deux écueils à l'entrée d'une grotte... En m'apercevant, elle sortit à moitié de l'eau et se mit à chanter sa seconde stance (de la *chanson de Gastibelza*).

> (*V.*, II, 311, Biarritz, 25 juillet 1843.)

> Avec ses beaux bras blancs en marbre de Paros,
> Elle montait dans l'arbre et courbait une branche;
> Les feuilles frissonnaient au vent; sa gorge blanche,
> O Virgile, ondoyait dans l'ombre et le soleil.
>
> (*C.*, II, VII, 5 juin 1853.)

> L'étang mystérieux, suaire aux blanches moires,
> Frissonne; au fond du bois, la clairière apparaît;
> Les arbres sont profonds et les branches sont noires;
> Avez-vous vu Vénus à travers la forêt?
>
> (*C.*, II, XXVI, 20 février 1854.)

> La femme nue, ayant les hanches découvertes,
> Chair qui tente l'esprit, rit sous les feuilles vertes.
>
> (*C.*, VI, XVII, 30 mars 1854.)

> Que de fois j'ai montré sa gorge aux branches d'arbre!
>
> (*T. L.*, VI, LVIII, 3 avril, Jersey, 1853-1854.)

> Mais où donc est le temps des nymphes ingénues,
> Qui couraient dans les bois, et dont la nudité
> Dansait dans la lueur des vagues soirs d'été?
>
> (*C.*, I, XXVI, 17 novembre 1854.)

> Pan contemple effaré la nudité des gorges.
>
> (*D.*, II, IV, 419, 1856.)

Chloé nue éblouit la forêt doucement.
(L. S., N. S., XVIII, Id. xi, *Longus,* 6 avril 1860.)

Plus d'une nymphe y songe, et dans nos perspectives
Parfois se laissent voir des nudités furtives.
(L. S., N. S., X, 2 [1855-1862 ?].)

... Je regarde
Les blanches nudités des nymphes dans les bois.
(Th. J., Plans, 568 [1865-1878 ?].)

... Du temps de Vénus Aphrodite,
Parfois, seule, écoutant on ne sait quelles voix,
La déesse errait nue et blanche au fond des bois (1).
(Q. V. E., I, xvi [juillet-septembre 1870 ?].)

De claires eaux luisaient au fond des avenues ;
Et les reines du roi se baignaient toutes nues
Dans les parcs où rôdaient des paons étoilés d'yeux.
(L. S., N. S., IV, 14 août 1874.)

Dites que pour avoir aperçu dans leurs bains
Des déesses, rondeurs célestes, gorges blanches,
On est cerf à jamais errant parmi les branches.
(L. S., N. S., XVI, 4 septembre 1874.)

O jeunesse! ô seins nus des femmes dans les bois !
(T. L., VI, xviii, 1874-1875.)

L'orageuse gaîté des néréides nues
Se jetant de l'écume et dansant dans les flots,
Blancheurs qui font rêver au loin les matelots,
Ces ébats glorieux des déesses mouillées
Prenant pour lit les mers comme toi les feuillées...
(L. S., N. S., XVIII, Id. xxii [1874 ?].)

Une belle fille aux doux yeux,
. . . .
Qui doit divine, ayant la rose
Aux deux pointes de son sein nu.
(L. S., N. S., V, *Chanson de Sophocle à Salamine,* 4 janvier 1876.)

O nymphes, baignez-vous à la source des bois.
Le hallier, bien qu'il soit rempli de sombres voix...,
N'est jamais envahi par l'ombre qui s'accroît
Au point d'être sinistre et de n'avoir plus droit
A la nudité de Néère.
(L. S., N. S., XVIII, Id. viii, 31 décembre 1876.)

La nature n'est qu'une alcôve ; et c'est Vénus
Dont on distingue au fond de l'ombre les seins nus...
(T. L., VI, l [1876-1878 ?].)

Et le soir, quand la lune, éclairant dans leur bain
Le faune et la naïade indistincte, se lève...
(L. S., N. S., XVIII, Id. x, 30 janvier 1877.)

---

(1) La pureté de la vision n'est pas altérée par le rôle symbolique que lui prête Hugo : c'est dans *le Bout de l'oreille*, satire anticléricale, écrite à propos des livres du poète brûlés en Espagne ; Vénus est la conscience pourchassée par le faune, le « noir quemadero », le prêtre inquisiteur.

FLUTES DU CRÉPUSCULE

> Souvenons-nous que le hautbois
> Donnait à Platon des idées
> Voluptueuses, dans les bois.
> (*C. R. B.*, I, i, 4.)

Il y a encore là, originellement, le souvenir des flûtes des bergers et de leurs compétitions musicales, le soir, après le travail, chères aux poètes bucoliques de l'antiquité. Mais, comme nous l'avons dit, à propos du motif précédent, en citant une phrase de Victor Hugo lui-même, c'est la nature même, telle qu'il l'observe en voyage, qui lui en rappelle l'existence réelle. Accompagnant les idylles antiques et l'idylle éternelle que lui évoque toujours le spectacle de la nature, elles en deviennent peu à peu le symbole, et, même détachées de tout contexte érotique, figurent un rappel amoureux, notamment dans les *Chansons des rues et des bois*, où elles lui donnent comme à Platon des « idées voluptueuses, dans les bois ». En cela, elle se rattachent au motif-clef d'*Orphée :* comme le poète *croit voir* des formes dans la verdure, il croit entendre les flûtes qui les convoquent et qui les charment. Comme il a des hallucinations de la vue, il en a de l'ouïe.

La vallée de la Vesdre.
Entre Chauffontaines et Verviers la vallée m'apparaissait avec une douceur virgilienne... J'entendais une flûte dans la montagne (1).
> (*Rh.*, VIII, 64, Aix-la-Chapelle, 4 septembre 1840.)

> Viens! — une flûte invisible
> Soupire dans les vergers. —
> La chanson la plus paisible
> Est la chanson des bergers.
> (*C.*, II, xiii, 8 septembre 1846.)

> Jadis c'était le temps du beau printemps divin ;
> Silène était dans l'antre et ronflait plein de vin ;
> Mai frissonnait d'aurore, et des flûtes magiques
> Se répondaient dans l'ombre au fond des géorgiques.
> (*T. L.*, II, ix, 29 mai 1856.)

---

(1) Voir l'extrait dans son entier dans *Paysage d'Eglogue virgilienne*.

... On entendait Chrysis,
Sylvain du Ptyx que l'homme appelle Janicule,
Qui jouait de la flûte au fond du crépuscule...

(*L. S.*, *P. S.*, VIII, 17 mars 1859.)

Eschyle errait à la brune
En Sicile, et s'enivrait
Des flûtes au clair de lune
Qu'on entend dans la forêt

(*C. R. B.*, I, 1, 2, 22 juillet 1859.)

Une femme me fascine ;
Comme Properce, j'entends
Une flûte tibicine
Dans les branches du printemps.

(*C. R. B.*, I, VI, 17, 11 août [1859 ?].)

... Fils, et qu'on entende à Nanterre
Les vagues flûtes de l'Hémus.

(*C. R. B.*, I, 1, 4 [1859 ?].)

Du bois où l'on entend la flûte des satyres...

(*A. G. P.*, VIII, 12 septembre [1868-1872 ?].)

Est-ce qu'on n'entend pas des flûtes dans les bois ?

(*Oc.*, LIX, *Nuda*, 30 mai 1874.)

On entend alterner des flûtes sous les chênes.

(*T. L.*, VI, L [1876-1878 ?].)

PAYSAGE D'ÉGLOGUE VIRGILIENNE

Il serait lassant de compter le nombre de fois que Virgile est appelé dans l'œuvre de Hugo. Peu à peu il devient le patron de l'amour, l'invisible *témoin* de l'idylle (1). Dès que son nom est prononcé, c'est d'elle qu'il s'agit. A cela se mêlent des souvenirs plus ou moins précis de tableaux d'inspiration mythologique et idyllique, dans le style de Poussin : «... un paysage à la Poussin. C'est un berger demi-nu... », etc. (*Rh.*, XVII, 137) ; ou de vignettes de moindre valeur, comme celles qu'il rappelle dans la même page.

M. Chabert a dénombré tous les emprunts que Victor Hugo avait faits à Virgile (2). Ils sont nombreux, et le poète ne le cachait pas. C'est son premier maître, et il l'est resté. Mais plus largement, Victor Hugo a prêté et donné, à tort et à travers, beaucoup plus encore qu'il n'a rendu à Virgile. C'est ce qui explique qu'il n'y a pas une répétition similaire du même thème, mais des variations sur ce thème, qui ici font entrevoir le *Parc* du XVIIIe siècle ou là le paysage du *Printemps* (*Vere novo*). Il ne se retrouve jamais le même : les éléments de base en sont les bœufs, les moutons, une mare, le feuillage bleuâtre des arbres, à quoi s'ajoutent par exception les paons du *Parc* ou les oiseaux querelleurs du *Printemps*. Il y a donc, dans ce thème, une grande souplesse ; par suite, aucune interprétation rigoureuse n'en est concevable.

> Partout où la nature est gracieuse et belle,
> Où l'herbe s'épaissit pour le troupeau qui bêle,
> Où le chevreau lascif mord le cytise en fleurs,
> Où chante un pâtre, assis sous une antique arcade...
> (F. A., XXXVIII, éd. 8 novembre 1831.)

> Bien souvent, fatigués du soleil, nous aimons
> Boire au petit ruisseau tamisé par les monts !
> (C. C., XIX, éd. 21 août 1835.)

(1) Exemple : dans *C.*, II, VII (5 juin 1853), le poète prend Virgile à témoin de la grâce charnelle de sa compagne :

> Les feuilles frissonnaient au vent ; sa gorge blanche,
> O Virgile, ondoyait dans l'ombre et le soleil.

Le fait est fréquent chez Hugo.
(2) Cf. également A. GUIARD, *Virgile et Victor Hugo*, 1910.

Devant la blanche ferme où parfois vers midi
Un vieillard vient s'asseoir sur le seuil attiédi (1),
Où cent poules gaîment mêlent leurs crêtes rouges,
Où, gardiens du sommeil, les dogues dans leurs bouges
Écoutent les chansons du gardien du réveil,
Du beau coq vernissé qui reluit au soleil,
Une vache était là, tout à l'heure arrêtée.
Superbe, énorme, rousse et de blanc tachetée,
Douce comme une biche avec ses jeunes faons,
Elle avait sous le ventre un beau groupe d'enfants,
D'enfants aux dents de marbre, aux cheveux en broussailles,
Frais, et plus charbonnés que de vieilles murailles...

(V. I., XV, mai 1837.)

La vallée de la Vesdre.

Entre Chauffontaines et Verviers la vallée m'apparaissait avec une douceur virgilienne. Il faisait un temps admirable, de charmants marmots jouaient sur le seuil des jardins, le vent des trembles et des peupliers se répandait sur la route, de belles génisses, groupées par trois ou quatre, se reposaient à l'ombre, gracieusement couchées dans les prés verts. Ailleurs, loin de toute maison, seule au milieu d'une grande prairie enclose de haies vives, paissait majestueusement une admirable vache digne d'être gardée par Argus. J'entendais une flûte dans la montagne.

(Rh., VIII, 64, Aix-la-Chapelle, 4 septembre 1840 (2).)

Le ravin de Saint-Goarshausen (la Vallée-Suisse).

... Si l'on se rapproche des routes à ornières, des fermes et des moulins, tout ce qu'on rencontre semble arrangé et groupé d'avance pour meubler le coin d'un paysage du Poussin. C'est un berger demi-nu, seul avec son troupeau dans un champ de couleur fauve, et soufflant des mélodies bizarres dans une espèce de lituus antique. C'est un chariot traîné par des bœufs, comme j'en voyais dans les vignettes du Virgile-Herhan que j'expliquais dans mon enfance ; entre le joug et le front des bœufs il y a un petit coussinet de cuir brodé de fleurs rouges et d'arabesques éclatantes. Ce sont des jeunes filles qui passent pieds nus, coiffées comme des statues du bas-empire...

(Rh., XVII, 137, Saint-Goar, septembre 1840.)

S'asseoir au haut du Klopp, vers l'heure où le soleil décline..., voir les monts se rembrunir, les toits fumer, les ombres s'allonger et les vers de Virgile vivre dans le paysage... quand l'air est tiède, quand la saison est douce, quand le jour est beau... Aux fenêtres des mansardes, des jeunes filles chantent les yeux baissés sur leur ouvrage ; les oiseaux babillent gaîment dans les lierres de la ruine, les rues fourmillent de peuple, et ce peuple fait un bruit de travail et de bonheur ; des barques se croisent sur le Rhin, on entend les rames couper la vague, on voit frissonner les voiles ; les colombes volent autour de l'église ; le fleuve miroite, le ciel pâlit ; un rayon de soleil horizontal empourpre au loin la poussière sur la route ducale de Rudesheim à Biberich et fait étinceler de rapides calèches qui semblent fuir dans un nuage d'or portées par quatre étoiles. Les laveuses du Rhin étendent leur toile sur les buissons, les laveuses de la Nahe battent leur linge, vont et viennent, jambes nues et les pieds mouillés, sur des radeaux formés de troncs de sapins amarrés au bord de l'eau, et rient de quelque touriste qui dessine l'Ehrenfels.

(Rh., XXII, 232, Bingen, Mayence, septembre 1840.)

(1) Cf. *le Vieillard du Galèse*, *Géorgiques*, IV, et l'adaptation en vers qu'en fit Hugo (*O. B.*, 411) quand il avait quinze ans.
(2) On pourrait rappeler là *la jolie fille du Rigi* dont le décor est virgilien : « ... on trouve des églogues de Virgile à l'ombre du Rigi. » (*V.*, II, 178.)

Le ravin de Heidelberg.

... Je regarde couler au-dessous de mon trône, dans le ravin, quelque admirable ruisseau semé de roches pointues où se fronce à mille plis la tunique d'argent de la naïade ; ou bien, si le mont n'a pas de torrent, si le vent, les feuilles et l'herbe se taisent, si le lieu est bien calme, bien désert, bien éloigné de toute ville, de toute maison, de toute cabane même, je fais faire silence en moi-même à tout ce qui murmure sans cesse en nous, j'ouvre l'oreille aux chansons de quelque jeune montagnard perdu dans les branches avec son troupeau de chèvres, là-bas, bien loin, au-dessus ou au-dessous de moi. Rien n'est mélancolique et doux comme la tyrolienne sauvage chantée dans l'ombre, par un pauvre petit chevrier invisible, pour la solitude qui l'écoute. Quelquefois, dans toute une grande montagne, il n'y a que la voix d'un enfant.

(Rh., XXVIII, 313, Heidelberg, octobre 1840.)

> Un immense frisson émeut la plaine obscure...
> Le bœuf rêve et mugit, les bouvreuils et les merles
> Et les geais querelleurs sifflent, et dans les bois
> On entend s'éveiller confusément les voix ;
> Les moutons hors de l'ombre, à travers les bourrées,
> Font bondir au soleil leurs toisons éclairées.

(Ch., IV, x, Jersey, 28 avril 1853.)

Pasteurs et Troupeaux.

> Le vallon où je vais tous les jours est charmant,
> Serein, abandonné, seul sous le firmament,
> Plein de ronces en fleurs...
> Là, l'ombre fait l'amour ; l'idylle naturelle
> Rit ; le bouvreuil avec le verdier s'y querelle...
> J'y rencontre parfois sur la roche hideuse
> Un doux être ; quinze ans, yeux bleus, pieds nus, gardeuse
> De chèvres, habitant au fond d'un ravin noir,
> Un vieux chaume croulant qui s'étoile le soir ;
> Ses sœurs sont au logis et filent leur quenouille ;
> Elle essuie aux roseaux ses pieds que l'étang mouille ;
> Chèvres, brebis, béliers, paissent ; ...
> Ses agneaux, dans le pré plein de fleurs qui l'encense,
> Bondissent, et chacun, au soleil s'empourprant,
> Laisse aux buissons, à qui la bise le reprend,
> Un peu de sa toison, comme un flocon d'écume...

(C., V, XXIII, 17 décembre 1854.)

> Jadis c'était le temps du beau printemps divin ;
> Silène était dans l'antre et ronflait plein de vin ;
> Mai frissonnait d'aurore, et des flûtes magiques
> Se répondaient dans l'ombre au fond des géorgiques ;
> L'eau courait, l'air jouait ; de son râle étranglé
> La couleuvre amoureuse épouvantait Eglé ;
> Les paons dans la lumière ouvraient leurs larges queues ;
> Et, lueurs dans l'azur, les neuf déesses bleues
> Flottaient entre la terre et le ciel dans le soir,
> Et chantaient, et, laissant à travers elles voir
> Les étoiles, ces yeux du vague crépuscule,
> Elles mêlaient Virgile assis au Janicule,
> Moschus dans Syracuse, et les sources en pleurs,
> Les troupeaux, les sommeils sous les arbres, les fleurs,
> Les bois, Amaryllis, Mnasyle et Phyllodoce,
> A leur mystérieux et sombre sacerdoce.

(T. L., II, IX, 29 mai 1856.)

> Des satyres, couchés sur le dos, égrenant
> Des grappes de raisin au-dessus de leur tête,
> Des ægipans aux yeux de dieux, aux pieds de bête,

Joutant avec le vieux Silène, s'essoufflant
A se vider quelque outre énorme dans le flanc,
Têtant la nymphe Ivresse en leur riante envie...
(L. S., P. S., V, 1, 9, décembre 1858.)

O bergers, le hallier sauvage est surprenant;
On y distingue au loin de confuses descentes
D'hommes ailés, mêlés à des nymphes dansantes;
Des clartés en chantant passent, et je les suis (1).
(L. S., N. S., XVIII, Id. IX, 20 janvier 1877.)

Elle est dans la prairie, elle est dans les forêts
La plus belle, et n'a pas l'air de le faire exprès;
C'est plus qu'une déesse et c'est plus qu'une fée,
C'est la bergère; c'est une fille coiffée
D'iris et de glaïeuls avec de grands yeux bleus;
Elle court dans les champs comme au temps fabuleux
Couraient Leontium, Phyllodoce et Glycère;...
Nous sommes sous un hêtre avec Virgile assis,
Et cette chanson s'est de ma flûte envolée...
(L. S., N. S., XVIII, Id. XVII, 25-28 janvier 1877.)

Ressembler à ce bon petit chevreau qui saute
Joyeux, libre, et qui broute, et boit aux étangs verts,
Si content qu'il en met l'oreille de travers...
(L. S., N. S., XVIII, Id. XVIII, 10 février 1877.)

(1) Ne dirait-on pas un Corot?

II

LA PASTORALE MODERNE

FAUNE VOYEUR

> Je suis un grand regardeur de toutes choses.
> (*Rh.*, XXXIV, 381, Zurich, septembre 1839.)
>
> Si je n'étais songeur, j'aurais été sylvain.
> (*C.*, I, XXVII, 15 octobre 1854.)

Comme l'antique dieu Terme, il se place à la frontière des deux pastorales. Qu'il soit mis au compte d'un faune, du poète lui-même, ou d'un personnage quelconque, ce thème-clef, qui se réduit parfois à un simple motif — la présence signalée d'un faune, témoin silencieux et indiscret — commande les divers thèmes et motifs érotiques de la vie quotidienne : apparition d'une belle fille sauvage dans les bois, jeune fille surprise à la dérobée dans sa toilette matinale par la lucarne d'une mansarde, etc. Comme Orphée *croyait voir* les formes indistinctes des nymphes et des dryades, le sylvain, « grand regardeur de toutes choses », *voit* les formes réelles des filles qu'il surprend dans l'intimité des bois ou de leur chambrette. S'il y a une évolution de ce motif-clef, c'est, des déesses aux chambrières et des statues aux corps, vers un caractère sensuel de plus en plus alerté et quotidien. Parfois cependant, comme dans la second strophe citée du *Chêne du Parc détruit* (*C. R. B.*, I, v, 1), le faune voyeur, qui d'ailleurs rêvait aux *fêtes galantes* qu'il avait vues autrefois, s'élève jusqu'au sens sacré de l'amour universel. Ou bien c'est le *Satyre* qui, commencé dans le style des *Chansons des rues et des bois*, se découvre dans l'Olympe, où il est transporté, une grandeur inconnue et célèbre la vie obscure et fourmillante de la terre. Est-il nécessaire de signaler ici ce que doit à ce primitif goguenard, profond et rêveur, soit directement, soit indirectement à travers Banville, sa postérité impressionniste ?

Mais pas plus que pour le *Faune* de Mallarmé, dont Thibaudet attribuait, à tort, semble-t-il, l'origine à un tableau de Boucher (1), il ne convient d'en rechercher la raison d'être ailleurs que chez le poète lui-même.

Comme le montre le premier motif cité, qui, bien que postérieur et d'une plume étrangère, se réfère à une anecdote de 1821, Victor Hugo a un côté « voyeur ». Il avait toutes les curiosités et semble avoir également partagé celle qui porte à jouir de spectacles auxquels on n'est point convié. Des extraits, que nous ne rappelons pas ici et que nous citons à la rubrique *Jeunes filles à la lucarne*, sont symptomatiques à cet égard et nous montrent le poète en voyage, l'œil littéralement tourné vers le haut, vers le ciel, et non pas toujours pour y voir se lever les étoiles.

Il connaissait la maison et alla à une sorte de vasistas qui éclairait d'en haut la salle de bal. Là, seul et dans l'obscurité, il colla ses yeux au carreau et s'enivra désespérément du plaisir des autres.

(*V. H. rac.*, XXXIV, anecdote du 21 février 1821, jour de la mort de sa mère.)

> Toi qu'en ces murs, pareille aux rêveuses sylphides,
> Ce vitrage éclairé montre à mes yeux avides,
> Jeune fille, ouvre-moi! Voici la nuit, j'ai peur...

(*B.*, II, 1823 (2).)

En même temps deux yeux ardents étincelaient dans l'ombre tout près des miens, et une double rangée de dents blanches, que j'entrevoyais dans les ténèbres, s'ouvrait pour laisser passer ces mots, prononcés avec l'accent de la rage : *Te tengo! Te tengo!*

(*B. J.*, VI, 1818-1826.)

> D'un œil ardent, tu verras
> Sortir du bain l'ingénue,
> Toute nue,
> Croisant ses mains sur ses bras.

(*Or.*, XIX, juillet 1828.)

> Pâle, il regardera, de sa prison lointaine,
> Les femmes aux pieds nus qui passent dans la plaine.

(*J.*, II, 1, 524, 10 août 1827.)

— Une autre fois, continua le poète en souriant, j'ai regardé avant de me coucher par le trou de sa serrure, et j'ai bien vu la plus délicieuse dame en chemise qui ait jamais fait crier la sangle d'un lit sous son pied nu.

(*N. D. P.*, VII, II, 215, octobre 1830.)

Il y avait à la porte vermoulue de son bouge une fente assez large. Il y colla son visage. De cette façon il pouvait voir tout ce qui se passait dans la chambre voisine... Le prêtre la vit sortir de terre (cette belle et gracieuse figure, la Esmeralda) comme une éblouissante apparition...

(1) Cf. *Œuvres complètes de Stéphane Mallarmé*, Paris, coll. la Pléiade, éd. H. Mondor et G.-J. Aubry, notes p. 1452, et les quatre vers cités de Rolla :

> Regrettez-vous le temps où les nymphes lascives
> Ondoyaient au soleil parmi les fleurs des eaux
> Et d'un éclat de rire agaçaient sur les rives
> Les Faunes indolents couchés dans les roseaux?

(2) Rappelons l'épigraphe de Th. Moore choisie pour *Une Fée* (*B.*, I) : « Elle apparaît... comme ces figures dont le poète voit les yeux étinceler à travers le feuillage sombre, quand, dans sa promenade du soir, il rêve de l'amour et du ciel. »

Dom Claude cependant voyait tout... La jeune et belle fille livrée en désordre à cet ardent jeune homme...

(N. D. P., VII, VIII, 245-249, novembre 1830.)

> Si tu veux, chaque nuit, en écartant les branches,
> Sans éveiller d'échos à nos pas hasardeux,
> Nous irons tous les trois, c'est-à-dire tous deux,
> Dans ce vallon sauvage, et de la solitude,
> Rêveurs, nous surprendrons la secrète attitude.

(V. I., VII, juin 1835.)

La statue.

> Je lui dis : — Vous étiez du beau siècle amoureux.
> Sylvain, qu'avez-vous vu quand vous étiez heureux ?
> Vous étiez de la cour ? Vous assistiez aux fêtes ?
> C'est pour vous divertir que ces nymphes sont faites...
> Vous ont-elles parfois de leur groupe vermeil
> Entouré follement, si bien que le soleil
> Découpait tout à coup, en perçant quelque nue,
> Votre profil lascif sur leur gorge ingénue ?

(R. O., XXXVI, éd. 19 mars 1837.)

> . . . .
> Et que je pourrais voir en me penchant un peu,
> Si jusqu'au bord du toit mon regard se hasarde,
> Marguerite en chemise au fond de sa mansarde (1)...
> . . . .
> Que Suzon dans les prés dorme à l'ombre des aulnes,
> Qu'Anna, qui ravirait un faune au pied fourchu,
> Fasse en penchant la tête entr'ouvrir son fichu,
> Je n'en profite pas. Je reste comme un terme.

(D. G., XIX [1852 ?].)

> Elle entra rougissante... —
> 　　　　　　　　A l'antre de la chambre,
> Le vieux Satan riait dans sa barbe de bouc.

(Q. V. E., I, Deux voix dans le ciel, 23 novembre 1853.)

> En ce moment, un bouc au pied fourchu
> Passe et me dit : Penche-toi. Je me penche.
> Anges du ciel ! je vis sa gorge blanche
> 　　　　　Sous son fichu !

(T. L., VI, XX, 20 septembre 1854.)

> Tout à coup nous aperçûmes
> (Était-ce un bouc ? je le crois)
> Dans la sauge et la joubarbe,...
> 　　　Une barbe
> 　　　Dans·le bois.
> 　　　. . . . .
> Je criai : C'est un satyre !
> Lise dit : C'est un sapeur !

(T. L., VII, XII, 8 février 1855.)

MADAME ANTIOCHE

Prends garde, Balminette, on voit ta jarretière !

BALMINETTE (traversant le ruisseau).

Qu'est-ce que ça me fait ?

---

(1) Toute la série des *Jeunes filles à la lucarne* serait à rappeler ici.

DENARIUS (*observant… sans être vu et de derrière un arbre*).
C'est Vénus tout entière!...
(Th. Lib., F. M., IV, 1854.)

La blanche vision des nymphes fait sortir
Sylvain des bois, Triton des eaux, Vulcain des forges;
Pan contemple effaré la nudité des gorges.
(D., II, IV, 419, 1856.)

J'avais seize ans, bel âge où tous les chérubins
Rôdent, tâchant de voir par les vitres des bains…
L'âge que vous aviez, mon André, quand vous vîtes
Un beau matin, du fond de son réduit obscur…
Sortir du lit Myrrha, qui s'appelait Clarisse;
Bref, je fis comme vous, mon doux André Chénier,
Et j'appliquai mon œil aux fentes du grenier.
(D. G., LXXV [1858-1859 ?].)

Nuit et jour, poursuivant les vagues formes blanches,
Il tenait à l'affût les douze ou quinze sens
Qu'un faune peut braquer sur les plaisirs passants…
Pour ce songeur velu, fait de fange et d'azur,
L'andryade en sa grotte était dans une alcôve…
Il était fort infâme au mois de mai; cet être
Traitait, regardant tout comme par la fenêtre,
Flore de mijaurée et Zéphir de marmot.
(L. S., P. S., VIII, 17 mars 1859.)

Je voyais l'alcôve auguste
Où le dauphin s'accomplit,
Leurs majestés jusqu'au buste,
Lauzun caché sous le lit.
. . . .
J'assiste aux couples sans nombre,
Au viol, dans le ravin,
De la grande pudeur sombre
Par le grand amour divin…
(C. R. B., I, V, 1, 2 juillet-2 août 1859.)

On est ici conduit par l'âme,
Mais par le faune on est guetté.
(C. R. B., I, II, 7, 11 juillet 1859.)

On voyait, je vous le déclare,
Un peu plus haut que le genou.
Sous un pampre un vieux faune hilare
Murmurait tout bas : Casse-cou!
(C. R. B., I, IV, 7, 27 septembre [1859 ?].)

J'ai fait, vers dix-sept ans, ce rêve gracieux
Que je voyais Hébé, la grisette des cieux,
Mettre sa jarretière et dégrafer sa guimpe
Dans les mansardes d'ombre et d'azur de l'Olympe.
(Oc., LIV [1859-1860 ?].)

C'est pourquoi demain, réveillés,
Les faunes, au bruit des rapières,
Derrière les buissons mouillés,
Ouvriront leurs vagues paupières.
(C. R. B., I, III, 3 [1859-1865 ?].)

Les fourches des rameaux sur les faunes cornus
Tressaillent ; copions les oiseaux ingénus ;...
Regardons s'entr'ouvrir les mouchoirs sur les gorges...

(*L. S., N. S.*, XVIII, Id. xxi, 17 mai [1860 ?].)

GLAPIEU (*la tête à la lucarne...*).
(*... Il regarde dans la chambre par la porte entrebâillée et aperçoit Étiennette.*)
Une madame. Deuxième femme. La mère probablement. Encore belle.
D'anciens chagrins. Trente-huit ans qui en paraissent quarante-cinq. Salut
à la maman !

(*M. F. R.*, I, iv, 229, février-mars 1866.)

LE ROI
                    Épier des âmes entr'ouvertes.
M'amuse.

(*Torq.*, I, iv, 1869.)

(*Gallus caché par un massif.*)
LISON
Mais je suis toute nue, et c'est plein d'yeux ici.

(*Q. V. E.*, II, ii, a. i, sc. i, mars 1869.)

Mais un bonhomme en bois taillé dans un tronc d'arbre,
Un antique magot riant à nos ébats,
Satyre aux yeux de bouc qui me parlait tout bas...

(*T. L.*, VI, lxi, 8 mai 1870.)

Cependant, retenant leur respiration,
Voyant au loin passer cette clarté, les faunes
S'approchaient ; l'ægipan, le satyre aux yeux jaunes,
Se glissaient en arrière, ivres d'un vil désir,
Et brusquement tendaient le bras pour la saisir,
Et le bois frissonnait, et la surnaturelle,
Pâle, se retournait sentant leur main sur elle (1).

(*Q. V. E.*, I, xvi [juillet-septembre 1870 ?].)

Or ce chef-d'œuvre avait un singe pour amant ;
J'étais de temps en temps regardé fixement,
A travers les rameaux en fleurs, par un gorille.
Sept pieds de haut, des dents de tigre, un œil qui brille,
Peste ! je m'évadai du paradis...

(*T. L.*, VI, lxiii [1871-1872 ?].)

LEO
Viens !
LEA
Où ?
LEO
Dans ce bois.
LEA
Mais...
LE SATYRE
                    Fin de l'idylle : un mioche.
(*Th. Lib.*, *Sur la lisière d'un bois*, H. H., 16 juin 1873.)

---

(1) Au passage de Vénus. L'image est altérée par des interférences symboliques
et l'intention satirique. Cf. p. 17, n. 1.

Parfois j'étais obscène à force d'innocence.
Mon regard violait la vague nudité
Des déesses, debout sous les feuilles l'été ;
Je contemplais de loin ces rondeurs peu vêtues,
Et j'étais amoureux de toutes les statues.

> (*T. L.*, VI, xviii, 1, 10 septembre 1873,
> sur l'impériale de l'autobus.)

Quand Catulle avait bu son petit vin sabin
Il ne se gênait pas pour voir Glycère au bain.

> (*T. L.*, VI, lv [1874-1875 ?].)

Je construis au-dessus de ma tête un abri
Avec des branches d'orme et des branches d'yeuse.
J'aime les prés, les bois, le vent jamais captif,
Néère et Phyllodoce et je suis attentif
> A l'idylle mélodieuse.

> (*L. S. N. S.*, XVIII, Id. viii, *Moschus*, 31 décembre 1876.)

Elle est pure, sereine, aimable, épanouie ;
Et j'en ai la prunelle à jamais éblouie ;
Comme Faune la suit d'un regard enflammé !

> (*L. S., N. S.*, XVIII, Id. xvii, *Segrais*, 25-28 janvier 1877.)

> Hélas, c'est en pure perte
> Que le printemps est divin ;

> Le rossignol perd sa peine ;
> Et cela ne m'a rien fait
> De voir près de la fontaine
> Lise hier qui se coiffait.

>> (*Oc.*, LII, 19 avril [1878-1880 ?].)

Et le faune, qui se dérobe,
Regardera du fond des eaux
Quand tu relèveras ta robe
Pour enjamber les clairs ruisseaux (1).

> (*T. L.*, VI, lx, 2 juin [1878-1880 ?].)

(1) Cf. *F. M.*, sc. IV : le ruisseau a le même rôle.

APPARITION D'UNE BELLE ENFANT SAUVAGE

> Une belle fille, Fabio, propre et jolie
> comme un caillou mouillé.
> (*R. O.*, 677, au verso du manuscrit de
> *R. O.*, XVIII [août 1837 ?].)

C'est Galatée, telle qu'il l'a rencontrée sur les routes de ses lectures et de ses voyages. Aussi, bien que le motif demeure toujours le même — soudaine apparition d'une « jeunesse », dix-sept ans au plus, qui a une coquetterie farouche et fuit pour aguicher, — le modèle a eu le temps de changer. On y trouve au début la réplique d'Adèle : la jeune Andalouse brune aux lèvres rouges, qui reparaît dans la Esmeralda. Après 1834 — est-ce à l'image de Juliette Drouet ? — sa taille s'élance — ou de Léonie Biard ? — ses cheveux blondissent ; ses yeux s'éclaircissent, quelquefois encore noirs, mais la plupart du temps bleus. Et très vite, elle devient ce qu'elle est vraiment, la petite paysanne rencontrée sur la route, allant aux champs ou gardant son troupeau. Parfois, en pays étranger, le voyageur s'attarde à croquer son riche ou étrange costume. Les éléments constants du dessin demeurent ses pieds nus, ses yeux clairs — surtout bleus — dans un visage hâlé par le soleil, des cheveux épars où sont piquées de simples fleurs, et le sourire invitant qui s'anime sur ses lèvres, une fois que les regards se sont croisés. Et tout, semble-t-il, s'arrête là.

C'est un peu de cette trouble pureté qui fait le charme singulier de ce motif, où il semble que Victor Hugo ait exprimé la nostalgie de l'aventure imprévue et inachevée (1).

---

(1) Dans la postérité de ce motif, tel que Hugo l'a conçu, citons cette pièce de Francis JAMMES (*Clairières dans le ciel, Tristesses, Elle était descendue...*), qui semble inspirée de très près de la pièce XXI, du livre I des *Contemplations, Elle était déchaussée...* :

> Elle était descendue au bas de la prairie,
> et, comme la prairie était toute fleurie
> de plantes dont la tige aime à pousser dans l'eau,
> ces plantes inondées je les avais cueillies.
> Bientôt, s'étant mouillée, elle gagna le haut
> de cette prairie-là qui était toute fleurie.
> Elle riait et s'ébrouait avec la grâce
> dégingandée qu'ont les jeunes filles trop grandes.
> Elle avait le regard qu'ont les fleurs de lavande.

... Il y a une jeune fille dans le solitaire jardin.

La petite espagnole, avec ses grands yeux et ses grands cheveux, sa peau brune et dorée, ses lèvres rouges et ses joues roses, l'andalouse de quatorze ans, Pepa (1).

... Et elle se mit à courir devant moi avec sa taille fine comme le corset d'une abeille et ses petits pieds qui relevaient sa robe jusqu'à mi-jambe. Je la poursuivis, elle fuyait ; le vent de sa course soulevait par moments sa pèlerine noire, et me laissait voir son dos brun et frais.

(D. J., XXXIII, 1828.)

La Esmeralda.

Dans un vaste espace laissé libre entre la foule et le feu, une jeune fille dansait.

... Elle n'était pas grande, mais elle le semblait, tant sa fine taille s'élançait hardiment. Elle était brune, mais on devinait que le jour sa peau devait avoir ce beau reflet doré des andalouses et des romaines. Son petit pied aussi était andalou, car il était tout ensemble à l'étroit et à l'aise dans sa gracieuse chaussure. Elle dansait, elle tournait, elle tourbillonnait sur un vieux tapis de Perse, jeté négligemment sous ses pieds ; et chaque fois qu'en tournoyant sa rayonnante figure passait devant vous, ses grands yeux noirs vous jetaient un éclair.

... Elle dansait ainsi, au bourdonnement du tambour de basque que ses deux bras ronds et purs élevaient au-dessus de sa tête, mince, frêle et vive comme une guêpe, avec son corsage d'or sans pli, sa robe bariolée qui se gonflait, avec ses épaules nues, ses jambes fines que sa jupe découvrait par moments, ses cheveux noirs, ses yeux de flamme, c'était une surnaturelle créature.

(N. D. P., II, iii, septembre 1830.)

La jolie fille de Jublains.

De Mayenne, j'ai été à Jublains, où il y a un camp de César que j'ai parcouru guidé par la plus jolie fille du monde qui m'offrait des roses fraîches et de vieilles briques, tout en sautant lestement par-dessus les clôtures, sans trop s'inquiéter de ses jupons.

(V, II, 48, Fougères, 22 juin 1836.)

Les jeunes filles de Freiburg.

Les jeunes filles de ce côté du Haut-Rhin ont un costume exquis : cette coiffure-cocarde dont je vous ai parlé, un jupon brun à gros plis assez court et une veste d'homme en drap noir avec des morceaux de soie rouge, imitant des crevés et des taillades, cousus à la taille et aux manches. Quelques-unes, au lieu de cocarde, ont un mouchoir rouge noué en fichu sous le menton. Elles sont charmantes ainsi.

(Rh., XXXII, 370, Freiburg, 7 septembre 1839.)

Les jeunes filles de Brugg.

Avec leur cocarde de rubans sur le front, moins exagérée qu'à Freiburg, leur cuirasse de velours noir traversée de chaînes d'argent et de rangées de boutons, leur cravate de velours à coins brodés d'or serrée au cou comme le gorgeret de fer des chevaliers, leur jupe brune à plis épais et leur mine éveillée, les femmes de Brugg paraissent toutes jolies...

· ·

On passe la Reuss, la cuirasse de velours noir devient un corselet de damas à fleurs, au beau milieu duquel elles cousent un large galon d'or. On passe la Limmat, la jupe brune devient une jupe rouge avec un tablier de mousse-

---

(1) Cf. le portrait de *l'Infante, L. S.,* IX, 23 mai 1859 :

> Elle est toute petite ; une duègne la garde.
> Elle tient à la main une rose et regarde...
> Quand l'enfant, allongeant ses lèvres de carmin,
> Fronce, en la respirant, sa riante narine...
> Ses yeux bleus sont plus beaux sous son pur sourcil brun.

line brodée. Toutes les coiffures se mêlent également ; en dix minutes on rencontre de belles filles avec de grands peignes exorbitants comme à Lima, avec des chapeaux de paille noire à haute forme comme à Florence, avec une dentelle sur les yeux comme à Madrid. Toutes ont un bouquet de fleurs naturelles au côté. Raffinement.

(Rh., XXXV, 384-385, Zurich, septembre 1839.)

La jolie fille du Rigi.

... Une jeune fille pieds nus... est accourue, a jeté en passant trois prunes dans mon cabriolet et s'est enfuie avec un sourire (1).

(V., II, 178, Lucerne, 10 septembre 1839.)

Deux ou trois grandes belles filles ravageaient un prunier de haute taille, et l'une d'elles était penchée sur le gros bras de l'arbre dans une attitude gracieuse où les passants étaient si parfaitement oubliés, qu'elle donnait aux voyageurs de l'impériale je ne sais quelles vagues envies de mettre pied à terre.

(Rh., VI, 54, Dinant, de Liége, septembre 1840.)

Ce sont des jeunes filles qui passent pieds nus, coiffées comme des statues du bas-empire. J'en ai vu une qui était charmante. Elle était assise près d'un four à sécher les fruits qui fumait doucement ; elle levait vers le ciel ses grands yeux bleus et tristes, découpés comme deux amandes sur son visage bruni par le soleil ; son cou était chargé de verroteries et de colliers artistement disposés pour cacher un goître naissant. Avec cette difformité mêlée à cette beauté, on eût dit une idole de l'Inde accroupie près de son autel.

(Rh., XVII, 137, Saint-Goar, septembre 1840.)

Il faut que nous renoncions à l'ancienne bohémienne, bien plus jolie et bien plus jeune que celle-ci, à la danseuse court-vêtue, cuirassée de clinquant, coiffée, comme il convient à une fille sauvage qui amuse les villes, d'épis ramassés dans les champs et de sequins ramassés dans les rues ; étrange créature, espèce de femme-monstre, courtisane par un bout et fée par l'autre, qui jetait aux passants son charmant sourire effrayé et farouche (2).

(Rh., Reliquat du chap. XXVIII, 489, Heidelberg, octobre 1840.)

Les belles filles de Biscarosse et Parentis.

... et l'on prête l'oreille comme si l'on entendait le chant sauvage et doux des paysannes de Parentis, et l'on regarde au loin comme si l'on voyait marcher pieds nus dans les vagues les belles filles de Biscarosse coiffées d'immortelles de mer.

(V., II, 292, Bayonne, 23 juillet 1843.)

Les batelières basques.

Elles sont toujours deux dans un bateau, un peu à cause de la pesanteur du bateau, beaucoup à cause de la jalousie des maris et des amants. Cela fait des couples, et chaque couple a son nom ; la Catalana y su madre, Maria Juana et Maria Andres, Pepa et Pepita, las compañeras et las evaristas. Les evaristas sont très jolies ; les officiers de la garnison de Saint-Sébastien se font volontiers promener par elles, mais elles sont sages, elles promènent en effet les officiers. Elles ont toujours un bouquet sur leur chapeau ciré, et, quand elles se penchent sur l'aviron, leur court jupon de drap noir à gros plis laisse voir leur jambe bien faite et bien chaussée. Elles sont du petit nombre de celles qui ont des bas ; c'est l'aristocratie des batelières.

(V., II, 347, Pasages, août 1843.)

---

(1) Cf. *Galatée.*
(2) Interférence du geste de Galatée et le même sourire précisément de la belle sauvage de *C.*, I, XXI (voir ci-dessous).

Ce sont de belles petites filles, jambes nues et déjà bronzées par le climat, qui dansent et qui chantent :

> Gentil muchacha,
> Toma la derecha.
> Hombre de noda,
> Toma la izquierda.

ce que je traduirais volontiers ainsi, plutôt selon l'esprit que selon la lettre :

> Fille adroite,
> Prends la droite.
> Homme gauche,
> Prends la gauche.
>
> (V., II, 348, Pasages, août 1843.)

> A force de rêver et de voir dans la plaine
> Une fille aux yeux bleus aller à la fontaine.
>
> (T. L., VI, LIV, 14 août 1846.)

> Elle passa. Je crois qu'elle m'avait souri...
>   ... Je pris
> Ses yeux fixés sur moi pour deux étoiles bleues.
> Fraîche et joyeuse enfant! moineaux et hochequeues
> Ont moins de gaîté folle et de vivacité.
> Elle avait une robe en taffetas d'été,
> De petits brodequins couleur de scarabée...
> Je ne sais quoi de fier qui permettait l'espoir.
>
> (Q. V. E., I, XXII [1846 ?].)

... Il vit sortir de la broussaille une espèce de grande fille maigre qui se dressa devant lui en le regardant hardiment... Cet être, dont les mouvements avaient dans l'obscurité une sorte de brusquerie bizarre, avait décroché la chaîne, plongé et retiré le seau, et rempli l'arrosoir, et le bonhomme voyait cette apparition qui avait les pieds nus et une jupe en guenilles courir dans les plates-bandes en distribuant la vie autour d'elle.
... Elle était pieds nus et en haillons... C'était cette même voix enrouée, ce même front terni et ridé par le hâle, ce même regard libre, égaré et vacillant... Elle avait des brins de paille et de foin dans les cheveux... Et avec tout cela elle était belle.

(Mis., IV, II, 3 et 4, 1847-1848.)

> Elle était déchaussée, elle était décoiffée,
> Assise, les pieds nus, parmi les joncs penchants ;
> Moi, qui passais par là, je crus voir une fée,
> Et je lui dis : Veux-tu t'en venir dans les champs ?
>
> . . . .
> Comme l'eau caressait doucement le rivage!
> Je vis venir à moi, dans les grands roseaux verts,
> La belle fille heureuse, effarée et sauvage,
> Ses cheveux dans ses yeux, et riant au travers (1).
>
> (C., I, XXI, 16 avril 1853.)

> Pareille, aux chansons près, à Diane farouche,
> Penchée, elle m'offrait la cerise à sa bouche.
>
> (C., II, VII, 5 juin 1853.)

> J'y rencontre parfois sur la roche hideuse
> Un doux être ; quinze ans, yeux bleus, pieds nus, gardeuse
> De chèvres, habitant, au fond d'un ravin noir,

---

(1) Cf. *Galatée.*

Un vieux chaume croulant qui s'étoile le soir...
J'apparais, le pauvre ange a peur, et me sourit ;
Et moi, je la salue, elle étant l'innocence.

(*C.*, V, XXIII, 17 décembre 1854.)

Jeune fille, la grâce emplit tes dix-sept ans.
Ton regard dit : Matin, et son front dit : Printemps.
Il semble que ta main porte un lis invisible...
Sois belle. Sois bénie, enfant, dans ta beauté.
La nature s'égaye à toute ta clarté ;
Tu fais une lueur sous les arbres ; la guêpe
Touche ta joue en fleur de son aile de crêpe...
Sois belle. Tu te sens par l'ombre caressée,
Un ange vient baiser ton pied quand il est nu,
Et c'est ce qui te fait ton sourire ingénu.

(*C.*, III, IX, 14 janvier 1855.)

Cette femme a passé : je suis fou. C'est l'histoire.
Ses cheveux étaient blonds, sa prunelle était noire ;
En plein midi, joyeuse, une fleur au corset,
Illumination du jour, elle passait ;
Elle allait, la charmante, et riait, la superbe ;
Ses petits pieds semblaient chuchoter avec l'herbe...

(*C.*, III, X, 5 mars 1855.)

Nous entrons. « Qu'avez-vous ? — Des œufs frais, de l'eau fraîche. »
On croit voir l'humble toit effondré d'une crèche.
A la source du pré, qu'abrite un vert rideau,
Une enfant blonde alla remplir sa jarre d'eau,
Joyeuse et soulevant son jupon de futaine.
Pendant qu'elle plongeait sa cruche à la fontaine,
L'eau semblait admirer, gazouillant doucement,
Cette belle petite aux yeux de firmament.

(*C.*, I, XXIX, 17 avril 1855.)

Gaie, elle court dans les prés,
La belle aux chants adorables ;

La belle aux chants adorés,
Elle court dans la prairie ;
Les bois pleins de rêverie
De ses yeux sont éclairés.

Apparition exquise !
Elle marche en soupirant,
Avec cet air conquérant
Qu'on a quand on est conquise.

(*C. R. B.*, I, VI, 21, 14 juin 1859.)

Doña Rosita Rosa

Elle est joyeuse et céleste !
Elle vient de ce Brésil
Si doré qu'il fait du reste
De l'univers un exil.

A quatorze ans épousée,
Et veuve au bout de dix mois.
Elle a toute la rosée
De l'aurore au fond des bois.

. . . .
Cette adolescente est sombre
A cause de ses quinze ans
Et de tout ce qu'on voit d'ombre
Dans ses beaux yeux innocents.
               (*C. R. B.*, I, vi, 3, 23 juin 1859.)

Parfois dans les primevères
Court quelque enfant de quinze ans ;
Mes vieilles ombres sévères
Aiment ces yeux innocents.

Rien ne pare un paysage,
Sous l'éternel firmament,
Comme une fille humble et sage
Qui soupire obscurément.

La fille aux fleurs de la berge
Parle dans sa belle humeur...
        (*C. R. B.*, I, v, 1, 2 juillet-2 août 1859.)

Des filles passent, couronnées
De joie et de fleurs, dans les blés.
        (*C. R. B.*, I, iv, 2, 23 août 1859.)

Rencontre d'une belle fagotière.

Enfant au teint brun, aux dents blanches,
Ton petit bras derrière toi
Tire un tremblant faisceau de branches.
O doux être d'ombre et d'effroi,

Dans la clairière aux vertes routes,
Tu passes ; nous nous regardons,
Moi, plein de songes et de doutes,
Toi, les pieds nus dans les chardons.
        (*Q. V. E.*, III, xlix, 27 octobre 1859.)

Quelquefois, dans ces tas de garçons, il y a des petites filles — sont-ce leurs sœurs ? — presque jeunes filles, maigres, fiévreuses, gantées de hâle, marquées de taches de rousseur, coiffées d'épis de seigle et de coquelicots, gaies, hagardes, pieds nus. On en voit qui mangent des cerises. Le soir, on les entend rire. Ces groupes, chaudement éclairés de la pleine lumière de midi ou entrevus dans le crépuscule, occupent longtemps le songeur, et les visions se mêlent à son rêve.
        (*Mis.*, III, 1, 5, 1860-1862.)

Beethoven donne un bal, il improvise une fête... des sourires de belles filles apparaissent, montrant des dents pleines de lumière, des enfants et des moineaux jasent.
        (*W. S.*, R. 281, à propos de la *Pastorale*, [février ?] 1864.)

Souvenir de batelières basques.

Le farouche Jaïzquivel est plein d'idylles. (...) Les redoutables baies qui avoisinent Saint-Sébastien, Leso et Fontarabie, mêlent aux tourmentes, aux nuées, aux écumes par-dessus les caps, aux rages de la vague et du vent, à l'horreur, au fracas, des batelières couronnées de roses.
        (*H. Q. R.*, I, i, 1, 37, juillet 1866, souvenir de l'été 1843.)

Et maintenant, tandis qu'à travers les ravins
Une petite fille, avec des yeux divins
Et de lestes pieds nus dignes de Praxitèle,
Chasse à coups de sarment sa chèvre devant elle...

(*A. T., Juin*, XIV, 8 juin 1871.)

J'ai vu passer Aminthe au fond du chemin creux ;
Elle a seize ans, et tant d'aurore sur sa tête
Qu'elle semble marcher au milieu d'une fête ;
Elle est dans la prairie, elle est dans les forêts
La plus belle, et n'a pas l'air de le faire exprès ;
C'est plus qu'une déesse et c'est plus qu'une fée,
C'est la bergère ; c'est une fille coiffée
D'iris et de glaïeuls avec de grands yeux bleus...
Comme la biche accourt et fuit à notre voix
Elle est apprivoisée et sauvage à la fois.

(*L. S., N. S.*, XVIII, Id. xvii, *Segrais*, 25-28 janvier 1877.)

ANNEXE I

PIEDS NUS

Si Puck, — le nain qu'on voit en songe —,
Osait un jour risquer son pied
Dans le soulier où ton pied plonge,
Il en serait estropié.

(Quatrain de fantaisie improvisé pour
Juliette Drouet, 1847) (1).

Les idylles déchaussées
Baignent leurs pieds transparents.

(*C. R. B.*, I, III, 7.)

Ce n'est pas un motif : c'est seulement, comme nous l'avons dit, un des détails caractéristiques du motif précédent, *Apparition d'une belle enfant sauvage*. Mais il n'est pas noté seulement dans les descriptions assez détaillées qui constituent ce motif, et dont nous rappelons ici quelques extraits pour montrer le lien ; il tend à s'en dégager pour atteindre à une certaine autonomie et évoquer peut-être pour le poète tout le portrait de la fille sauvage, dont il serait comme l'indicatif réduit.

En outre, la comparaison avec un second détail, celui des *yeux bleus*, souligne mieux qu'un commentaire, par la simple confrontation du nombre des citations, l'importance que l'élément des *pieds nus* avait pour la sensualité du poète Hugo. Les épigraphes que nous inscrivons ci-dessus le montrent assez : souvenir de l'idylle virgilienne, il est aussi le souvenir de ses propres amours, comme le montre, pour n'en prendre qu'un exemple, cet aveu du 31 décembre 1846 à Juliette : « ... Veux-tu que je baise tes pieds? Oh! les chers petits pieds! Je les regarde chaque soir quand tu sors de ton lit pour fermer ta porte. Tu ne t'en aper-

---

(1) Cité par M. LEVAILLANT, *Victor Hugo, Juliette Drouet et « Tristesse d'Olympio »*, p. 105, n. 21.

çois pas, mais je tressaille de désir en les voyant si blancs, si charmants, et si doux... (1) ! »

> ... Son petit pied aussi était andalou...
>
> (*N. D. P.*, II, III, septembre 1830.)

> ... une jeune fille pieds nus... est accourue...
>
> (*V.*, II, 178, Lucerne, 10 septembre 1839.)

Ce sont des jeunes filles qui passent pieds nus, coiffées comme des statues du bas-empire...

> (*Rh.*, XVII, 137, Saint-Goar, septembre 1840.)

> ... pieds nus dans les vagues les belles filles de Biscarosse...
>
> (*V.*, II, 292, Bayonne, 23 juillet 1843.)

> Et souvent il sentait, ô la divine chose !
> Dans ce doux abandon, des anges seul connu,
> Se poser sur son pied ton pied charmant et nu.
>
> (*T. L.*, VI, XLVIII, 25 juin 1844.)

> ... Cette apparition qui avait les pieds nus... Elle était pieds nus...
>
> (*Mis.*, IV, II, 3 et 4, 1847-1848.)

> La pêcheuse aux pieds nus qui chante...
>
> (*Ch.*, *Nox*, VII, novembre 1852.)

> Tu baignais tes pieds nus et blancs comme le lait.
>
> (*T. L.*, VI, LVIII, 3 avril, Jersey [1853-1854 ?].)

> Elle était déchaussée, elle était décoiffée,
> Assise, les pieds nus, parmi les joncs penchants...
> Elle essuya ses pieds à l'herbe de la rive...
>
> (*C.*, I, XXI, 16 avril 1853.)

> Et la jeune dormeuse, entr'ouvrant son œil noir,
> Fraîche, et ses coudes blancs sortis hors du peignoir,
> Cherche de son pied nu sa pantoufle chinoise.
>
> (*Ch.*, IV, X, 28 avril 1853.)

> J'y rencontre parfois sur la roche hideuse
> Un doux être ; quinze ans, yeux bleus, pieds nus, gardeuse
> De chèvres...
> Elle essuie aux roseaux ses pieds que l'étang mouille...
>
> (*C.*, V, XXIII, 17 décembre 1854.)

> Un ange vient baiser ton pied quand il est nu...
>
> (*C.*, III, IX, 14 janvier 1855.)

> Rose défit sa chaussure,
> Et mit, d'un air ingénu,

---

(1) *Ibid.* Il a sa place indiquée dans les idylles de la banlieue ou de la campagne ; cf. MUSSET, *Sur trois marches de marbre rose*, 1ᵉʳ mars 1849 :

> As-tu vu, comme à l'ermitage,
> La rondelette Dubarry
> Courir en buvant du laitage
> *Pieds nus*, sur le gazon fleuri ?

Son petit pied dans l'eau pure ;
Je ne vis pas son pied nu.

> (*C.*, I, xix, 18 janvier 1855.)

Elle allait, la charmante, et riait, la superbe ;
Ses petits pieds semblaient chuchoter avec l'herbe...

> (*C.*, III, x, 5 mars 1855.)

Souvent tout un bois s'occupe
A voir deux pieds nus au bain...
. . . .
Je suivais ces pieds que j'aime ;
Et dans les quinconces verts,

Dans les vives cressonnières,
Moqueurs, ils fuyaient toujours ;
Et ce sont là les manières
De la saison des amours.

> (*C. R. B.*, R. 328, 22 juin 1859.)

Ces petits pieds familiers
Créés pour l'invraisemblance
Des romans et des souliers.

> (*C. R. B.*, I, vi, 3, 23 juin 1859.)

L'eau veut te conter l'aventure
Des bas ôtés et des pieds nus.

> (*C. R. B.*, I, v, 2, 17 juillet [1859 ?].)

Circonstance atténuante :
Elle a le pied très petit.

> (*C. R. B.*, I, vi, 17, 11 août [1859 ?].)

Des cupidons, fraîche couvée,
Me montraient son pied fait au tour.

> (*C. R. B.*, I, iv, 7, 27 septembre [1859 ?].)

Ton pied sous ta robe passe,
Jeanne, et j'aime mieux le voir...

> (*C. R. B.*, I, iii, 7, 15 octobre 1859.)

Pourvu que la luzerne pousse
Dans ton idylle, et que Vénus
Y trouve une épaisseur de mousse
Suffisante pour ses pieds nus...

> (*C. R. B.*, I, i, 7, 20 juillet 1865.)

Je vous mets au défi de faire
Une plus charmante chanson
Que l'eau vive où Jeanne et Néère
Trempent leurs pieds dans le cresson.

> (*C. R. B.*, I, ii, 9, 22 septembre 1865.)

Quelquefois, dans ces tas de garçons, il y a des petites filles, — sont-ce leurs sœurs ? — presque jeunes filles, maigres, fiévreuses, gantées de hâle, marquées de taches de rousseurs, coiffées d'épis de seigle et de coquelicots, gaies, hagardes, pieds nus. On en voit qui mangent des cerises.

> (*Mis.*, III, i, 5, 1860-1862.)

L'ombre, où, loin des chauds sillons,
Nous mouillons
Nos pieds roses dans la source.
(*F. S.*, III, 1, 3, *Chanson des oiseaux*, écrit le 11 avril 1860
sur la Tour Victoria.)

Marthe, il faut qu'on s'enrégimente
Dans le régiment de Vénus,
Et que chacun ait une amante,
Et je veux baiser tes pieds nus.
(*T. L.*, VII, xxiii, 7, 27 septembre 1862.)

Et le Harz que hantait Vélléda, le Taunus
Où Spillyre essuyait dans l'herbe ses pieds nus...
(*A. T.*, *Septembre*, I, 2 janvier 1870 ou 1871.)

Une petite fille, avec des yeux divins
Et de lestes pieds nus dignes de Praxitèle...
(*A. T.*, *Juin*, XIV, 8 juin 1871.)

Les filles du pays viennent, ôtent leurs bas,
Et salissent leurs pieds dans la mare voisine.
(*T. L.*, II, iii, *Une idylle en Champagne*, 1874.)

Elle trouve moyen d'avoir de beaux pieds nus.
(*L. S.*, *N. S.*, XVIII, Id. xvii, 25-28 janvier 1877.)

Baiser le saint chausson qu'offre à la gent dévote
Le pape, et préférer le pied nu de Javotte...
(*L. S.*, *N. S.*, XVIII, Id. xviii, 10 février 1877.)

Aime, et baigne en chantant tes pieds nus dans la source.
(*T. L.*, VI, l [1876-1878 ?].)

ANNEXE II

YEUX BLEUS (1)

> Les filles aux yeux bleus courent dans
> mes églogues.
> (*L. S.*, *N. S.*, XVIII, Id. IX, 20 janvier 1877.)

... Elle levait vers le ciel ses grands yeux bleus et tristes, découpés comme
deux amandes sur son visage bruni par le soleil.
> (*Rh.*, XVII, 137, Saint-Goar, août 1840.)

> Un doux être ; quinze ans, yeux bleus, pieds nus, gardeuse
> De chèvres...
> (*C.*, V, XXIII, 17 décembre 1854.)

> L'eau semblait admirer, gazouillant doucement,
> Cette belle petite aux yeux de firmament.
> (*C.*, I, XXIX, 17 avril 1855.)

> La belle, en jupon gris-clair,
> Montait l'escalier sonore ;
> Ses frais yeux bleus avaient l'air
> De revenir de l'aurore.
> (*C. R. B.*, I, I, 5, 14 août 1859.)

(*Déméter.*)
> Mère aux yeux bleus des blés, des prés et des forêts.
> (*L. S.*, *N. S.*, I, 12 août 1873.)

> C'est la bergère ; c'est une fille coiffée
> D'iris et de glaïeuls avec de grands yeux bleus.
> (*L. S.*, *N. S.*, XVIII, Id. XVII, 25-28 janvier 1877.)

> Je te tiens pour vraiment auguste et glorieux
> Si tu peux supporter ceci : l'azur des yeux.
> (*A. G. P.*, R. 586, *Les yeux bleus de Jeanne* [1870-1877 ?].)

---

(1) Cette rubrique est destinée, nous l'indiquons dans la notice de la précédente,
à permettre la comparaison avec cette dernière, plutôt qu'à constituer un motif
indépendant.

LAVEUSES

... au milieu des rires et des chansons
des laveuses.

(*Rh.*, *R.* 491.)

Ce motif s'inscrit dans la ligne des apparitions de filles sauvages et
peu farouches. Là encore il se peut qu'il y ait rencontre entre un souvenir, non plus littéraire (1), mais artistique cette fois, et une « chose
vue ». Je veux parler des *Lavandières* de Fragonard (Musée du Louvre)
et, plus généralement, de ce sujet, à la mode dans la peinture légère du
XVIIIe siècle, que les impressionnistes sauront reprendre, en l'adaptant,
dans leurs paysages. Dans *Choses écrites à Créteil* (*C. R. B.*, I., IV, 7)
notamment, qui en est une manière de « transposition d'art », le poète
reprend le mot :

> Et je lui dis : « — O lavandière!
> (Blanchisseuse étant familier)...

Mais il se trouve que Victor Hugo s'est donné la peine de noter le
souvenir de jeunesse qui avait été à l'origine précisément de cette pièce :

C'était vers 1819. J'avais à peu près dix-sept ans. Je vis près de la Marne,
à Créteil, une femme, une fille, une fée, un être charmant qui, penché sur
l'eau, y faisait un petit tapage gracieux. C'était lointain et vif. J'entendais
un bruit de battoir. J'allai de ce côté. Tout en rêvant, je contemplais. Il
faisait un chaud soleil de printemps. Cette femme, tout entourée de l'auréole
de mai et toute couverte de lumière au milieu des fleurs et au milieu de la
rivière, me faisait l'effet de manier des étoiles qu'elle jetait dans l'eau et
qu'elle en retirait. Je me disais : qu'a-t-elle donc dans les mains de radieux?
J'approchai. C'était des torchons.
Des torchons radieux! Je crus plus tard pouvoir prendre cela au soleil.
J'en fus bien puni. (...) Pendant deux mois, dans beaucoup de journaux,
il n'y eut guère que ce mot (2).

Du même coup, il explique l'impression, qui le frappa, de ces *torchons
radieux* ; on la rencontre, sous une forme ou une autre, dans son œuvre

---

(1) Encore qu'on puisse rappeler les laveuses de *Werther* qui avaient frappé
G. de Nerval : « ... une fontaine construite dans le goût antique, où des laveuses
causent et chantent comme dans un des premiers chapitres de *Werther*. » (*Promenades
autour de Paris*.)
(2) *C. R. B.*, Historique, p. 465, note [1866-1868 ?]).

poétique et nous citons en annexe ce détail, devenu motif à son tour et directement rattaché à celui-ci (1). Toutefois, certains douteront que le jeune homme grave de 1819 ait eu de ces distractions et l'on peut penser que le poète sexagénaire a anticipé, ou même forgé, ce souvenir mieux accordé à la mentalité du flâneur de quarante ans. C'est, de toute évidence, un motif dont les multiples résonances (pittoresques, plastiques, musicales, sensuelles) flattent très particulièrement la mémoire de la maturité (2).

> ... Ce sont les lavandières
> Qui passent en chantant, là-bas, dans les bruyères.
>
> (R. B., II, 1, Chanson, 1838.)

Laveuses du Rhin.

... Sur cette croupe volcanique une superbe forteresse féodale ruinée, de la même pierre et de la même couleur, se dressait comme une excroissance naturelle de la montagne. Tout au bord du Rhin babillait un groupe de jeunes laveuses battant leur linge au soleil.

> (Rh., XV, 126, Saint-Goar, septembre 1840.)

Les servantes à jupons courts qui battaient le linge au bord des lavoirs se retournèrent.

> (Rh., XXI, 224, octobre 1840.)

Les laveuses du Rhin étendent leur toile sur les buissons, les laveuses de la Nahe battent leur linge, vont et viennent, jambes nues et les pieds mouillés, sur les radeaux formés de troncs de sapin amarrés au bord de l'eau, et rient de quelque touriste qui dessine l'Ehrenfels.

> (Rh., XXII, 232, Bingen, de Mayence, octobre 1840.)

Devant le portail des vierges sages et des vierges folles, des jeunes filles qui sont belles comme les sages et gaies comme les folles étendent sur le pré leur linge lavé au Rhin.

> (Rh., XXVI, 297, Worms, octobre 1840.)

... De grands lions de pierre, la gueule béante, les griffes ouvertes, se dressent sur les vieilles fontaines sculptées au milieu des rires et des chansons des laveuses.

> (Rh., 491, Vallée du Neckar, octobre 1840.)

Tout à l'heure je traversais le Pont-Neuf. Un beau soleil d'avril faisait joyeusement verdoyer les touffes d'arbre des bains Vigier. Les laveuses battaient allègrement leur linge au bord de l'eau.

> (Ch. v., I, 79, 20 avril 1843.)

Toutes ces rivières sont profondément encaissées, limpides, vertes, gaies. Les jeunes filles battent le linge au bord de l'eau...

> (V., II, 291, Bayonne, 23 juillet 1843.)

(1) Voir sur le même motif la pièce inédite de MALLARMÉ intitulée *A une petite laveuse blonde* (Sens, 1861), O. C., éd. de la Pléiade, p. 16. M. H. Mondor l'attribue à l'influence de Banville, ce qui est possible. L'attention de Hugo à ce motif plastique est sans doute plus ancienne, mais il est possible que Banville ait interféré entre les esquisses et la réalisation.
(2) Comme il apparaît dans ce souvenir de *Si le grain ne meurt* qui les réunit : « Qu'il était beau de voir les lavandières y poser (sur la roche) lentement leurs pieds nus, le soir, lorsqu'elles remontaient du travail toutes droites et la démarche comme anoblie par cette charge de linge blanc qu'elles portent, à la manière antique, sur la tête!... Les mille chuchotis de la rivière, et, plus loin, où lavaient les laveuses, le claquement rythmé de leurs battoirs. »

... les laveuses qui frappent le linge sur des pierres selon la mode du pays...

(*V.*, II, 341, Pasages, août 1843.)

Laveuses des Pyrénées (1).

A Pasages, il y a toujours des filles qui lavent et des linges qui sèchent ; les filles lavent dans les ruisseaux, les linges sèchent sur les balcons. Cela égaie l'oreille et les yeux.

(*Ibid.*, 349, Pasages, août 1843.)

Trois femmes, les jambes dans l'eau jusqu'aux genoux, lavent leur linge dans le lavoir. On ne peut pas dire qu'elles le battent, mais qu'elles le frappent. Leur procédé consiste à fouetter violemment, du linge qu'elles tiennent dans la main, la pierre de parapet.

(*Ibid.*, 361, Autour de Pasages, août 1843.)

Ah ! c'est toi, vieux singe !
Disent les cathos
Qui battent leur linge
Au bord des bateaux,

Drôlesses ingambes,
Et que j'aime à voir
Se laver les jambes
En chantant le soir.

(*T. L.*, VII, XXIII, 3, 22 avril 1847.)

... des palissades délabrées, un peu d'eau entre des peupliers, des femmes, des rires, des voix...
... Il entendait derrière lui, au-dessous de lui, sur les deux bords de la rivière, les laveuses des Gobelins battre leur linge, et, au-dessus de sa tête, les oiseaux jaser et chanter dans les ormes. D'un côté le bruit de la liberté, de l'insouciance heureuse, du loisir qui a des ailes ; de l'autre le bruit du travail. Chose qui le faisait rêver profondément, et presque réfléchir, c'étaient deux bruits joyeux.

(*Mis.*, IV, II, 1 et 4, 1847-1848.)

Laveuses qui, dès l'heure où l'orient se dore,
Chantez, battant du linge aux fontaines d'Andorre,
Et qui faites blanchir des toiles sous le ciel...

(*L. S., P. S.*, V, I, 9, 12-20 décembre 1858).

Leurs filles qui s'en vont laver aux cressonnières
Plongent leur jambe rose au courant des ruisseaux...

(*L. S., N. S.*, VII, v. 187, 11 février 1859.)

La lavandière de Créteil.

Sachez qu'hier, de ma lucarne,
J'ai vu, j'ai couvert de clins d'yeux
Une fille qui dans la Marne
Lavait des torchons radieux.

Près d'un vieux pont, dans les saulées,
Elle lavait, allait, venait ;
L'aube et la brise étaient mêlées
A la grâce de son bonnet.

(etc., toute la pièce)

(*C. R. B.*, I, IV, 7, 22 septembre [1859 ?].)

---

(1) « Les fraîches jeunes filles sont les sœurs de celles qui plus tard battront le linge aux collines d'Andorre, à la faveur d'une géographie parfaitement fantaisiste. » G. GUILLAUMIE-REICHER, *Voyage de Victor Hugo en Espagne*, p. 27.

O fraîche vision des jupes de futaine
Qui se troussent gaîment autour d'une fontaine!
O belles aux bras blancs follement amoureux!
    (*L. S., N. S.*, XVIII, Id. xvii, 25-28 janvier 1877.)

Quand les filles s'en vont laver à la fontaine,
Elles prêtent l'oreille à ma chanson lointaine...
    (*T. L.*, II, ii, 5 mars [1878-1879 ?].)

ANNEXE

« *TORCHONS RADIEUX* »

Et leur vitre, où pendait un vieux haillon de toile,
Était, grâce au soleil, une éclatante étoile
Qui, dans ce même instant, vive et pure lueur,
Éblouissait au loin quelque passant rêveur.

(C., III, XVIII, 10 septembre 1841.)

Au mur, entre les fenêtres, s'accrochent des bouquets d'immortelles liés en croix, des haillons, de vieilles vestes brodées, des drapeaux, des torchons ; (...)

Le jour où j'arrivai, comme pour fêter ma bienvenue, un vieux jupon, composé de plusieurs guenilles de toutes couleurs cousues ensemble, flottait comme une bannière à l'un de ces balcons. Ce bariolage éclatant se gonflait au vent avec un orgueil et un faste inexprimables. Je n'ai jamais vu plus magnifique manteau d'arlequin.

(V., II, 349, Pasages, août 1843.)

Jersey, sur l'onde docile,
Se drape d'un beau ciel pur,
Et prend des airs de Sicile
Dans un grand haillon d'azur.

(C., I, XIV, 10 octobre 1854.)

Et jusque dans les champs, étincelait le rire,
Haillon d'or que la joie en bondissant déchire...

(C., V, XVI, 30 avril 1855.)

(Shakespeare ou le poète...)
Il va, farouche, fauve, et, comme une crinière,
Secouant sur sa tête un haillon de lumière.

(C., III, XXVIII, 2 novembre 1854.)

Je les fais déesses toutes,
Et sur leurs chiffons je mets
La lueur des sombres voûtes
Ou l'éclair des bleus sommets.

Je vois parfois la tunique
S'ébaucher sous le torchon...

(C. R. B., R. 336, 7 septembre 1859.)

Une fille qui dans la Marne
Lavait des torchons radieux.

Elle accrochait des loques blanches,
Je ne sais quels haillons charmants
Qui me jetaient, parmi les branches,
De profonds éblouissements.

Ces nippes de l'aube dorée
Semblaient, sous l'aulne et le bouleau,
Les blancs cygnes de Cythérée
Battant de l'aile au bord de l'eau.

(*C. R. B.*, I, IV, 7, 27 septembre [1859 ?].)

JEUNE FILLE A LA LUCARNE

Ce motif, dont on trouve une fois de plus les premiers témoignages dans les *Voyages*, marque une transition entre *l'Apparition* et la *Grisette*. A la manière dont Victor Hugo a distingué les *Chansons des rues et des bois*, *l'Apparition* est un motif des bois ou des champs, la *Grisette* est un motif des rues ; le premier amorce l'idylle rustique, le second l'idylle citadine. C'est *l'apparition* d'une jeune fille, aussi imprévue que celle des campagnes, à la mansarde d'une maison basse, quelque servante d'auberge en train de s'habiller, lorsque Victor Hugo, « juché sur l'impériale » de la diligence, traverse un village ou un bourg au petit matin et que la voiture de poste s'arrête précisément au relais de cet hôtel.

Il n'est pas nécessaire d'indiquer les prolongements voluptueux de cette image, ni de souligner la parenté que ce motif entretient avec le thème du *Voyeur*.

Il est possible que quelque estampe du XVIIIᵉ siècle, éveillant l'imagination de Hugo et rejoignant cette impression de voyage, soit intervenue de manière à « précipiter » en quelque sorte le motif (1).

Parfois cependant, comme dans l'exemple de Francfort, le motif se présente sous une forme si inattendue qu'il s'épure et gagne en poésie ce qu'il perd en suggestion érotique.

---

(1) Ce motif a hanté l'imagination de Hugo au point qu'il l'a transporté même dans les phénomènes célestes. Voici deux échantillons de ce motif dérivé :

> Sur l'aube nue et blanche, entr'ouvrant sa fenêtre,
> Faut-il plisser la brume honnête et prude, et mettre
> Une feuille de vigne à l'astre dans l'azur?
> <div align="right">(<i>C.</i>, I, XXVI, 17 novembre 1854.)</div>

> Vénus rit toute nue à la vitre du soir.
> <div align="right">(<i>Oc.</i>, CXXXIX [1876-1878 ?].)</div>

De ce motif vient encore l'expression qu'on rencontre dans *Rupture avec ce qui amoindrit* (*L. S., D. S.*, XIV [1865 ?]), mais alors avec un certain mépris, puisque le poète *rompt* avec la fantaisie érotique :

> Ami, ta vie est mansardée,
> A ce petit ciel bas, plafond
> De la volupté sans idée,
> Les âmes se heurtent le front.

Cette chambre d'où sort un chant sonore et tendre,
Posée au bord d'un toit comme un oiseau joyeux.
... Frais réduit ! à travers une claire feuillée
Sa fenêtre petite et comme émerveillée
S'épanouit auprès du gothique portail.
Sa verte jalousie à trois clous accrochée,
Par un bout s'échappant, par l'autre rattachée,
S'ouvre coquettement comme un grand éventail.
... Et dans l'intérieur, par moments, luit et passe
Une ombre, une figure, une fée, une grâce,
Jeune fille du peuple, au chant plein de bonheur...
... A l'obscure mansarde il semble que l'œil voie
Aboutir doucement tout un monde de joie,
La place, les passants, les enfants, leurs ébats,
Les femmes sous l'église à pas lents disparues,
Les fronts épanouis par la chanson des rues...

(*R. O.*, IV, *Regard jeté dans une mansarde*, éd. 24-29 juin 1839.)

Au premier plan, à deux enjambées de ma banquette, dans la mansarde du cabaret, une jolie paysanne assise en chemise sur son lit s'habillait près de sa fenêtre toute grande ouverte, laquelle laissait entrer à la fois les rayons du soleil levant et les regards des voyageurs quelconques juchés sur les impériales des diligences... Pendant que je contemplais ce paysage, la paysanne leva les yeux, m'aperçut, sourit, me fit un gracieux signe de tête, ne ferma pas sa fenêtre, et continua lentement sa toilette.

(*Rh.*, V, 51, Givet, août 1840.)

... Les jeunes filles se mettent à la fenêtre et jasent de leurs amours dans les embrasures des catapultes.

(*Rh.*, XIII, 106, Andernach, septembre 1840.)

Aux fenêtres des mansardes, des jeunes filles chantent, les yeux baissés sur leur ouvrage...

(*Rh.*, XXII, 232, Bingen, de Mayence, octobre 1840.)

J'avais laissé mon esprit aller je ne sais où, quand une petite croisée s'est subitement ouverte sur un toit au-dessous de mes pieds, une chandelle a brillé, une jeune fille s'est accoudée à la fenêtre, et j'ai entendu une voix claire, fraîche, pure, — la voix de la jeune fille, — chanter ce couplet sur un air lent, plaintif et triste...

(*Ibid.*)

Je me croyais seul sur la tour, et j'y serais resté toute la journée. Tout a coup un petit bruit s'est fait entendre à côté de moi ; j'ai tourné la tête ; c'était une toute jeune fille de quatorze ans environ, à demi sortie d'une lucarne, qui me regardait avec un sourire... Il y a là tout un petit monde doux et heureux. La jeune fille, qui tricote ; une vieille femme, sa mère sans doute, qui file son rouet ; des colombes qui roucoulent, perchées sur les gargouilles du clocher ; un singe hospitalier qui vous tend la main du fond de sa petite cabane ; les poids de la grosse horloge qui montent et descendent avec un bruit sourd et s'amusent à faire mouvoir des marionnettes dans l'église où l'on a couronné des empereurs ; ajoutez à cela cette paix profonde des lieux élevés, qui se compose du murmure du vent, des rayons du soleil et de la beauté du paysage, — n'est-ce pas que c'est un ensemble pur et charmant ? — De la cage des anciennes cloches, la jeune fille a fait sa chambre ; elle y a mis son lit dans l'ombre, elle y chante comme chantaient les cloches, mais d'une voix plus douce, pour elle et pour Dieu seulement.

(*Rh.*, XXIV, 260, Francfort, octobre 1840.)

Ce sont des persiennes orientales à des fenêtres gothiques, et de frais visages derrière ces mailles serrées de bois noir.

(*V.*, II, 348, Pasages, août 1843.)

C'est là qu'est votre Inez d'un voile brun couverte,
Regardant de côté par sa persienne verte.

(*Th. Lib.*, *Maglia*, VII, 200 [1848-1850 ?].)

. . . .
Et que je pourrais voir en me penchant un peu,
Si jusqu'au bord du toit mon regard se hasarde,
Marguerite en chemise au fond de sa mansarde...
Le soir, sur mon grabat, en bâillant comme une huître,
Je m'étends sans daigner regarder par ma vitre
Si Vénus monte au ciel et Gretchen dans son lit.

(*D. G.*, XIX [1852 ?]) (1).

Je suis naïf au point d'être
Par moments persuadé
Que Vénus, de sa fenêtre,
M'a fait signe à Saint-Mandé !

. . . .
Je guette, et je me hasarde
A sonder d'un œil ardent
L'empyrée et la mansarde ;
Et je contemple ; et, pendant

Que rôde sur ma gouttière
Quelque gros chat moustachu,
Cypris met sa jarretière,
Pallas ôte son fichu.

(*C. R. B.*, R. 334, 7 septembre 1859.)

Je regarderai ma voisine
Puisque je n'ai plus d'autre fleur !
Sa vitre vague où se dessine
Son profil, divin de pâleur,

Son réchaud où s'enfle la crème,
Sa voix qui dit encore Maman,
Gare ! c'est le seuil d'un poème,
C'est presque le bord d'un roman.

(*T. L.*, VI, XVI, 4 novembre [1859 ?].)

J'ai fait, vers dix-sept ans, ce rêve gracieux
Que je voyais Hébé, la grisette des cieux,
Mettre sa jarretière, et dégrafer sa guimpe
Dans les mansardes d'ombre et d'azur de l'Olympe.

(*Oc.*, LIV [1859-1860 ?].)

Marthe apparaît à sa lucarne.

(*T. L.*, VII, XXIII, 7, 27 septembre 1862.)

Leurs seuils et leurs fenêtres regorgent de faces blondes et fraîches, riant sous les guirlandes de maïs (2).

(*H. Q. R.*, I, I, 37 [1866 ?].)

---

(1) Bien qu'attribuée à 1852, cette pièce doit dater d'un voyage, et d'un voyage en Allemagne, selon toute vraisemblance (*Gretchen*) : cette hypothèse retarderait cette pièce à 1862, au moins.
(2) Souvenir du voyage de 1843.

GRISETTE

... Jeune fille du peuple, au chant plein de bonheur.
(*R. O.*, IV.)

La manola de Madrid a encore aujourd'hui pour
idéal la grisette.
(*Pa.*, IV, 3, 329.)

La grisette, c'est « Eros de Paris ». Apparue au détour d'une rue ou sur la marche de l'escalier, elle symbolise les amours citadines. C'est une ouvrière, jolie, sans être belle, de la fraîcheur de la jeunesse, bien tournée, élégante à peu de frais, primesautière, dépensière, mais courageuse à la besogne dans sa pauvreté et par-dessus tout amoureuse de l'amour et de la liberté. Il y a du Béranger derrière ce lieu commun, c'est-à-dire du classique presque et du libéral, même du républicain. A lui les Lise, les Margot et les Rosette :

> Moi j'y chante un hymne aux grisettes,
> Porte-bonheur de mon printemps (1).

Mais il y a aussi du Musset. C'est Bernerette, que Frédéric aperçoit à une fenêtre (2) de la rue de la Harpe, quand il arrose ses fleurs. « A la tournure et à la toilette de sa voisine, quoiqu'elle portât un chapeau, il jugea qu'elle devait être ce qu'on appelle à Paris une grisette. » Ou Mimi Pinson : « ... Un petit bonnet autorise un nez retroussé qui, à son tour, veut une bouche bien fendue, à laquelle il faut de belles dents, et un visage rond pour cadre. Un visage rond demande des yeux brillants ; le mieux est qu'ils soient le plus noirs possible, et les sourcils à l'avenant... C'est ce qu'on appelle une figure chiffonnée, figure classique de grisette, qui peut être laide sous le morceau de carton, mais que le bonnet rend parfois charmante et plus jolie que la beauté (3). » Elle a pour camarade, pour amoureux, l'étudiant, et son rêve est de passer avec lui une journée à la campagne, c'est-à-dire dans quelque guinguette de banlieue, comme à Saint-Cloud Marius et ses compagnons avec Fantine et ses amies.

(1) Cf. *Dernières Chansons*, 1834-1838, *les Chansonnettes.*
(2) On voit l'étroite parenté de ce motif avec le précédent.
(3) *Frédéric et Bernerette, R. D. M.*, 15 janvier 1838.

Musset les a souvent regardées partir : « Considère-moi ces gros omnibus bien rebondis, bien bourrés de grisettes, qui vont au Ranelagh ou à Belleville (1). » Ainsi, la grisette nous conduit directement à l'idylle de banlieue. Qui plus est, autour de 1860, l'antique est à la mode, c'est le temps de la *Belle Hélène* : Hugo s'amuse à mêler l'Olympe à Bagnolet et Goton égale Vénus.

> Jeune fille du peuple, au chant plein de bonheur,
> Orpheline, dit-on, et seule en cet asile...
> Fille heureuse! autour d'elle ainsi qu'autour d'un temple,
> Tout est modeste et doux, tout donne un bon exemple...
> Sur son beau col, empreint de virginité pure,
> Point d'altière dentelle ou de riche guipure ;
> Mais un simple mouchoir noué pudiquement.
> Pas de perle à son front, mais aussi pas de ride,
> Mais un œil chaste et vif, mais un regard limpide.
> Où brille le regard que sert le diamant ?
>
> (*R. O.*, IV, *Regard jeté dans une mansarde*, éd. 24-29 juin 1839.)

Les filles du village et les jolies grisettes de Bayonne se baignent avec des chemises de serge, souvent fort trouées, sans trop se soucier de ce que les trous montrent et de ce que les chemises cachent.

(*V.*, II, 311, Biarritz, 25 juillet 1843.)

> Elle passa. Je crois qu'elle m'avait souri.
> C'était une grisette ou bien une houri.
> . . . .
> Fraîche et joyeuse enfant! moineaux et hochequeues
> Ont moins de gaîté folle et de vivacité.
> Elle avait une robe de taffetas d'été,
> De petits brodequins couleur de scarabée...
>
> (*Q. V. E.*, I, XXII, 1846.)

> Au retour des beaux jours, dans ce vert Floréal...
> Quand la grisette assise, une aiguille à la main,
> Soupire, et de côté regardant le chemin,
> Voudrait aller cueillir des fleurs au lieu de coudre...
>
> (*Ch.*, VI, XIV, 28 mai 1853.)

> La marquise Antoinette, autrefois grisette.
>
> (*T. L.*, VII, XXII, 1 [1852-1853 ?].)

> Vivre comme l'ours, grave et seul, avec le ciel,
> A la bonne heure! Au diable Anna, Toinon, Lisette,
> Madame la marquise et mam'zell' la grisette,
> La femme en bloc! les yeux noyés, les yeux fripons!
> Ouragan, ouragan, emporte les jupons!
>
> (*Th. Lib.*, *F. M.*, III, 1854.)

> Ça, c'est mademoiselle
> Balminette, lingère en chambre, rue aux Ours
> Numéro trois.
>
> (*Th. Lib.*, *F. M.*, IV, 1854.)

> Si Ninette, la giletière,
> Veut la bandelette d'Hermès
> Pour s'en faire une jarretière,
> Donne-la lui sans dire mais.

(1) *Mimi Pinson*, (1845), éd. Conard, p. 217.

Si Fanchette ou Landerinette
Prend dans ton Bacon radieux
Du papier pour sa cigarette,
Fils des Muses, rends grâce aux dieux.

> (*C. R. B.*, I, IV, 11, 25 juillet 1859.)

Cet être mystérieux
Qu'on appelle une grisette
M'est tombé du haut des cieux.
Je souffre. J'ai la recette.

. . . .
Elle habite en soupirant
La mansarde mitoyenne.
Parfois sa porte, en s'ouvrant,
Pousse le coude à la mienne.

Elle est fière ; parlons bas.
C'est une forme azurée
Qui, pour ravauder des bas,
Arrive de l'empyrée.

> (*C. R. B.*, I, II, 3, 8 août [1859 ?].)

Je lisais Platon. J'ouvris
La porte de ma retraite,
Et j'aperçus Lycoris,
C'est-à-dire Turlurette.

. . . .
La belle, en jupon gris clair,
Montait l'escalier sonore ;
Ses frais yeux bleus avaient l'air
De revenir de l'aurore.

Elle chantait un couplet
D'une chanson de la rue
Qui dans sa bouche semblait
Une lumière apparue.

. . . .
Elle avait l'accent qui plaît,
Un foulard pur cachemire,
Dans sa main son pot au lait,
Des flammes dans son sourire.

> (*C. R. B.*, I, I, 5, 14 août 1859.)

Une chemisière aimante
Vint hier dans mon grenier...
. . . .
Quand je vois une grisette
J'entends Pégase hennir

> (*C. R. B.*, R. 335, 7 septembre 1859.)

Ma voisine est une ouvrière,
Au front de neige, aux dents d'émail,
Qu'on voit tous les soirs en prière
Et tous les matins au travail.

. . . .
Elle est propre, douce, fidèle,
Et tient de Dieu, qui la bénit,
Des simplicités d'hirondelle
Qui ne sait que bâtir son nid.

> (*T. L.*, VI, XVI, 4 novembre [1859 ?].)

J'ai fait, vers dix-sept ans, ce rêve gracieux
Que je voyais Hébé, la grisette des cieux,
Mettre sa jarretière et dégrafer sa guimpe
Dans les mansardes d'ombre et d'azur de l'Olympe.

(Oc., LIV [1859-1860 ?].)

Une partie de campagne d'étudiants et de grisettes... (1)

(Mis., I, III, 3, 130, 1860-1862.)

Il est temps d'avoir d'autres fièvres
Que de voir se coiffer, le soir,
Lise, une épingle entre les lèvres,
Éblouissement d'un miroir.

(L. S., D. S., XIV, 9 novembre [1865 ?].)

O fraîche vision des jupes de futaine
Qui se troussent gaîment autour de la fontaine!

(L. S., N. S., XVIII, Id. XVII, 25-28 janvier 1877.)

Et je vous offre, Eglé, giletière étonnée,
Tout ce qu'une âme, hélas, vers l'infini tournée,
Mêle de rêverie aux rondeurs d'un fichu.

(T. L., VI, VIII, 2, 9 décembre [?].)

---

(1) Voir *Idylle à Saint-Cloud*, p. 82, à rapprocher notamment de *Q. V. E.*, I, XXII, cité ci-dessus.

ANNEXE

FICHUS

Et Loyola, tendant aux roses son mouchoir,
Leur dit : Cachez ce sein que je ne saurais voir (1).
(*A.*, *La colère de la Bête*, VII, p. 351.)

Comme on peut le voir sur les gravures du temps, les robes du début du siècle étaient assez échancrées sur la gorge, dont elles découvraient la naissance. Les femmes croisaient et nouaient par-dessus les deux pointes d'un fichu, qui faisait l'office du mouchoir de Tartuffe. L'imagination sensuelle de Victor Hugo s'est fixée très tôt, si l'on en croit le souvenir de Bayonne, sur ce fichu et sur le geste de le dénouer, guetté sur l'ingénûment impudique Juliette (2). Victor Hugo a fixé cette impression au crayon : la Maison de Victor Hugo offre plusieurs dessins de femmes aux seins nus (voir catalogue, n°s 227, 229, 230, 237...), entre autres celui d'une femme masquée dont un sein se délivre du corsage.

Quand ton sein, ô Madeleine,
Sort du corset de baleine,
Libre enfin du velours noir...
(*B.*, IX, 14 septembre 1825.)

Par moments mes yeux se baissaient, mon regard rencontrait son fichu entr'ouvert au-dessous de moi, et je voyais, avec un trouble mêlé d'une fascination étrange, sa gorge ronde et blanche qui s'élevait et s'abaissait doucement dans l'ombre, vaguement dorée d'un chaud reflet du soleil (3).
(*V.*, II, 298, Bayonne, 26 juillet 1843.)

Qu'Anna, qui ravirait un faune au pied fourchu,
Fasse en penchant la tête entr'ouvrir son fichu...
(*D. G.*, XIX [1852 ?].)

(1) Cf. *Oc.*, CXXIX : « O mer, cache ce sein que je ne saurais voir. »
(2) Cf. L. GUIMBAUD, *En cabriolet vers l'Académie*, p. 129, Paris, Grasset, 1947.
(3) Souvenir d'enfance : voir *Amours enfantines*, p. 88.

Anges du ciel! je vis sa gorge blanche
Sous son fichu!
(*T. L.*, VI, xx, 20 septembre 1854.)

Cypris met sa jarretière,
Pallas ôte son fichu.
(*C. R. B.*, R. 337, 7 septembre 1859.)

. . . .
Par la trahison charmante
Du fichu montrant le sein.
(*C: R. B.*, I, iii, 7, 15 octobre 1859.)

J'ai fait, vers dix-sept ans, ce rêve gracieux
Que je voyais Hébé, la grisette des cieux,
Mettre sa jarretière et dégrafer sa guimpe.
(*Oc.*, LIV [1859-1860 ?].)

O belle au frais fichu vainement épinglé!
(*L. S., N. S.*, XVIII, Id. xix, 6 avril 1860.)

Regardons s'entr'ouvrir les mouchoirs sur les gorges ;...
Et que ton fichu seul ait le droit de bâiller.
(*L. S., N. S.*, XVIII, Id. xxi, 17 mai [1860 ?].)

... L'on avait à table une belle voisine sans guimpe qui ne cachait sa gorge
que modérément!...
(*Mis.*, V, v, 6, 189, 1861-1862.)

Tant pis, il fait si chaud que j'ôte mon fichu...
C'est égal, je serais bien trop décolletée,
Si nous n'étions pas seuls...
(*Th. Lib., G. M.*, sc. III, 1865.)

HAROU

. . . .
— Est-ce ça? — parez-vous. Puis, en route, à l'église,
Gens de la noce! — Et puis, ce soir,

(*Avec un geste galant qui l'effarouche.*)
Plus de fichu!
(*Q. V. E.*, II, ii, a. I, sc. i, 1869.)

Et sans m'inquiéter si l'écart du fichu
Fait dans l'ombre loucher le faune au pied fourchu...
(*T. L.*, VI, LV, 28 juillet [1874-1875 ?].)

L'éternelle indulgence au fond du firmament
Rêve ; et les doux fichus s'envolent vaguement.
(*T. L.*, VI, xviii, 1820, 10 avril 1875.)

Tout ce qu'une âme, hélas, vers l'infini tournée,
Mêle de rêverie aux rondeurs d'un fichu.
(*T. L.*, VI, viii, 9 décembre [?].)

L'IDYLLE A SAINT-CLOUD

L'onde à Triel est bucolique...
(*C. R. B.*, I, i, 4.)

Celui qui écrit ces lignes a été longtemps
rôdeur de barrières à Paris, et c'est pour
lui une source de souvenirs profonds...
(*Mis.*, III, i, 5, 1860-1862.)

La grisette s'échappe avec l'étudiant, elle va oublier le dimanche les
tristesses de la semaine, faire « la fête aux environs de Paris », aux bals
publics du Ranelagh, près de la Muette, et de la Courtille, à Belleville.

Victor Hugo garde-t-il de tels souvenirs de sa jeunesse, du temps qu'il
était étudiant (1), ou les a-t-il récoltés un peu plus tard, quand, marié,
il allait avec des amis entendre

Les vagues violons de la mère Saguet

du côté de Vaugirard et de Grenelle ? On peut en douter et se demander
si le poète ne recrée pas sa jeunesse, qui fut austère, à l'image des aventures de sa maturité. L'idylle de banlieue se déroule le plus souvent à
la première personne. « On va le dimanche » avec la grisette, ou parfois,

Haussant nos caprices
Jusqu'aux cantatrices
De chez Bobino (2),

on emmène avec soi une « comtesse Floriane », qui n'est, comme peut-
être la « duchesse Thérèse », que le « nom de guerre » d'une de ces
actrices ou courtisanes somptueuses. Mais toutes ces silhouettes semblent
calquées sur la pétulance de Juliette, ou de ses réincarnations ulté-
rieures.

Il y aurait naturellement beaucoup d'idylles de la sorte à citer. Je ne
retiens que quelques scènes particulièrement évocatrices de cette atmosphère de guinguettes. Pourtant, fait remarquable, on n'en trouve guère

(1) Cf. *Mis.*, I, III, 3, p. 130 : Paris « il y a quarante-cinq ans » (1817).
(2) *C. R. B.*, R. 312, 19 avril 1847.

d'exemple avant 1853, mais elles foisonnent entre 1859 et 1865, dans les *Chansons des rues et des bois*. Hugo en exil a une prédilection pour toutes ces banlieues, Triel, Saint-Cloud, Lagny, Meudon, Montmorency, etc., dont il aime à dater ses pièces légères (il ajoute : vers 183...) : « Tous ces lieux qu'on ne voit plus, qu'on ne reverra jamais peut-être, et dont on a gardé l'image, prennent un charme douloureux, vous reviennent avec la mélancolie d'une apparition (1)... » Ainsi ces motifs de sa sensualité prennent une nuance très particulière : nostalgie mêlée de Paris, du Paris de sa jeunesse, et d'une jeunesse perdue irrémédiablement, et peut-être doublement, car sa jeunesse fut sage, et il arrive à l'âge mûr de le regretter (2).

Idylle aux Tuileries.

> On va le dimanche...
> Barrière Saint-Jacques,
> Souper au Chat-Vert,
> On dévore, on aime,
> On boit, on a même
> Un plat de dessert!
> . . . .
> Nos deux seigneuries,
> Vont aux Tuileries
> Flâner volontiers,
> Et dire des choses
> Aux servantes roses
> Sous les marronniers.
> (C. R. B., R. 312, 19 avril 1847.)

Idylle à Montfort-l'Amaury.

> Elle était déchaussée, elle était décoiffée... (3).
>
> Elle me regarda de ce regard suprême
> Qui reste à la beauté quand nous en triomphons,
> Et je lui dis : Veux-tu, c'est le mois où l'on aime,
> Veux-tu nous en aller sous les arbres profonds?
>
> Elle essuya ses pieds à l'herbe de la rive ;
> Elle me regarda pour la seconde fois,
> Et la belle folâtre alors devint pensive.
> Oh! comme les oiseaux chantaient au fond des bois!
> (C., I, XXI, 16 avril 1853, éd. Mont.-l'Am., juin 183..)

Idylle à Triel.

> Nous allions au verger cueillir des bigarreaux... (4).
> (C., II, VII, 5 juin 1853, éd. Triel, juillet 18...)

---

(1) *Mis.*, II, v, 1, p. 151 (écrit vers 1862).
(2) Prolongement inattendu et cru de ce thème chez RIMBAUD, *Premiers vers*, *Chant de guerre parisien :*

> O Mai, quels délirants culs-nus!
> Sèvres, Meudon, Bagneux, Asnières,
> Écoutez donc les bienvenus
> Semer les choses printanières ! etc...

(3) Voir dans la série des *Apparitions*...
(4) Voir dans la série de la *Cueillette*...

Je nomme Vaugirard églogue ;
J'installe Amyntas à Pantin...

Les fleurs sont à Sèvre aussi fraîches
Que sur l'Hybla, cher au sylvain ;
Montreuil mérite avec ses pêches
La garde du dragon divin.

. . . .
Bercy pourrait griser sept sages ;
Les Auteuils sont fils des Tempés ;
Si l'Ida sombre a des nuages,
La guinguette a des canapés.

. . . .
Vanvre a d'indulgentes prairies ;
Ville-d'Avray ferme les yeux
Sur les douces gamineries
Des cupidons mystérieux.

. . . .
L'onde à Triel est bucolique ;
Asnière a des flux et reflux
Où vogue l'adorable clique
De tous ces petits dieux joufflus.

. . . .
Qu'à Gif, grâce à nous, le notaire
Et le marguillier soient émus,
Fils, et qu'on entende à Nanterre
Les vagues flûtes de l'Hémus !

Acclimatons Faune à Vincenne, etc.
. . . .
(*C. R. B.*, I, 1, 4 [1859 ?].)

L'idylle de Floriane.

Gaie, elle sautait dans l'herbe
Comme la belle Euryant,
Et, montrant le ciel superbe,
Soupirait en souriant.

— J'aimerais mieux, disait-elle,
Courir dans ce beau champ bleu,
Cueillant l'étoile immortelle,
Quitte à m'y brûler un peu ;

Mais, vois, c'est inaccessible,
(Car elle me tutoyait)
Puisque l'astre est impossible,
Contentons-nous de l'œillet, etc...
(*C. R. B.*, R. 327, 22 juin 1859.)

Idylle à Meudon.

Pourquoi pas montés sur des ânes ?
Pourquoi pas au bois de Meudon ?...
. . . .
Rien n'est tel que cette ombre verte,
Et que ce calme un peu moqueur,
Pour aller à la découverte
Tout au fond de son propre cœur.

On chante. L'été nous procure
Un bois pour nous perdre. O buissons !
L'amour met dans la mousse obscure
La fin de toutes les chansons.

Paris foule ces violettes ;...
. . . .
Prenez garde à ce lieu fantasque !
Ève à Meudon achèvera
Le rire ébauché sous le masque
Avec le diable à l'Opéra.

. . . .
Je me souviens qu'en mon bas âge... (1).

(*C. R. B.*, I, II, 7, 11 juillet 1859.)

Idylle à Saint-Cloud.

Quand les guignes furent mangées,
Elle s'écria tout à coup :
— J'aimerais bien mieux des dragées.
Est-il ennuyeux, ton Saint-Cloud !

On a grand'soif ; au lieu de boire,
On mange des cerises ; voi,
C'est joli, j'ai la bouche noire
Et j'ai les doigts bleus ; laisse-moi. —

Elle disait cent autres choses,
Et sa douce main me battait.
O mois de juin ! rayons et roses !
L'azur chante et l'ombre se tait.

J'essuyai, sans trop lui déplaire,
Tout en la laissant m'accuser,
Avec des fleurs sa main colère,
Et sa bouche avec un baiser.

(*C. R. B.*, I, I, 6, 12 juillet 1859.)

Idylle à Verrières.

— Qu'est-ce que tu fais là ? Veux-tu bien t'en venir !
Dit-elle ; mais tu n'es qu'une bête ! et la preuve,
C'est que tu ne vois pas que j'ai ma robe neuve.
Nous allons à Verrières, et nous y mangerons
De ces fraises qu'on trouve avec les liserons... (2).

(*T. L.*, VI, XIV, 13 août 1859.)

Idylle à Créteil.

Sachez qu'hier, de ma lucarne,
J'ai vu, j'ai couvert de clins d'yeux
Une fille qui dans la Marne
Lavait des torchons radieux... (3).

. . . .
Je pris un air incendiaire,
Je m'adossai contre un pilier,
Et je lui dis : — « O lavandière !
(Blanchisseuse étant familier)...

. . . .
« O laveuse à la taille mince,
Qui vous aime est dans un palais.
Si vous vouliez, je serais prince ;
Je serais dieu, si tu voulais. »

(1) Voir la suite aux *Amours enfantines.*
(2) Le poète est en train de lire Homère quand la fantaisie fait avec la belle (Juliette ou une autre, peu importe) son entrée en coup de vent. La pièce est du 13 août : comparez la pièce du lendemain 14 août, où l'idylle dans l'escalier vient interrompre une lecture de Platon (*C. R. B.*, I, I, 5, *Interruption à une lecture de Platon*, cf. dans la série des *Grisettes*).
(3) Voir le début dans la série des *Laveuses.*

La blanchisseuse, gaie et tendre,
Sourit, et, dans le hameau noir,
Sa mère au loin cessa d'entendre
Le bruit vertueux du battoir.

. . . .
Je m'arrête. L'idylle est douce,
Mais ne veut pas, je vous le dis,
Qu'au delà du baiser on pousse
La peinture du paradis.

(*C. R. B.*, I, IV, 7, 27 septembre [1859 ?].)

Idylle à Saint-Cloud : « Une partie de campagne d'étudiants et de grisettes (1). »
Les quatre couples accomplirent consciencieusement toutes les folies champêtres possibles alors. On entrait dans les vacances, et c'était une chaude et claire journée d'été... C'est pourquoi, ils se levèrent à cinq heures du matin. Puis ils allèrent à Saint-Cloud par le coche...
Les jeunes filles bruissaient et bavardaient comme des fauvettes échappées. C'était un délire. Elles donnaient par moments de petites tapes aux jeunes gens. Ivresse matinale de la vie! Adorables années! L'aile des libellules frissonne. Oh! qui que vous soyez, vous souvenez-vous? Avez-vous marché dans les broussailles, en écartant les branches à cause de la tête charmante qui vient derrière vous? Avez-vous glissé en riant sur quelque talus mouillé par la pluie avec une femme aimée qui vous retient par la main et qui s'écrie :
— Ah! mes brodequins tout neufs! dans quel état ils sont!...

(*Mis.*, I, III, 3, 130 [1860-1862 ?].)

Idylle d'Asnières ou de Joinville-le-Pont.

Les gueules de loup sont des bêtes,
Les gueules de loup sont des fleurs,
Et vivent les femmes bien faites,
La Seine et les grandes chaleurs!

. . . .
Marthe apparaît à sa lucarne.
Lise m'appelle et me répond.
Choisissez : la Seine, ou la Marne?
Asnière, ou Joinville-le-Pont? etc...

(*T. L.*, VII, XXIII, 7, 27 septembre 1862.)

Idylle à Nanterre.

Gais canotiers de Nanterre,
Nous voguions sur le flot pur ;
Margot lorgnait un notaire
Quand je contemplais l'azur.

Elle trouvait l'eau trop fraîche,
Et préférait l'Ambigu,
Et s'écriait : Quand je pêche,
C'est avec l'accent aigu.

(*T. L.*, VII, XXIII, 9, s. d.)

(1) Hugo précise « il y a quarante-cinq ans ». Il y a des rappels symboliques de la *libellule* (la « demoiselle ») et de *Pluie d'été*. Voir toute la description charmante de la toilette de Fantine (pp. 131-132) : « Elle avait une robe de barège mauve, de petits souliers-cothurnes mordorés dont les rubans traçaient des X sur son fin bas blanc à jour, et cette espèce de spencer en mousseline, invention marseillaise, dont le nom, canezou, corruption du mot *quinze-août* prononcé à la Canebière, signifie beau temps, chaleur et midi... »

ANNEXE I

LA CUEILLETTE
OU
FRUITS D'IDYLLE

... Des fruits mordus par les dieux.
(*C. R. B.*, I, i, 2.)

Les fruits que Plaute ramassait dans « les vergers radieux de Viterbe », *mordus par les dieux*, l'étaient sans doute par le dieu de l'amour. Cette cueillette revient en tout cas souvent dans les jeux de l'idylle.

L'origine de ce motif est complexe : il y entre sans doute des souvenirs très personnels, depuis les désirs inoubliés de son enfance, quand il lui était défendu de toucher aux espaliers des Feuillantines et permis de cueillir les raisins du propriétaire, jusqu'à ceux de ses voyages ou de ses escapades dans les jardins de la banlieue parisienne. Victor Hugo a toujours aimé l'école buissonnière, et c'en est un des charmes. Mais il y a aussi le souvenir virgilien des mûres barbouillées par la nymphe sur le visage du Silène endormi, deux fois évoqué ici (*T. L.*, IV, ii, et VI, l). Il y a surtout ce sujet d'estampe cher au XVIIIᵉ siècle, vignette de Fragonard ou de Boucher, qui représente une fraîche fille grimpée sur une échelle, en train de cueillir des fruits, cependant que son compagnon plus bas lorgne ses jambes. L'image de cette scène, avec le sens érotique qu'elle comporte, est attestée au moins deux fois ici (*Rh.*, VI, 54, et surtout *C.*, II, vii) (1).

---

(1) A propos de cette dernière pièce, on évoque toujours la cueillette de Jean-Jacques dans les *Confessions*, qui va bien dans le sens indiqué ci-dessus ; mais on oublie, me semble-t-il, l'idylle d'*Albertus*, écrite par Gautier en 1831-32, qui a un grand air de famille avec elle :

Mai dans le gazon vert faisait rougir la fraise :
— Dès qu'elle en trouvait une, heureuse et sautant d'aise,
Elle accourait bien vite et voulait partager ;
Moi, je ne voulais pas ; — c'était une bataille !...

Deux ou trois grandes belles filles ravageaient un prunier de haute taille, et l'une d'elles était perchée sur le gros bras de l'arbre dans une attitude gracieuse où les passants étaient si parfaitement oubliés, qu'elle donnait aux voyageurs de l'impériale je ne sais quelles vagues envies de mettre pied à terre.

(Rh., VI, 54, Dinant, de Liége, 3 septembre 1840.)

... J'errais et je grimpais partout, je dérangeais les grosses pierres, je mangeais les mûres sauvages...

(Rh., XV, 130, le Velmich, septembre 1840.)

(*Eglé et Silène*).

> Elle lui peint la face au milieu des risées
> Avec le sang vermeil des mûres écrasées (1).

(T. L., IV, 11 [1844-1846 ?].)

> Nous allions au verger cueillir des bigarreaux.
> Avec ses beaux bras blancs en marbre de Paros,
> Elle montait dans l'arbre et courbait une branche ;
> Les feuilles frissonnaient au vent ; sa gorge blanche,
> O Virgile, ondoyait dans l'ombre et le soleil ;
> Ses petits doigts allaient chercher le fruit vermeil,
> Semblable au feu qu'on voit dans le buisson qui flambe.
> Je montais derrière elle ; elle montrait sa jambe,
> Et disait : « Taisez-vous ! » à mes regards ardents ;
> Et chantait. Par moments, entre ses belles dents,
> Pareille, aux chansons près, à Diane farouche,
> Penchée, elle m'offrait la cerise à sa bouche ;
> Et ma bouche riait, et venait s'y poser,
> Et laissait la cerise et prenait le baiser.

(C., II, VII, 5 juin 1853, éd. Triel, juillet 18...)

Aimez-vous ! c'est le mois où les fraises sont mûres.

(C., II, XXVI, 20 février 1854, éd. Chelles, août 18...)

> Rose, droite sur ses hanches,
> Leva son beau bras tremblant
> Pour prendre une mûre aux branches ;
> Je ne vis pas son bras blanc.

(C., I, XIX, 18 janvier 1855.)

> Quand les guignes furent mangées,
> Elle s'écria tout à coup :
> — J'aimerais bien mieux des dragées.
> Est-il ennuyeux, ton Saint-Cloud !

> On a grand'soif ; au lieu de boire,
> On mange des cerises ; voi,
> C'est joli, j'ai la bouche noire
> Et j'ai les doigts bleus ; laisse-moi.

(C. R. B., I, 1, 6, 12 juillet 1859.)

> Elle me résistait d'abord, mais, bientôt lasse
> D'une lutte inégale, elle demandait grâce,
> Promettant de payer en baisers sa rançon.
> — Alors, comme un oiseau dont on ouvre la cage,
> Elle prenait son vol et fuyait, la sauvage,
> Se cacher derrière un buisson.

(Albertus, LII.)

Les deux derniers vers rappellent Virgile et le geste de Galatée.

(1) Traduction de Virgile, *Buc.*, VI, v. 13-30.

Nous allons à Verrière, et nous y mangerons
De ces fraises qu'on trouve avec les liserons.

(T. L., VI, xiv, 13 août 1859.)

L'été, vainqueur des tempêtes,
Doreur des cieux essuyés,
Met des rayons sur nos têtes
Et des fraises sous nos pieds.

(C. R. B., I, iii, 7, 15 octobre 1859.)

Nous irons cueillir des noisettes
Dans l'été, fraîche vision.

(C. R. B., I, i, 4 [1859 ?].)

Je ne comprends plus tes murmures
Et je me déclare content
Puisque voilà les fraises mûres
Et que l'iris sort de l'étang.

(C. R. B., I, v, 2, 17 juillet [1859-1865 ?].)

Quelquefois, dans ces tas de garçons, il y a des petites filles... On en voit qui mangent des cerises dans les blés... (1).

(Mis., III, 1, 5 [1860-1862 ?].)

Moi, je dîne, j'ai faim, tu sais comme je bois,
Et j'aime bien manger des fraises dans les bois.

(Th. Lib., G. M., sc. III, 1865.)

Cueillons la fraise en mai, coupons en juin les trèfles...

(Th. J., Plans, 568 [1865-1878 ?].)

A eux trois ils pillèrent la branche et mangèrent toutes les mûres. Ils s'en grisèrent et s'en barbouillèrent, et, tout vermeils de cette pourpre de la ronce, ces trois petits séraphins finirent par être trois petits faunes, ce qui eût choqué Dante et charmé Virgile (2).

(Q. V. T., III, iii, 4, 238 [1873 ?].)

La pomme d'Ève aux mains de Galatée atteint
Virgile ; et tout serait manqué, maussade, éteint,
Si Chloé, que les nids couvrent de gais murmures,
Ne barbouillait le vieux Silène avec des mûres...

(T. L., VI, l [1876-1878 ?].)

Cueillez, Jeanne et Thérèse,
La framboise et la fraise.

. . . .
Cueillez, filles d'Amboise,
La fraise et la framboise.

(T. L., VII, xxiii, 22, Château de l'Arbrelles,
7 octobre 1876.)

---

(1) Cf. l'extrait dans la série *Apparition...*
(2) Cf. « Deux beaux enfants, Chromis et le berger Mnasyle... » (*T. L.*, IV, ii.)

ANNEXE II

J'AI CUEILLI CETTE FLEUR

> ... Toutes les fleurs que trouve dans les
> broussailles...
>
> (*Rh*., XX, 154, 27 sept. 1840.)

Souvenir de ses promenades en voyage, qu'il joint à une lettre, ou qu'il insère dans son album à dessin. Celui de 1865, par exemple, retient encore trois fleurs cueillies, l'une au Bourscheid, l'autre sur le tombeau de Richard Cœur de Lion, la troisième sur celui de Marceau. Il n'est pas indifférent, en effet, de noter d'où elles viennent. C'est le plus souvent d'un lieu historique, comme dans le cas de la fleur de Montereau — l'une des premières — prise au gazon de Napoléon, ou bien d'un haut lieu, difficile d'accès, où sa pensée s'est élevée. Ce souvenir concret symbolise, à l'intention du destinataire, toujours féminin — Adèle, Léopoldine ou Juliette, — une invitation à participer aux joies et aux méditations du voyageur. Témoignage d'amour donc, souvenir aussi parfois de promenades à deux, la *fleur cueillie* rejoint, sur un mode sentimental, la cueillette des fruits dans l'expression des gestes d'idylle.

> Des boutons d'or qu'Avril étale
> Dépouiller le riche gazon.
>
> (*F. A.*, XXV, 12 septembre 1828.)

(Montereau).
J'ai visité sur la montagne qui domine le pont la place où Napoléon a braqué lui-même son canon en 1814. J'y ai cueilli une fleur de laurier-rose.

> (*V.*, II, 28, de Coulommiers, 28 juillet 1835.)

Il pousse dans l'enclos que font ces vieux murs écroulés des coquelicots doubles... J'en ai cueilli un que je t'envoie, mon Adèle bien-aimée.

> (*V.*, II, 109, Gand, 28 août 1837.)

J'ai cueilli pour toi cette fleur dans la dune. C'est une pensée sauvage qu'a arrosée plus d'une fois l'écume de l'océan. Garde-la pour l'amour de ton petit père qui t'aime tant. J'ai déjà envoyé à ta mère une fleur des ruines, le coquelicot de Gand ; voici maintenant une fleur de la mer.

> (*Corresp.*, t. I, 554, Etaples, 3 septembre 1837, à Léopoldine.)

... Elle aime une fleur bleue
D'Allemagne... — Je fais chaque jour une lieue,
Jusqu'à Caramanchel, pour avoir de ces fleurs,
J'en ai cherché partout sans en trouver ailleurs.
J'en compose un bouquet, je prends les plus jolies...

(R. B., a. I, sc. 3, juillet 1838.)

Le sommet du Rigi est une large croupe de gazon. Quand j'y suis arrivé, j'étais seul sur la montagne. J'ai cueilli, au bord d'un précipice de quatre mille pieds, en pensant à toi, chère amie, et à toi, ma Didine, cette jolie petite fleur. Je vous l'envoie.

(V., II, 198, Berne, 17 septembre 1839.)

J'ai donc écrit ce conte bleu dans le lieu même, caché dans le ravin-fossé, assis sur un bloc qui a été un rocher jadis, qui a été une tour au douzième siècle et qui est redevenu un rocher, cueillant de temps en temps, pour en aspirer l'âme, une fleur sauvage, un de ces liserons qui sentent si bon et qui meurent si vite...

(Rh., XXI, Bingen, septembre 1840.)

Autour de ce rocher, il y a un petit plateau triangulaire couvert de landes desséchées et entouré d'une espèce de fossé fort âpre. J'aperçois pourtant dans une crevasse une jolie petite bruyère rose en fleur. Je la cueille.

(V., II, 359, Pasages, 4 août 1843.)

J'ai cueilli cette fleur pour toi sur la colline.
Dans l'âpre escarpement qui sur le flot s'incline,
Que l'aigle connaît seul et peut seul approcher.
Paisible, elle croissait aux fentes du rocher...
J'ai cueilli cette fleur, pour toi, ma bien-aimée.
Elle est pâle, et n'a pas de corolle embaumée.
Sa racine n'a pris sur la crête des monts
Que l'amère senteur des glauques goëmons.

(C., V, xxiv, Ile de Serk, août 1852.)

Quand la grisette assise, une aiguille à la main,
Soupire, et de côté regardant le chemin,
Voudrait aller cueillir des fleurs au lieu de coudre...

(Ch., VI, xiv, 28 mai 1853.)

Et la fleur veut qu'on la cueille...

(F. S., III, 1, 3, Chanson des oiseaux,
fait sur la Tour Victoria, Bruxelles, 11-15 avril 1860.)

Je l'ai cueillie au bord d'une eau cachée et lente,
Elle est bleue et demain on la verra jaunir.
La fleur du souvenir n'est pas bien ressemblante,
Car la fleur passe et meurt, et non le souvenir.

(D. G., Tas, 507, Carnet 1861 (1).)

Moi, pendant ce temps-là, je maraude, et je cueille,
Comme vous un empire, un brin de chèvrefeuille.
Et je l'emporte, ayant pour conquête une fleur.

(A. G. P., I, x, 12 avril s. d. [1871-74 ?].)

Vous voulez bien venir avec moi dans les bois
Cueillir des fleurs...

(T. L., VI, lv [1874-1875 ?].)

---

(1) Vers recopiés deux fois par le poète sous les titres *Forget me not* et *le Myosotis*.

ESTELLE ET NÉMORIN
OU
L'IDYLLE RUSTIQUE

> L'idylle volontiers patoise...
> (*C. R. B.*, I, I, 4.)

C'est beaucoup par dérision que Victor Hugo, parlant de ses paysans amoureux, Simone et Gros-Thomas, remarque :

> On s'aime ; on est toujours Estelle et Némorin (1).

Titre, on le sait, d'une pastorale extrêmement célèbre de Florian, qui eut de nombreuses réimpressions depuis 1787. Ainsi, Hugo affirme la filiation de ses esquisses par rapport à la tradition d'un vieux genre. Mais il le renouvelle par l'humour avec lequel il le traite, et ses modèles se rapprocheraient plutôt des Martine, des Lucas, et des Sganarelle de Molière, qu'évoquent

> Les bons gros baisers sonores
> De mes paysans rougeauds (2).

Cette idylle est plus rustique que pastorale, au sens où les bergerades du XVIIᵉ et du XVIIIᵉ siècle nous inclinent à imaginer les fermières improvisées du Trianon se mêlant en de confuses danses aux bergers enrubannés du Linon. Ce sont de grossières églogues, des fêtes pataudes, où l'amoureux est un balourd comme ce Harou (*Q. V. E.*, II, II) qui s'approprie Esca, perle de ce fumier. Des souvenirs humoristiques de voyage donnent parfois du mordant à des esquisses dues en partie au regain de mode que connaît le XVIIIᵉ siècle de Gessner et de Nattier.

> Quand on relaie, tout m'amuse. On s'arrête à la porte de l'auberge. (...) La maison est pleine de voix qui jordonnent ; sur le pas de la porte, les garçons d'écurie et les filles de cuisine font des idylles, le fumier cajole l'eau de vaisselle...
> (*Rh.*, I, 17, de Paris à la Ferté-sous-Jouarre, juillet 1838.)

(1) *T. L.*, II, III.
(2) *C. R. B.*, I, v, I.

Gros-Claude en bourgeron de toile, et la Thomasse
Aux cheveux gras, aux mains rouges, à l'air homasse,
S'appellent aujourd'hui Fernand et Malvina.
Car les noms de roman dont naguère on s'orna
Ont quitté les salons jadis pleins d'andalouses,
Et portent maintenant des sabots et des blouses.

(*D. G., Tas.,* 488 [1836-1840 ?].)

Danses rustiques en pays basque.

Le dimanche musique payée par la ville. Deux ménétriers en haillons et l'air triste jouent du violon et cognent du tambour de basque. Toujours la même cadence ; la danse des ours. A cette musique dansent avec un bonheur grave et profond les plus belles filles du monde. Pepa et Pépita, les deux batelières, les deux sœurs, belles ; toutes deux ont quelque chose de pur et de noble. L'aînée a l'air chaste, la cadette a l'air virginal. On croirait voir une madone danser vis-à-vis d'une diane.

Beaux pâtres ; beaux pêcheurs ; bruns, basanés, robustes. Respectueux et tendres dans leurs gestes avec ces filles pudiques. Cette danse pourtant ressemble à nos danses défendues...

Ces paysans dansant ainsi avec leurs costumes pittoresques, chemises blanches, ceintures rouges, bérets bleus, vestes sur l'épaule, sont beaux, nobles, gracieux, presque antiques.

(*V.,* II, p. 355, Pasages, notes d'album, août 1843.)

... Au coin du bois Pierre rencontre Lise,
Et lui dit : — Viens. — Où donc ? — Au bois. — Je ne veux pas.
Les moissonneurs prenaient à l'ombre leur repas ;
Les gais pinsons jouaient sur les pierres des tombes.
— Oh ! là-bas, sur ce toit, vois toutes ces colombes !
Dit-elle ; et Pierre dit : — C'est chez moi qu'on les voit.
Viens les voir. J'ai ma chambre au bord de ce vieux toit.
J'ai chez moi la colombe et sa sœur l'hirondelle.
Tu pourras dans tes mains les prendre. — Vrai ? dit-elle,
Dans mes mains ? — Dans tes mains ! Viens-tu ? — Je n'ose pas...
Tout le long du chemin Lise avait peur de Pierre.
Pierre dit : — C'est ici. — Dans l'escalier étroit
Leurs souffles se mêlaient. Les colombes du toit,
Les entendant venir, fuirent à tire d'aile.
— Où donc est la colombe ? où donc est l'hirondelle ?
Dit Lise ; et Pierre dit tout bas : — O ma beauté,
Les oiseaux sont partis, mais l'amour est resté...

(*Q. V. E., Deux voix dans le ciel,* 23 novembre 1853.)

Une chantait pour la cadence ;
Les garçons aux fraîches couleurs
Accouraient au bruit de la danse,
Mettant à leurs chapeaux des fleurs ;

En revenant de la fontaine,
Elles dansaient près du clocher.
J'aime Toinon, disait le chêne ;
Moi, Suzon, disait le rocher.

(*A. G. P.,* X, IV, 3 janvier 1853 (1).)

J'adore Suzette,
Mais j'aime Suzon.
Suzette en toilette,
Suzon sans façon...

(1) Même remarque que plus haut : l'intention satirique altère la fantaisie. Le « trouble-fête », c'est le « hibou », « l'homme noir du clocher ».

. . . .
Tapis pour Suzette,
Jardin pour Suzon,
Foin de la moquette,
Vive le gazon ! etc...

        (*T. L.*, VII, xxiii, 1 [1853-1855 ?].)

Et mon grand-père — la bourrée ! —
Lui dit un soir : Mon adorée,
    Je suis sergent.

Et mon grand-père à ma grand'mère
Proposa de faire mon père
    En s'échauffant ;
Mais ma grand'mère — la gavotte !
Mais ma grand'mère était dévote,
    Et fit l'enfant.

        (*T. L.*, VII, xxiii, 18, 16 février [1854 ?].)

Fêtes de village en plein air.

Le bal champêtre est sous la tente.
On prend en vain des airs moqueurs ;
Toute une musique flottante
Passe des oreilles aux cœurs.

On entre, on fait cette débauche
De voir danser en plein midi
Près d'une Madelon point gauche
Un Gros-Pierre point engourdi.

On regarde les marrons frire ;
La bière mousse, et les plateaux
Offrent aux dents pleines de rire
Des mosaïques de gâteaux..., etc.

        (*C. R. B.*, I, vi, 9, 29 juillet 1859.)

Idylle en Hollande.

Le brouillard blême emplit les champs ; mais la kermesse
N'en fait pas moins, après le prêche, après la messe,
Tournoyer, jupe au vent, Goton dont le jarret,
Par moments entrevu, tient Gros-Pierre en arrêt.
Car Gretchen est Goton et Pieter est Gros-Pierre.

        (*D. G.*, XXIII, juillet-août 1861.)

Grand bal sous le tamarin.
On danse et l'on tambourine.
Tout bas parlent, sans chagrin,
Mathurin à Mathurine,
Mathurine à Mathurin.

        (*A. G. P.*, VI, vii, Bruxelles, 5 août 1865.)

Idylle en Belgique.

Un beau jour un ange,
Nommé le Baiser,
Vint dans une grange
Pour se reposer.

. . . .
Il y trouva Jeanne,
Il y trouva Jean ;
Jean n'était qu'un âne ;
L'ange dit : hi-han !

. . . .
L'âne comprit l'ange.
Regardez plutôt
La miche que mange
Le petit Jeannot...
(*T. L.*, VII, xxiii, 15, 6 septembre 1865.)

Achille a pour Catau des façons très civiles.
Les grenadiers — battez tambours! — ça prend les villes
Et les mentons; c'est gai, féroce et tapageur.
(*T. L.*, VII, xxi, 31 mars 1870.)

L'idylle en Champagne.
Ne croyez pas qu'à Bray-sur-Marne, ô citadins,
On soit des paysans au point d'être des brutes;
Non, on danse, on se cherche au bois, on fait des chutes;
On s'aime; on est toujours Estelle et Némorin;
Simone et Gros-Thomas sautent au tambourin;
. . . .
Parfois j'entre à l'église et j'ôte mon chapeau
Quand monsieur le Curé foudroie en pleine chaire
L'idylle d'un bouvier avec une vachère...
Jadis c'était Phyllis, aujourd'hui c'est Javotte.
(*T. L.*, II, iii, 1874.)

Et les filles, riant dans l'ombre à demi-voix,
S'en vont avec Lycas ou Gros-Jean dans les bois,
Sans trop s'inquiéter de ce que diront d'elles
Les merles, les pinsons, les geais, les hirondelles
Et sans s'effaroucher pour quelques baisers pris
Par Pierre à Jeanne ou par Ménalque à Lycoris...
L'églogue en souriant se copie; elle calque
Margot sur Phyllodoce et Gros-Jean sur Ménalque.
(*L. S.*, *N. S.*, XVIII, ms. Id. xx, 4 février 1877.)

Le soir, près du foyer aux lueurs assoupies...
Les mains sur les genoux, j'écoute volontiers
Le racontage vrai des amours de village :
Comme Pierre et Toinon s'adoraient avant l'âge;
Comme Anne était hardie, à douze ans, d'envier
Sa sœur Marthe embrassant maître Yvon le bouvier;
Récit réel d'où sort une odeur de feuillées,
Et qui, soudain, au souffle effaré des veillées,
S'envole, comme au vent la bulle de savon
Nuance d'arc-en-ciel, Marthe embrassant Yvon,
Perd toute forme humaine, enfle, et se dégingande
En conte où Puck badine avec la fée Urgande.
(*T. L.*, II, xiii, s. d.)

IDYLLES DE « LA BELLE ET LA BÊTE »

> L'antiquité n'aurait pas fait *la Belle et la Bête*.
>
> (Préface de *Cromwell*, p. 20.)
>
> ... A quoi bon la belle ?
> Si la bête n'existait pas.
>
> (*C. R. B.*, I, II, 5.)

Hugo, sensible à l'antithèse, l'est aussi dans l'amour. Ses gueux, même si leur chef de file Maglia prétend volontiers à une misogynie au moins théorique, n'échappent pas au pouvoir d'Eros. On en trouverait des exemples dans les divers Reliquats du *Théâtre en liberté*, dont je cite quelques exemples à titre d'indication.

Une expression particulière de ce contraste, que je joins pour la même raison, est l'idylle du hibou et de la fauvette, dont Hugo se sert pour désigner non sans humour celui de ses désirs avec l'âge.

I. — IDYLLE DU GUEUX

> Vous êtes bien belle et je suis bien laid.
> A vous la splendeur de rayons baignée ;
> A moi la poussière, à moi l'araignée.
> Vous êtes bien belle et je suis bien laid ;
> Soyez la fenêtre et moi le volet.
>
> Nous réglerons tout dans notre réduit.
> Je protégerai ta vitre qui tremble ;
> Nous serons heureux, nous serons ensemble ;
> Nous réglerons tout dans notre réduit ;
> Tu feras le jour, je ferai la nuit.
>
> (*T. L.*, VII, XXIII, 6, *Chanson de Maglia*, 1843 [?].)
>
> Je suis Jean qui guette,
> Chanteur et siffleur,
> Qui serait poète
> S'il n'était voleur...

. . . .
J'ai la mine haute
Et le nez en fleur
De la Pentecôte
A la Chandeleur.

Je rôde, je marche;
J'ai pour toit le ciel,
Pour alcôve une arche
Du pont Saint-Michel.

. . . .
J'ai près d'une belle
Respect et bon ton;
Je lui dis mamselle;
Ça flatte Goton.

Quand j'ai d'aventure
Fait quelque bon coup,
J'en mène en voiture
Quelqu'une à Saint-Cloud, etc...

(*T. L.*, VII, XXIII, 3, 22 avril 1847.)

LOUCHON

Paul est roux.

COCARDE

Jean est laid.

LOUCHON

Paul me bat.

COCARDE

Jean me rosse.

. . . .

COCARDE

Je le déclare ici, ce drôle est mon vainqueur.

LOUCHON

J'aime cette canaille au fin fond de mon cœur.

(*T. L.*, VII, XXII, 3 [1853 ?].)

Idylle de Gabonus.

La belle s'appelait mademoiselle Amable.
Elle était combustible et j'étais inflammable.
Un treize, je la vis passer sur le Pont-Neuf;...
Il naît sur le Pont-Neuf beaucoup de ces idylles, etc...

(*T. L.*, VI, LXIII, 20 décembre [1871-1872 ?].)

II. — *HIBOU ET FAUVETTE*

Je suis très mélancolique et je songe tristement qu'il devrait bien être dans l'ordre des choses que les fauvettes fassent des visites aux hiboux.

(Billet à Alice Ozy, 1847 (1).)

(1) *In.* L. BARTHOU, *Les amours d'un poète*, p. 292. De la même année 1847, ce titre donné à un chapitre des *Misérables* consacré à Jean Valjean et Cosette : *Nid pour hibou et fauvette* (*Mis.*, II, IV, 2).

Pancrace entre au lit de Lucinde ;
Et l'heureux hymen 'est bâclé
Quand un maire a mis le coq d'Inde
Avec la fauvette sous clé.

. . . .
C'est la vieille histoire éternelle ;
Faune et Flore ; on pourrait, hélas,
Presque dire : A quoi bon la belle ?
Si la bête n'existait pas.

(*C. R. B.*, I, II, 5, 5 octobre 1859.)

Et j'entendis un quolibet ;
Comme il s'en donnait, le coq d'Inde !

(*C. R. B.*, I, III, 3 [1859-1865 ?].)

Je ne sors plus de mon trou.
L'autre jour étant en verve,
Elle m'appela : Hibou.
Je lui répondis : Minerve.

(*C. R. B.*, I, II, 3, 8 août [1859 ?].)

Un oiseau qui a la forme d'une fille, quoi de plus exquis ! Figurez-vous
que vous l'avez chez vous. Ce sera Déruchette. Le délicieux être ! On serait
tenté de lui dire : Bonjour, mademoiselle la bergeronnette. (Gilliatt fait office
de hibou.)

(*T. M.*, I, III, 1, 1864-1865.)

GOTON ÉGALE VÉNUS
OU
ÉQUIVALENCE DE LA RÉALITÉ AU RÊVE

> Fils, le réel montre ses cornes
> Sur le front bleu de l'idéal.
> (*C. R. B.*, I, ɪɪ, 2.)
>
> Et beaucoup de réel dans un peu d'idéal.
> Voilà ce que conseille en riant floréal.
> (*L. S.*, *N. S.*, XVIII, Id. xxɪ.)

En 1827, le bouillant romantique chargeait les bucoliques attardés, « des vieilles muses vieux amants... rimeurs pastoraux ou lubriques », et dénonçait les Grâces que ceux-ci poursuivaient « avec deux rimes pour échasses » :

> Vos pastourelles virginales
> Sont des filles de régiment ;
> Vos flots troublés sont des eaux sales ;
> Vos génisses et vos cavales
> Sont des vaches et des juments (1).

Au moment où, dès avant 1850, la mythologie païenne revient à la mode, où Musset évoque les ébats des nymphes avec les faunes, où le Parnasse, puis le Symbolisme vont reprendre les motifs de l'amour antique, Hugo, nourri de Virgile, de Catulle et de Tibulle, médite de rajeunir à sa mode la vieille églogue et de la naturaliser française :

> Pan hésite au fond des forêts
> Entre l'Arcadie et la France,
> Entre Théocrite et Segrais...
> Romainville vaut le Taygète (2).

Et, comme des *Mages*, il a sans doute envie de demander :

> Pourquoi donc faites-vous des *nymphes*
> Quand vous en avez parmi vous ?

⁕

(1) *O. B.*, R. 504, 3 août 1827 (*Nuit*).
(2) *C. R. B.*, R. 344 [1859 ?].

C'est donc moins à proprement parler un motif qu'un procédé ; c'est moins un procédé qu'un jeu de l'imagination, qui s'amuse à retrouver les beautés mythologiques dans la vie de tous les jours. Mais *houris* du Rhin et *nymphes* d'Ostende ont vite fait de se figer en un refrain qui obsède le poète des *Chansons des rues et des bois.* L'amoureux rêve de Lycoris, mais il trouve Turlurette. Est-ce à dire qu'il soit déçu ? Ce n'est pas le dessein du poète de conclure ; il semble plutôt qu'il s'en satisfasse, puisque « Goton égale Vénus ». Suivant le cas, ce motif peut d'ailleurs avoir des nuances diverses. Mais il apparaît que sa valeur fondamentale est définie dans la pièce intitulée *le Poète bat aux champs* (*C. R. B.*, I, I, 4) :

> Fils, j'élève à la dignité
> De géorgiques les campagnes
> Quelconques où flambe l'été !

Ce que Victor Hugo a voulu faire dans *les Chansons des rues et des bois,* ce sont de nouvelles bucoliques, des pastorales modernes, qui restaurent l'antique idylle en introduisant dans la poésie les Amaryllis d'aujourd'hui, qui sont grisettes ou paysannes, comme leur modèle, « la belle enfant sauvage », était bergère ou servante. Lesbie, après tout, était une grisette. Tel est l'essai de Victor Hugo, dans le goût facile du Second Empire. Dans cette mesure, cette manière de voir est une des clefs qui commandent sa fantaisie.

> Vers midi... on se baignait... Il y avait une jeune femme qui était fort belle ainsi... Par moments c'était comme une de ces statues antiques de bronze avec une tunique à petits plis. Ainsi entourée d'écume, cette belle créature était tout à fait mythologique.
>
> (*V.*, II, 114, Ostende, 1837.)

> ... s'ils savaient... toutes les houris que découvre parmi les paysannes l'imagination ailée, opulente et joyeuse d'un homme à pied.
>
> (*Rh.*, XX, 154, Bingen, septembre 1840.)

> Pays unique où l'incompatible se marie à tout moment, à tout bout de champ, à tout coin de rue. Les servantes des tables d'hôte se cambrent comme des duchesses pour recevoir deux sous.
>
> (*V.*, II, 379, Pampelune, 1843.)

> Et j'ai revu Gonesse en sortant de Tibur.
>
> (*A.*, 306 [1857-1880 ?].)

> Glycère et Jeanneton, ces deux filles célestes,
> Qui courent dans Virgile et Ronsard, sont moins lestes,
> Quand Sylvain les poursuit, le faune jouvenceau,
> A trousser leur jupon pour passer un ruisseau...
>
> (*A.*, 336 [1857-1880 ?].)

> Je lisais Platon. — J'ouvris
> La porte de ma retraite,
> Et j'aperçus Lycoris,
> C'est-à-dire Turlurette.
>
> . . . .
>
> Et je lui dis (le Phédon
> Donne tant de hardiesse !) :

— Mademoiselle, pardon,
Ne seriez-vous pas déesse?
(*C. R. B.*, I, I, 5, 14 août 1859.)

Et les nymphes de Sicile
S'accoudent au bord du toit.
. . . .
C'est vrai, souvent nous prenons
Dans le passage Vivienne
Des Margots pour des Junons.
. . . .
Toute la mythologie
Vient becqueter nos taudis;
. . . .
... persuadé
Que Vénus, de sa fenêtre
M'a fait signe à Saint-Mandé.
. . . .
... mon bouge est empourpré
Par ces déesses qu'Ovide
Laisse entrevoir à Chompré (1).
. . . .
... à travers ma blanchisseuse
Phyllodoce m'apparaît.
. . . .
Hébé, toute frémissante
D'aurore, sur mon perchoir...
. . . .
La modiste est la sirène...
. . . .
Et la Diane ironique
Sous le madras de Fanchon.

Je change en Daphné Lisette..., etc.
(*C. R. B.*, R. 334, 7 septembre 1859.)

La nature est partout la même,
A Gonesse comme au Japon.
Mathieu Dombasle est Triptolème (2);
Une chlamyde est un jupon, etc...
(*C. R. B.*, I, II, 2, 5 octobre 1859.)

Il est charmant, elle est bien faite,
Et Pantin voit, sans garde-fou,
Flâner cette Vénus grisette
Avec cet Apollon voyou.
(*C. R. B.*, R. 342, 3 novembre [1859 ?].)

Je nomme Vaugirard églogue;
J'installe Amyntas à Pantin (3).
. . . .
Marton nue est Phyllis sans voiles;
Fils, le soir n'est pas plus vermeil,

---

(1) CHOMPRÉ, auteur du *Dictionnaire abrégé de la Fable*, dont Hugo possédait un exemplaire à Guernesey (éd. 1753). Cf. *F. M.*, 280 :

Je suis fou. Mon esprit patauge en plein Chompré...

(2) DOMBASLE, agronome (1777-1843), inventeur d'un type de charrue, comme Triptolème à qui Cérès avait enseigné l'art de labourer la terre.
(3) Voir la suite dans *l'Idylle à Saint-Cloud*.

Sous son chapeau d'ombre et d'étoiles,
A Blanduse qu'à Montfermeil.

. . . .
Si Babet a la gorge ronde,
Babet égale Pholoé...

. . . .
Toinon, se baignant sur la grève,
A plus de cheveux sur le dos
Que la Callyrhoé qui rêve
Dans le grand temple d'Abydos, etc...
> (*C. R. B.*, I, 1, 4 [1859 ?].)

. . . .
Et Galatée sous les saules
Comme sous l'éventail Ninon.

. . . .
Pan hésite au fond des forêts
Entre l'Arcadie et la France,
Entre Théocrite et Segrais.

Romainville vaut le Taygète...
L'églogue ne donnerait pas...

. . . .
Le bas bien tiré de Lisette
Pour les pieds nus d'Amaryllis.
> (*C. R. B.*, R. 344 [1859 ?].)

Comme je me ferais de Suzon Atala!
> (*D. G.*, VIII [1858-1859 ?].)

Qui donc n'endurerait le supplice des plombs,
Pour voir Suzon, Suzon au bain vaut Artémise,
Entrer dans sa baignoire ou changer de chemise?
> (*Oc.*, LIV [1859-1860 ?].)

Et les femmes disaient : c'est un joli garçon.
Quel dommage qu'il ait un foulard pour cravate!
Arthénice en pantoufle ou Goton en savate,
Les belles accordant ou vendant leur faveur,
Ne faisaient point tourner la tête à ce rêveur.
> (*Oc.*, LVI [1862-1865 ?].)

Fais rire Marion courbée
Sur les ægipans ahuris.
Cours, saute, emmène Alphésibée
Souper au café de Paris.

. . . .
Qu'Argenteuil soit ton Pausilippe.
Sois un peu diable, et point démon.
Joue, et pour Fanfan la Tulipe
Quitte Ajax, fils de Télamon.

. . . .
Si Junon s'offre, fais ta tâche ;
Fête Aspasie, admets Ninon ;
Si Goton vient, sois assez lâche
Pour rire et ne pas dire : Non...
> (*C. R. B.*, I, 1, 7, 20 juillet 1865.)

Le bois nous offre Déjanire,
Le pré nous donne Margoton.
> (*T. L.*, VII, IX [1865-1867 ?].)

4

LE POÈTE

Il faut être réel, dis-tu? Soit. Je regarde
Les blanches nudités des nymphes dans les bois.
J'emplis mon verre avec mes rêves, et je bois...

LE BOURGEOIS

Tes nymphes, c'est Goton, Mathurine et Javotte.

(*Th. J., Plans*, 568 [1865-1878 ?].)

LÉO

Ton nom est Rhée, Aglaure, Hébé, Pallas...

LE SATYRE

Goton.

(*Th. lib., Sur la lisière d'un bois*, 1873.)

Là Margot vient quand c'est Glycère qu'on attend.

(*T. L.*, VI, XVIII, 6 mai [1874-1875 ?].)

La duchesse et la paysanne
Se valent sur le vert gazon;
Jérusalem offre Suzanne,
Mais la Courtille offre Suzon, etc...

(*T. L.*, VII, XXIII, 13, 25 mai 1876.)

Elle trouve moyen d'avoir de beaux pieds nus;
Cette fille d'Auteuil semble née à Mégare.

(*L. S., N. S.*, XVIII, Id. XVII, 25-28 janvier 1877.)

Et je vous offre, Eglé, giletière étonnée...
J'ai ri de tes sonnets d'hier où tu montais
Jusqu'à la blonde Eglé, fille de ton concierge.

(*T. L.*, VI, VIII, 9 et 3 décembre [?].)

III

LE TEMPS PERDU
OU
L'ENFANCE ET LES FÊTES

LES LEÇONS DU JARDIN

Leçons d'amour, leçons de compréhension de la nature. Les Feuillantines, ce jardin abandonné de l'enfance où Victor Hugo a goûté la
liberté, lui apparaissent comme une source mystérieuse de poésie à
laquelle il revient souvent. Ce jardin résume d'ailleurs tous les jardins
d'Italie, d'Espagne, de France, que le poète a successivement trouvés,
puis cherchés sur le chemin de sa vie, des plus humbles aux plus amples,
ceux de ses domiciles, rue Notre-Dame-des-Champs, rue Jean-Goujon,
place des Vosges, rue de la Tour-d'Auvergne, à Hauteville House, ou
de ses promenades, aux Tuileries, aux Gobelins, ou de ses séjours et
voyages, aux Roches, à Saint-Prix, ou à Bacharach. C'est toujours ce
même jardin clos, secret et sauvage qu'il replace rue Plumet ou au Petit-
Picpus. Aussi, dans le souvenir, se nuance-t-il d'une certaine fantaisie,
« mélange de précis et d'imprécis », « de connu et d'inconnu », comme
aime à dire Hugo, dans lequel ce thème se dépasse. C'est pourquoi j'ai
hésité à le mettre au seuil de la Seconde Partie, à l'entrée de cette Nature
dont il ouvre au poète le mystère de joie. On verra comme dans certains
fragments ce thème glisse vers d'autres : l'éveil du printemps (*vere novo*)
ou « le vieux parc désert », cadre de *Fêtes galantes*. Cette richesse tient au
mystère du passé — cela fait beaucoup de « mystères », mais je ne recule
pas même devant cette subtile pauvreté — le Jardin de Feuillantines est
pour Hugo ce que fut le Domaine d'Yvonne de Galais pour Alain-
Fournier, ou le Valais pour Gérard de Nerval ; tout irrigué de ces
« magiques fontaines » dont parlait déjà le poète de l'ode *A mon enfance*, il
est ce poétique passé que chacun de nous refait, sans jamais l'achever,
avec l'imagination et l'amour, et c'est pourquoi sa place s'impose d'abord
et malgré tout ici, au seuil de ce « Temps perdu » qu'on ne retrouve que
pour n'avoir pas cessé de le cultiver.

I. — *LES FEUILLANTINES*

> J'eus dans ma blonde enfance, hélas! trop éphémère,
> Trois maîtres : un jardin...
> <div align="right">(<i>R. O.</i>, XIX.)</div>

   Je me revois enfant, écolier rieur et frais, jouant, courant, criant avec mes frères dans la grande allée verte de ce jardin sauvage où ont coulé mes premières années, ancien enclos de religieuses que domine de sa tête de plomb le sombre dôme du Val-de-Grâce.
   Et puis, quatre ans plus tard, m'y voilà encore, toujours enfant, mais déjà rêveur et passionné. Il y a une jeune fille dans le solitaire jardin.

(D. J., XXXIII, 1828-1829.)

Tu dois te souvenir des vertes Feuillantines,
Et de la grande allée où nos voix enfantines,
          Nos purs gazouillements,
Ont laissé dans les coins des murs, dans les fontaines,
Dans le nid des oiseaux et dans le creux des chênes,
          Tant d'échos si charmants!
. . . .
Nous naissions! on eût dit que le vieux monastère
Pour nous voir rayonner ouvrait avec mystère
          Son doux regard dormant.

T'en souviens-tu, mon frère? après l'heure d'étude,
Oh! comme nous courions dans cette solitude!
          Sous les arbres blottis,
Nous avions, en chassant quelque insecte qui saute,
L'herbe jusqu'aux genoux, car l'herbe était bien haute,
          Nos genoux bien petits...

(V. I., XXIX, 6 juin 1837.)

J'eus dans ma blonde enfance, hélas! trop éphémère,
Trois maîtres : un jardin, un vieux prêtre et ma mère.

Le jardin était grand, profond, mystérieux,
Fermé par de hauts murs aux regards curieux;
Semé de fleurs s'ouvrant ainsi que des paupières,
Et d'insectes vermeils qui couraient sur les pierres;
Plein de bourdonnements et de confuses voix;
Au milieu, presque un champ; dans le fond, presque un bois.

. . . .
C'est dans ces moments-là que le jardin paisible,
La broussaille où remue un insecte invisible,
Le scarabée ami des feuilles, le lézard
Courant au clair de lune au fond du vieux puisard,
La faïence à fleur bleue où vit la plante grasse,
Le dôme oriental du sombre Val-de-Grâce,
Le cloître du couvent, brisé, mais doux encore,
Les marronniers, la verte allée aux boutons d'or,
La statue où sans bruit se meut l'ombre des branches,
Les pâles liserons, les pâquerettes blanches...
C'est dans ces moments-là, comme je vous le dis,
Que tout ce beau jardin, radieux paradis,
Tous ces vieux murs croulants, toutes ces jeunes roses,
Tous ces objets pensifs, toutes ces douces choses,
Parlèrent à ma mère avec l'onde et le vent,
Et lui dirent tout bas : « Laisse-nous cet enfant ! »

. . . .
Car nous sommes les fleurs, les rameaux, les clartés,
Nous sommes la nature et la source éternelle
Où toute soif s'étanche, où se lave toute aile ;
Et les bois et les champs, du sage seul compris,
Font l'éducation de tous les grands esprits !...

                                    (*R. O.*, XIX, 31 mai 1839.)

            ... Jadis, — j'étais enfant encore, —
        J'avais un grand jardin où j'allais dès l'aurore,
        Je voyais des oiseaux, des rayons, des couleurs,
        Et des papillons d'or qui jouaient dans les fleurs !

                                    (*J.*, a. II, sc. 1, 10 août 1839.)

        Lorsque j'étais enfant, envié par les mères,
        Libre dans le jardin et libre dans les bois,
        Et que je m'amusais, errant près des chaumières,
        A prendre des bourdons dans les roses trémières
        En fermant brusquement la fleur avec mes doigts.

                            (*T. L.*, V, v, Bois d'Andernach-sur-le-Rhin,
                                        12 septembre 1840.)

A de certaines heures, l'enfance étincelait dans ce cloître. La récréation sonnait. Une porte tournait sur ses gonds. Les oiseaux disaient : Bon ! voilà les enfants ! Une irruption de jeunesse inondait ce jardin coupé d'une croix comme un linceul. Des visages radieux, des fronts blancs, des yeux ingénus, pleins de gaie lumière, toutes sortes d'aurores s'éparpillaient dans ces ténèbres. Après les psalmodies, les cloches, les sonneries, les glas, les offices, tout à coup éclatait le bruit des petites filles, plus doux qu'un bruit d'abeilles. La ruche de la joie s'ouvrait et chacun apportait son miel... De jolies petites dents blanches jasaient dans des coins ; les voiles, de loin, surveillaient les rires... Ces quatre murs lugubres avaient leur minute d'éblouissement. Ils assistaient, vaguement blanchis du reflet de tant de joie, à ce doux tourbillonnement d'essaims. C'était comme une pluie de roses traversant ce deuil... Dans ce cloître, le jeu était mêlé de ciel. Rien n'était ravissant et auguste comme toutes ces fraîches âmes épanouies... Homère fût venu rire là avec Perrault (1).

                                    (*Mis.*, II, VI, 4, 195, 1847.)

_____

(1) On voit que ce couvent, les Bernardines du Petit-Picpus, sans être celui des Feuillantines, en évoque les images : la description de cette « irruption de jeunesse » entre les vieux murs sacrés est la transcription directe des jeux des enfants Hugo au jardin des Feuillantines.

Ce jardin ainsi livré à lui-même depuis plus d'un demi-siècle était devenu extraordinaire et charmant. Les passants d'il y a quarante ans s'arrêtaient dans cette rue pour le contempler, sans se douter des secrets qu'il dérobait derrière ses épaisseurs fraîches et vertes... Le jardinage était parti, et la nature était revenue. Les mauvaises herbes abondaient, aventure admirable pour un pauvre coin de terre. La fête des giroflées y était splendide. Rien dans ce jardin ne contrariait l'effort sacré des choses vers la vie ; la croissance vénérable était là chez elle... Ce jardin n'était plus un jardin, c'était une broussaille colossale, c'est-à-dire quelque chose qui est impénétrable comme une forêt, peuplé comme une ville, frissonnant comme un nid, sombre comme une cathédrale, odorant comme un bouquet, solitaire comme une tombe, vivant comme une foule (1).

(*Mis.*, IV, III, 3, *Foliis ac frondibus*, 1847.)

André, c'est vrai, je ris quelquefois sur la lyre.
Voici pourquoi. Tout jeune encor, tâchant de lire
Dans le livre effrayant des forêts et des eaux,
J'habitais un parc sombre où jasaient des oiseaux,
Où des pleurs souriaient dans l'œil bleu des pervenches ;
Un jour que je songeais seul au milieu des branches,
Un bouvreuil qui faisait le feuilleton du bois
M'a dit : « Il faut marcher à terre quelquefois.
« La nature est un peu moqueuse autour des hommes... »

(*C.*, I, v, *A André Chénier*, 14 octobre 1854.)

Je revois mil huit cent douze,
Mes frères petits, le bois,
Le puisard et la pelouse,
Et tout le bleu d'autrefois.

(*Q. V. E.*, III, XII, 5, 15 janvier 1855.)

Il (l'enfant) a son monstre fabuleux qui a des écailles sous le ventre et qui n'est pas un lézard, qui a des pustules sur le dos et qui n'est pas un crapaud, qui habite les trous des vieux fours à chaux et des puisards desséchés, noir, velu, visqueux, rampant, tantôt lent, tantôt rapide, qui ne crie pas, mais qui regarde et qui est si terrible que personne ne l'a jamais vu : il nomme ce monstre « le sourd »...

(*Mis.*, III, 1, 2 [1860-1862 ?].)

Boutons d'or que j'ai vus jadis aux Feuillantines,
Renaissez! Fourmillez, liserons, églantines,
Pâquerettes, iris, muguets, lilas, jasmins !

(*L. S.*, *D. S.*, XIII, III [1860 ?].)

Ce n'était pas un jardin, c'était un parc, un bois, une campagne. Ils s'en emparèrent à l'instant même, courant, s'appelant, ne se voyant plus, se croyant égarés, ravis! Ils n'avaient pas d'assez grands yeux ni d'assez grandes jambes. Ils faisaient à chaque instant des découvertes... Il y avait une allée de marronniers qui servirait à mettre une balançoire. Il y avait un puisard à sec qui serait admirable pour jouer à la guerre et pour donner l'assaut. Il y avait des fleurs autant qu'on en pouvait rêver, mais il y avait surtout des coins qu'on n'avait pas cultivés depuis longtemps et où poussait tout ce qui voulait, herbes, plantes, buissons, arbustes, une forêt vierge d'enfant. Il y avait tant de fruits qu'on ne ramassait pas ceux qui tombaient des branches. C'était la saison du raisin ; le propriétaire autorisa les garçons au pillage des treilles, et ils revinrent ivres.

---

(1) Tout le chapitre est à lire. Le jardin de la rue Plumet contient bien des souvenirs de celui des Feuillantines. Voir la suite du fragment à *Vere novo* et *Magnificences microscopiques*.

... Cette école n'empêchait pas le jardin. Elle ne prenait les deux frères qu'une partie de la journée et les lâchait, matin et soir, dans les allées. L'hiver vint, moins amusant que le printemps, mais qui a encore les boules de neige qu'on se jette au visage ; puis le printemps revint, et les boutons d'or, pour lesquels ils avaient une adoration respectueuse et qu'ils craignaient de froisser presque autant que les bêtes à bon Dieu. Mais ce qu'ils trouvaient encore de plus beau dans le jardin, c'était ce qui n'y était pas. C'était ce qu'y mettait leur imagination d'enfant, aussi infatigable que l'imagination de l'homme à se créer des chimères et des féeries. Que de choses il y avait pour eux dans le puisard desséché, où il n'y avait rien !

Il y avait surtout « le sourd »... A peine revenus de l'école, Victor disait à Eugène : Allons au sourd ! et vite jetant leurs cahiers, sans donner à leur mère le temps de les embrasser, ils se précipitaient, roulaient dans le puisard, écartaient les ronces, ôtaient les briques, fouillaient les trous, — Je le tiens ! — Le voilà ! — et étaient fort désappointés lorsque après une heure de recherche acharnée ils n'avaient pas trouvé cette bête qu'ils savaient ne pas exister.

(*V. H. rac.*, VII, 1863.)

> Il songeait ; il avait, tout petit, joué là ;
> Le passé devant lui, plein de voix enfantines,
> Apparaissait ; c'est là qu'étaient les Feuillantines ;
> Ton tonnerre idiot foudroie un paradis...
> Un jardin verdissait où passe cette rue.
> L'obus achève, hélas, ce qu'a fait le pavé.
> Ici les passereaux pillaient le sénevé,
> Et les petits oiseaux se cherchaient des querelles ;
> Les lueurs de ce bois étaient surnaturelles ;...
> Printemps ! en ce jardin abondaient les pervenches,
> Les roses, et des tas de pâquerettes blanches
> Qui toutes semblaient rire au soleil se chauffant,
> Et lui-même était fleur, puisqu'il était enfant.

(*A. T., Janvier*, VI, *Une bombe aux Feuillantines*,
janvier 1871.)

Je vivais dans les fleurs.

Je vivais dans ce jardin des Feuillantines, j'y rôdais comme un enfant, j'y errais comme un homme, j'y regardais le vol des papillons et des abeilles, j'y cueillais des boutons d'or et des liserons, et je n'y voyais jamais personne que ma mère, mes deux frères, et le bon vieux prêtre, son livre sous le bras.

Parfois, malgré la défense, je m'aventurais jusqu'au hallier farouche du fond du jardin ; rien n'y remuait que le vent, rien n'y parlait que les nids, rien n'y vivait que les arbres ; et je considérais à travers les branches la vieille chapelle dont les vitres défoncées laissaient voir la muraille intérieure bizarrement incrustée de coquillages marins. Les oiseaux entraient et sortaient par les fenêtres. Ils étaient là chez eux. Dieu et les oiseaux, cela va ensemble.

(*A. P., Le droit et la loi*, p. 16, juin 1875.)

II. — *AUTRES JARDINS*

> Pourquoi toujours les champs et jamais les jardins?
> (*T. L.*, II, xxxvii, 19 juin 1839.)

J'avais sous ma croisée un petit monde heureux et charmant. C'était une sorte d'arrière-cour attenante à l'église romane, d'où l'on peut monter par un roide escalier en lave jusqu'aux ruines de l'église gothique. Là jouaient tout le jour, avec les hautes herbes jusqu'au menton, trois petits garçons et deux petites filles qui battaient volontiers les trois petits garçons. Ils pouvaient bien avoir à eux cinq une quinzaine d'années. Le gazon, légèrement ondulé par endroits, était tellement épais qu'on ne voyait pas la terre. Sur ce gazon se dressaient joyeusement deux tonnelles vertes chargées de magnifiques raisins. Au milieu des pampres deux mannequins-épouvantails, costumés en Lubins d'opéra-comique, emperruqués et coiffés d'affreux tricornes, s'efforçaient de faire peur aux petits oiseaux, ce qui n'empêchait pas d'abonder sur ces grappes les verdiers, les bergeronnettes et les hochequeues. Dans tous les coins du jardinet, des gerbes étoilées de soleils, de roses trémières et de reines-marguerites, éclataient comme les bouquets d'un feu d'artifice. Autour de ces touffes flottait sans cesse une neige vivante de papillons blancs auxquels se mêlaient des plumes échappées d'un colombier voisin. Chaque fleur et chaque grappe avait en outre sa nuée de mouches de toutes couleurs qui resplendissaient au soleil. Les mouches bourdonnaient, les enfants babillaient et les oiseaux chantaient, et le bourdonnement des mouches, le babil des enfants et le chant des oiseaux se découpaient sur un roucoulement continu de colombes et de tourterelles.

... Mon charmant jardinet plein d'enfants, d'oiseaux, de colombes, de papillons, de musique, de lumière, de vie et de joie, était un cimetière.

> (*Rh.*, XVIII, 145, Bacharach, Lorch, septembre 1840.)

> Dans le gazon qu'au sud abrite un vert rideau,
> On voit, des deux côtés d'une humble flaque d'eau
> Où nagent des poissons d'or et de chrysoprase,
> Deux aloès qui font très bien dans une phrase;
> Le bassin luit dans l'herbe, et semble, à ciel ouvert,
> Un miroir de cristal bordé de velours vert;
> Un lierre maigre y rate un effet de broussaille;
> Et, bric-à-brac venu d'Anet ou de Versaille,
> Pris à l'antre galant de quelque nymphe Echo,
> Un vase en terre cuite, en style rococo,
> Dans l'eau qui tremble avec de confuses cadences,

Mire les deux serpents qui lui tiennent lieu d'anses,
Et qui jadis voyaient danser dans leur réduit
Les marquises le jour, les dryades la nuit.

(*D. G.*, XVIII, *Mon jardin* (1) [1859 ?].)

Rien n'est admirable comme une verdure débarbouillée par la pluie et essuyée par le rayon ; c'est de la fraîcheur chaude. Les jardins et les prairies, ayant de l'eau dans leurs racines et du soleil dans leurs fleurs, deviennent des cassolettes d'encens et fument de tous leurs parfums à la fois. Tout rit, chante et s'offre. On se sent doucement ivre. Le printemps est un paradis provisoire ; le soleil aide à faire patienter l'homme.

. . . .

Le 6 juin 1832, vers 11 heures du matin, le Luxembourg, solitaire et dépeuplé, était charmant. Les quinconces et les parterres s'envoyaient dans la lumière des baumes et des éblouissements. Les branches, folles à la clarté de midi, semblaient chercher à s'embrasser. Il y avait dans les sycomores un tintamarre de fauvettes, les passereaux triomphaient, les pique-bois grimpaient le long des marronniers en donnant de petits coups de bec dans les trous de l'écorce. Les plates-bandes acceptaient la royauté légitime des lys ; le plus auguste des parfums, c'est celui qui sort de la blancheur. On respirait l'odeur poivrée des œillets. Les vieilles corneilles de Marie de Médicis étaient amoureuses dans les grands arbres. Le soleil dorait, empourprait et allumait les tulipes, qui ne sont autre chose que toutes les variétés de la flamme, faites fleurs. Tout autour des bancs de tulipes tourbillonnaient les abeilles, étincelles de ces fleurs flammes. Tout était grâce et gaîté, même la pluie prochaine ; cette récidive, dont les muguets et les chèvrefeuilles devaient profiter, n'avait rien d'inquiétant ; les hirondelles faisaient la charmante menace de voler bas... Les pensées qui tombaient du ciel étaient douces comme une petite main d'enfant qu'on baise.
Les statues sous les arbres, nues et blanches, avaient des robes d'ombre trouées de lumière ; ces déesses étaient toutes déguenillées de soleil ; il leur pendait des rayons de tous les côtés. Autour du grand bassin, la terre était déjà séchée au point d'être presque brûlée. Il faisait assez de vent pour soulever çà et là de petites émeutes de poussière. Quelques feuilles jaunes, restées du dernier automne, se poursuivaient joyeusement et semblaient gaminer (2).

(*Mis.*, V, 1, 16, 56, 1861-1862.)

... Deux ou trois ruisseaux dans des fonds de prés ; ormes et chênes ; un lys fait exprès, qui n'est que là, *Guernsey lily* :... des tas d'ajoncs épineux ; parfois des jardins de l'ancien style français, à ifs taillés, à buis façonnés, à vases rocailles, mêlés aux vergers et aux potagers ; des fleurs d'amateurs dans des enclos de paysans ; des rhododendrons parmi les pommes de terre ;... presque autant de fleurs l'hiver que l'été. Voilà Guernesey.

. . . .

La sève fait merveilles ; magnolias, myrtes, daphnés, lauriers-roses, hortensias bleus ; les fuchsias sont excessifs ; il y a des arcades de verbènes triphylles ; il y a des murailles de géraniums ; l'orange et le citron viennent en pleine terre ; de raisin point, il ne mûrit qu'en serre ; là, il est excellent ; les camélias sont arbres ; on voit dans les jardins la fleur de l'aloès plus haute qu'une maison. Rien de plus opulent et de plus prodigue que cette végétation masquant et ornant les façades coquettes des villas et des cottages.

(*T. M.*, *l'Archipel de la Manche*, II et III [1864-1865 ?].)

(1) Le jardin de Hauteville House à Guernesey.
(2) On voit comme le thème *Vere novo* se dégage de la première partie et celui du *Parc* de la seconde.

AMOURS ENFANTINES
OU
L'IDYLLE A L'INNOCENT

> Jeunes amours, si vite épanouies,
> ... Jeunes amours, si vite évanouies.
> (*C.*, I, xi, mai 1843.)

> Bel âge, où l'idylle est encor toute petite !
> (*L. S.*, *D. S.*, XIII, ii, 25 juin 1878.)

C'est ce jardin où l'amour lui apparut pour la première fois — sinon son premier amour, puisque l'aventure de Bayonne et d'autres se placent chronologiquement avant, du moins le premier qu'il rappelle en son œuvre et le plus fervent. Des deux amoureux, la fille est souvent la plus âgée, et toujours la plus avertie ; le garçon reste timide, bouleversé de désirs sombres et inconnus dont sa partenaire joue déjà avec malice. A mesure que le poète avançait en âge, il a davantage aimé à revenir avec de furtifs regrets sur ces aventures au frais parfum troublant. Il en disait, si l'on en croit le *témoin de sa vie*, que « chacun pourrait retrouver dans son passé de ces amours d'enfant qui sont de l'amour comme l'aube est du soleil (1) ».

Deux époques sont particulièrement riches en variations sur ce thème : l'année 1855, où l'on voit les mêmes anecdotes reparaître avec les mêmes noms, d'ailleurs traditionnels, et les années 1870-1880, où il aime à conter les *Fredaines du grand-père enfant*, non sans d'insistants regrets : « J'aurais dû... », « Depuis, j'y pense toujours ». L'innocence se prolonge alors jusqu'à l'adolescence, c'est-à-dire que le jeune amoureux est retenu par la timidité plus que par la pudeur. Le thème ainsi rejoint divers autres, *l'Idylle à Saint-Cloud*, *la Jeune fille à la lucarne*, *la Grisette* ou *le Voyeur* (p. ex., *D.G.*, LXXV : « J'avais seize ans, bel âge où tous les chérubins — Rôdent, tâchant de voir par les vitres des bains... »), mais sans rien perdre de sa gentillesse (2).

---

(1) *V. H. rac.*, chap. xvi.
(2) Il faudrait, la plupart du temps, citer les pièces en entier ; des extraits plus ou moins longs suivant le cas permettront de se faire une opinion et, éventuellement, de se reporter au texte complet.

Pepita.

On nous a dit de jouer, et nous causons, enfants du même âge, non du même sexe.

Pourtant, il n'y a encore qu'un an, nous courions, nous luttions ensemble. Je disputais à Pepita la plus belle pomme du pommier ; je la frappais pour un nid d'oiseau. Elle pleurait ; je disais : c'est bien fait! et nous allions tous deux nous plaindre ensemble à nos mères, qui nous donnaient tort tout haut et raison tout bas.

Maintenant elle s'appuie sur mon bras, et je suis tout fier et tout ému. Nous marchons lentement, nous parlons bas. Elle laisse tomber son mouchoir ; je le lui ramasse. Nos mains tremblent en se touchant. Elle me parle de petits oiseaux, de l'étoile qu'on voit là-bas, du couchant vermeil derrière les arbres, ou bien de ses amies de pension, de sa robe et de ses rubans. Nous disons des choses innocentes et nous rougissons tous deux. La petite fille est devenue jeune fille.

Ce soir-là — c'était un soir d'été — nous étions sous les marronniers, au fond du jardin. Après un de ces longs silences qui remplissaient nos promenades, elle quitta tout à coup mon bras, et me dit : Courons!...

J'étais hors de moi. Je l'atteignis près du vieux puisard en ruine ; je la pris par la ceinture, du droit de victoire, et je la fis asseoir sur un banc de gazon ; elle ne résista pas. Elle était essoufflée et riait. Moi, j'étais sérieux, et je regardais ses prunelles noires à travers ses cils noirs.

— Asseyez-vous là, me dit-elle. Il fait encore grand jour, lisons quelque chose. Avez-vous un livre ?

J'avais sur moi le tome second des *Voyages* de Spallanzani. J'ouvris au hasard, je me rapprochai d'elle, elle appuya son épaule à mon épaule, et nous nous mîmes à lire de notre côté, tout bas, la même page. Avant de tourner le feuillet, elle était toujours obligée de m'attendre. Mon esprit allait moins vite que le sien.

— Avez-vous fini ? me disait-elle, que j'avais à peine commencé.

Cependant nos têtes se touchaient, nos cheveux se mêlaient, nos haleines peu à peu se rapprochèrent, et nos bouches tout à coup.

Quand nous voulûmes continuer notre lecture, le ciel était étoilé.

— Oh! maman, maman, dit-elle en rentrant, si tu savais comme nous avons couru!

Moi, je gardais le silence.

— Tu ne dis rien, me dit ma mère, tu as l'air triste.

J'avais le paradis dans le cœur.

C'est une soirée que je me rappellerai toute ma vie.

Toute ma vie!

(D. J., XXXIII, 1828-1829.)

Lise.

> J'avais douze ans ; elle en avait bien seize.
> Elle était grande, et, moi, j'étais petit.
> Pour lui parler le soir plus à mon aise,
> Moi, j'attendais que sa mère sortît ;
> Puis je venais m'asseoir près de sa chaise
> Pour lui parler le soir plus à mon aise.
>
> . . . .
> Elle m'aimait. Je l'aimais. Nous étions
> Deux purs enfants, deux parfums, deux rayons.
>
> . . . .
> Et, par moments, elle évitait, craintive,
> Mon œil rêveur qui la rendait pensive.
>
> Puis j'étalais mon savoir enfantin,
> Mes jeux, la balle et la toupie agile ;
> J'étais tout fier d'apprendre le latin ;
> Je lui montrais mon Phèdre et mon Virgile ;
> Je bravais tout ; rien ne me faisait mal ;
> Je lui disais : Mon père est général.

. . . .

Elle disait de moi : C'est un enfant !
Je l'appelais mademoiselle Lise ;
Pour lui traduire un psaume, bien souvent,
Je me penchais sur son livre, à l'église ;
Si bien qu'un jour, vous le vîtes, mon Dieu !
Sa joue en fleur toucha ma lèvre en feu.

. . . .

(*C.*, I, xi, mai 1843.)

Rose.

C'était une personne de la ville, une veuve, je crois, qui louait cette maison à ma mère. Cette veuve habitait elle-même un pavillon voisin de notre logis. Elle avait une fille de quatorze ou quinze ans. Ma mémoire, après trente années, n'a perdu aucun des traits de cette angélique figure (1).

Je la vois encore. Elle était blonde et svelte, et me paraissait grande. C'était un regard doux et voilé, un profil virgilien, comme on rêve Amaryllis ou la Galatée qui s'enfuit vers les saules. Elle avait le cou admirablement attaché et d'une pureté adorable, la main petite, le bras blanc et le coude un peu rouge, ce qui tenait à son âge ; détail que le mien ignorait alors. Elle était habituellement coiffée d'un madras thé à bordure verte, étroitement serré du sommet de la tête à la nuque, de façon à laisser le front à découvert et à ne cacher que la moitié de la chevelure. Je ne me rappelle pas la robe qu'elle portait.

Cette belle enfant venait jouer avec nous. Quelquefois Abel et Eugène, mes aînés, plus grands et plus sérieux que moi, et « faisant les hommes », comme disait ma mère, allaient voir l'exercice à feu sur le rempart ou montaient dans leur chambre pour étudier Sobrino et feuilleter Cormon. Alors j'étais seul, je sentais l'ennui venir, que faire ? Elle m'appelait et me disait : *Viens, que je te lise quelque chose.*

Il y avait dans la cour une porte exhaussée de quelques marches et fermée d'un gros verrou rouillé que je vois encore, un verrou rond, à poignée en queue de porc, comme on en trouve parfois dans les vieilles caves. C'était sur ces marches qu'elle allait s'asseoir. Je me tenais debout derrière elle, le dos appuyé à la porte.

Elle me lisait je ne sais plus quel livre ouvert sur ses genoux. Nous avions au-dessus de nos têtes un ciel éclatant et un beau soleil qui pénétrait de lumière les tilleuls et changeait les feuilles vertes en feuilles d'or. Un vent tiède passait à travers les fentes de la vieille porte et nous caressait le visage. Elle était courbée sur son livre et lisait à voix haute.

Pendant qu'elle lisait, je n'écoutais pas le sens des paroles, j'écoutais le son de sa voix. Par moments mes yeux se baissaient, mon regard rencontrait son fichu entr'ouvert au-dessous de moi, et je voyais, avec un trouble mêlé d'une fascination étrange, sa gorge ronde et blanche qui s'élevait et s'abaissait doucement dans l'ombre, vaguement dorée d'un chaud reflet du soleil.

Il arrivait parfois dans ces moments-là qu'elle levait tout à coup ses grands yeux bleus, et elle me disait : *Eh bien, Victor ! tu n'écoutes pas ?*

J'étais tout interdit, je rougissais et je tremblais, et je faisais semblant de jouer avec le gros verrou.

Je ne l'embrassais jamais de moi-même ; c'était elle qui m'appelait et me disait : Embrasse-moi donc.

(*V.*, II, 297, Bayonne, 26 juillet 1843.)

MAGLIA

Avoir vingt ans, c'est être un grand Jocrisse rose
Qui sort d'un sommeil bête et cherche une houri.

Avoir vingt ans, c'est être un dadais ahuri
Qui trébuche, et dont l'aube éblouit les prunelles.

(*Th. J.*, Plans, 520 [1845-1855 ?].)

---

(1) « Où est la belle jeune fille de 1812 ? », écrit plus loin Victor Hugo. Il avait donc dix ans.

Madeleine.

Madeleine
Et moi, lisions près du feu
Cette histoire : « En Aquitaine
« Un page aimait une reine...
« Le père était duc d'Athène,
« Cordon bleu. »

— Sois ma femme!
Lui disais-je. Oh! charmant jeu!
. . . .
Doux mystère!
Mots furtifs! timide aveu!
Le livre aidant, j'osai plaire.
Mais le bonhomme de père
S'écria plein de colère :
Ventrebleu!

Ce tapage
Effraya la belle un peu.
Mais nous tournâmes la page ;
Malgré son mince équipage,
La reine... épousa le page ;
Conte bleu.

(*T. L.*, VI, XIII, 22 novembre 1853.)

Or nous cueillions ensemble la pervenche.

Je soupirais, je crois qu'elle rêvait.
Ma joue à peine avait un blond duvet.
Elle avait mis son jupon du dimanche ;
Je le baissais chaque fois qu'une branche
Le relevait, etc...

(*T. L.*, VI, XX, 20 septembre 1854.)

Idylle à la coccinelle.

Elle me dit : « Quelque chose
Me tourmente. » Et j'aperçus
Son cou de neige, et, dessus,
Un petit insecte rose.

J'aurais dû — mais, sage ou fou,
A seize ans, on est farouche —
Voir le baiser sur sa bouche
Plus que l'insecte à son cou.

. . . .
Sa bouche fraîche était là :
Je me courbai sur la belle,
Et je pris la coccinelle ;
Mais le baiser s'envola...

(*C.*, I, XV, 10 octobre 1854 (1).)

Denise (vers 1820.)

Denise, ton mari, notre vieux pédagogue,
Se promène ; il s'en va troubler la fraîche églogue
Du bel adolescent Avril dans la forêt ;...

(1) Cf. *Albertus*, LIII :

Et puis je l'entendais rire sous la feuillée
De me tromper ainsi. — Quelque abeille éveillée
Sortant d'une clochette, un lézard, un faucheux,
Arpentant son col blanc avec ses pattes grêles...

Denise, cependant, tu rêves et tu chantes,
A l'âge où l'innocence ouvre sa vague fleur ;
Et, d'un œil ignorant, sans joie et sans douleur,
Sans crainte et sans désir, tu vois, à l'heure où rentre
L'étudiant en classe et le docteur dans l'antre,
Venir à toi, montant ensemble l'escalier,
L'ennui, maître d'école, et l'amour, écolier.

(C., I, xvi, 18 octobre 1854.)

Pepita.

Je revois mil huit cent douze,
Mes frères petits, le bois,
Le puisard et la pelouse,
Et tout le bleu d'autrefois.

. . . .
Et dans le soleil, l'Espagne !
Toi dans l'ombre, Pepita !

Moi, huit ans, elle le double ;
En m'appelant son mari,
Elle m'emplissait de trouble... —
O rameaux de mai fleuri !

Elle aimait un capitaine ;
J'ai compris plus tard pourquoi,
Tout en l'aimant, la hautaine
N'était douce que pour moi..., etc.

(Q. V. E., III, xii, 5, 15 janvier 1855.)

Pepita, 1811.

Seize ans. Belle et grande fille... —

. . . .
Dans cette Espagne que j'aime,
Au point du jour, au printemps,
Quand je n'existais pas même,
Pepita — j'avais huit ans —

Me disait : — Fils, je me nomme
Pepa ; mon père est marquis. —
Moi, je me croyais un homme,
Étant en pays conquis, etc...

J'étais près de la fenêtre,
Tremblant, trop petit pour voir,
Amoureux sans m'y connaître,
Et bête sans le savoir.

Elle disait avec charme :
Marions-nous ! choisissant
Pour amoureux le gendarme
Et pour mari l'innocent, etc...

(A. G. P., IX, nuit du 16 janvier 1855.)

Rose.

Je ne songeais pas à Rose ;
Rose au bois vint avec moi ;
Nous parlions de quelque chose,
Mais je ne sais plus de quoi.
. . . .
Moi, seize ans, et l'air morose ;
Elle vingt ; ses yeux brillaient.
Les rossignols chantaient Rose,
Et les merles me sifflaient.

. . . .
Je ne savais que lui dire ;
Je la suivais dans le bois,
La voyant parfois sourire
Et soupirer quelquefois.

Je ne vis qu'elle était belle
Qu'en sortant des grands bois sourds.
« Soit ; n'y pensons plus ! » dit-elle.
Depuis, j'y pense toujours.

                    (*C.*, I, XIX, 18 janvier 1855.)

Lise.

                 A l'âge des bergeries,
                 Quand les lèvres sont fleuries,
                 Nous errions loin des prairies,
                 Lise et moi, dans le hallier ;
                 Lise, au vent livrant sa tresse,
                 Moi, tremblant d'une caresse ;
                         La maîtresse,
                         L'écolier.

                 Voyant la nuit prête à naître,
                 J'osai ne plus me connaître,
                 Je pris un baiser peut-être ;
                 Un vieux frêne soupira... etc.

                    (*T. L.*, VII, XII, 8 février 1855.)

Denise.

                 J'étais un lycéen honnête ;
                 Denise avait l'œil hasardeux ;
                 Elle était belle et j'étais bête ;
                 Nous faisions un conte à nous deux.

          . . . .
                 Un jour elle me dit : farouche !
                 Et m'offrit un baiser moqueur.
                 Je pris le baiser sur sa bouche
                 Et sentis la morsure au cœur.

                    (*T. L.*, VI, XLII, 9 avril 1855.)

          . . . .
                 Je comptais la voir bien mise,
                 Chaste comme l'Orient ;
                 Elle m'ouvrit en chemise,
                 Moi tout rouge, elle riant.

                 Je ne savais que lui dire,
                 Et je fus contraint d'oser ;
                 Je ne voulais qu'un sourire,
                 Il fallut prendre un baiser...

                    (*T. L.*, VI, XII, 12 avril 1855.)

Quinze-Vingt.
          Nous étions seuls dans l'ombre et l'extase suprême.
          Elle disait : je t'aime ! et je disais : je t'aime !
          Elle disait : toujours ! et je disais : toujours !
          Elle ajoutait : nos cœurs sont époux ; nos amours...

          Si vous voulez savoir le chiffre de nos âges,
          Elle quinze, et moi vingt : à nous deux nous faisions
          Un aveugle, et nos yeux étaient pleins de rayons.

                    (*T. L.*, VI, XXIII, 13 juin 1855.)

Meudon.

> Je me souviens qu'en mon bas âge,
> Ayant à peine dix-sept ans,
> Ma candeur un jour fit usage
> De tous ces vieux rameaux flottants.
>
> J'employai, rôdant avec celle
> Qu'admiraient mes regards heureux,
> Toute cette ombre où l'on chancelle,
> A me rendre plus amoureux.
>
> Nous fîmes des canapés d'herbes ;
> Nous nous grisâmes de lilas ;
> Nous palpitions, joyeux, superbes,
> Éblouis, innocents, hélas !
>
> . . . .
> Nos baisers devenaient étranges,
> De sorte que, sous ces berceaux,
> Après avoir été deux anges,
> Nous n'étions plus que deux oiseaux.
>
> . . . .
> L'enfant, douce comme une fête,
> Qui m'avait en chantant suivi,
> Commençait, pâle et stupéfaite,
> A trembler de mon œil ravi ;
>
> Son sein soulevait la dentelle...
> Homère ! ô brouillard de l'Ida !
> — Marions-nous ! s'écria-t-elle,
> Et la belle fille gronda :
>
> — Cherche un prêtre, et sans plus attendre,
> Qu'il nous marie avec deux mots, etc...
>
> (*C. R. B.*, I, ii, 7, 11 juillet 1859.)

Rose (1).

Elle le menait dans un coin où il y avait un perron. Ils s'asseyaient tous les deux sur les marches, et elle se mettait à lire de très belles histoires dont il n'entendait pas un mot parce qu'il était occupé à la regarder.

Sa peau, mate et transparente, avait la blancheur délicate du camélia... Lorsqu'elle levait la tête de son côté, il devenait tout rouge.

Une fois, elle le regarda dans un moment où il contemplait le fichu soulevé par la respiration. Il fut si troublé qu'il alla sans rien dire à la porte du perron et se mit à jouer énergiquement avec le verrou dont il tordit la poignée tombante à s'écorcher les doigts.

(*Victor Hugo raconté*, chap. XVI, 1860-1862.)

> Le joli page imberbe
> Soupire, elle s'émeut.
> — Sous l'arbre, s'il pleut,
> Et s'il fait beau, dans l'herbe.
>
> De sa jupe superbe
> Elle défit le nœud.
> — Sous un arbre, s'il pleut,
> Et s'il fait beau, sur l'herbe...
>
> (*T. L.*, VII, xxiii, 23, 25 avril 1873.)

---

(1) Cf. la version des *Voyages* (1843), citée ci-dessus.

1817, Adolescence.

J'étais pensif, j'étais profond, j'étais niais...
Je sentais du printemps l'invisible caresse.
. . . .
Parfois, j'étais obscène à force d'innocence.
Mon regard violait la vague nudité
Des déesses, debout sous les feuilles l'été ;
Je contemplais de loin ces rondeurs peu vêtues,
Et j'étais amoureux de toutes les statues ;
. . . .
Et, hardi comme un page et tremblant comme un lièvre,
Oubliant latin, grec, algèbre, ayant la fièvre
Qui résiste aux Bezouts et brave les Restauds,
Je restais là stupide, au bas des piédestaux,
Comme si j'attendais que le vent sous quelque arbre
Soulevât les jupons d'une Diane en marbre.

> (*T. L.*, VI, XVIII, 1, 10 septembre 1873,
> sur l'impériale de l'omnibus.)

Hermina.

... J'entrais dans ma treizième année. O feuilles vertes !
Jardins ! croissance obscure et douce du printemps !
Et j'aimais Hermina, dans l'ombre. Elle avait, certes,
                    Huit ans.
. . . .
Je pris un air profond, et le lui dis : — Minette,
Unissons nos destins. Je demande ta main.
Elle me répondit par cette pichenette :
                    — Gamin !

> (*T. L.*, VI, X, 22 juin 1878.)

Elle a six ans, il a neuf ans ; on se marie ;
L'aurore et le printemps sont en coquetterie ;
Les moineaux dans les bois font des choses entre eux
Qui changent deux enfants dans l'ombre en amoureux.
Encore un an, ou deux ; les filles sont farouches
Tout à coup, disent non, et sentent sur leur bouche
L'éclosion charmante et sombre du baiser.

> (*L. S., D. S.*, XIII, II, 25 juin 1878.)

J'ai toujours redouté d'aborder une femme...
Soucieux de Circé, préoccupé d'Armide,
J'étais ambitieux, immobile et prudent,
Et j'avais l'air d'un arbre imbécile attendant
Qu'une étoile s'envole et vienne sur les branches.

> (*T. L.*, VI, XXIV [1878-1880 ?].)

Olympe.

Je voulus embrasser Olympe, l'autre jour,
Elle se mit à rire, et cette grande Olympe
M'offrit un tabouret et me dit : petit, grimpe !
. . . .
Et mon grand frère aîné, qui fait des vers latins,
Me dit... en pouffant de rire, ce crétin !
— Ote donc ton bandeau, Cupidon en échasses.
. . . .
Dame, ils se font la barbe avec des ciseaux. Lise,
Berthe, Georgette, Anna, les lorgnent à l'église.
. . . .
Vieux ! On ira le soir en loge à l'Opéra,
On aura son lorgnon dans l'œil...

> (*Oc.*, LV, s. d.)

SCÈNES D'ENFANTS

La place, les passants, les enfants, leurs ébats...
(*R. O.*, IV, juin 1839.)

Il y a des hommes qui sont faits pour la
société des femmes, moi, je suis fait pour la
société des enfants.
(*Oc., Tas*, 245, s. d.)

Victor Hugo a toujours eu le goût des enfants. Non pas des siens seulement, mais de tous ceux qu'il rencontrait. « Ces rencontres d'enfants
étranges, écrivait-il nostalgiquement à Guernesey, sont une des grâces
charmantes, et en même temps, poignantes, des environs de Paris » (*Mis.*,
III, I, 5, 1860-1862). Il entrait dans ce goût quelque chose de l'inclination
qui le poussait à s'intéresser aux créatures les plus frêles de la nature et à
les protéger, fleurs, insectes, oiseaux, bestioles de tout acabit, etc. Très tôt,
il a reconnu la source de poésie qu'ils offrent, la cocasserie, l'absurde et
adorable fantaisie, parfois, qui se dégagent de leurs jeux ou de leurs conversations. Il a aimé se pencher sur ses propres souvenirs ; le spectacle de ses
enfants grandissant les a réveillés. Hugo a manifesté l'intérêt qu'il portait
à leur présence dans ses recueils de 1830-1840 (*F. A.*, XV, XIX ; *V. I.*,
XX, XXII, etc.). La mort de Léopoldine a ranimé tous les souvenirs qu'il
gardait de l'enfance de sa fille la plus aimée ; ils ont trouvé place dans *les
Contemplations*, notamment au Livre Premier et au Quatrième. Puis, ce
furent ses petits-enfants, mais sans qu'il y eût pour ainsi dire de solution
de continuité, puisque la plus ancienne des pièces de *l'Art d'être grand-père*
remonte à 1846 (*A. G. P.*, X, I, 7 octobre 1846). Ce qui fait deux périodes
principales d'intérêt : autour de 1846, et 1868-1877.
Cependant, Hugo n'a pas réservé sa curiosité aux enfants de sa race.
Ses voyages montrent qu'il aimait à regarder tous les enfants ; il goûtait
la note de pittoresque et de fraîcheur qu'ils mettent dans un paysage,
souvent par contraste avec sa sévérité ou sa grandeur. Aussi nous en
a-t-il laissé de nombreux croquis dans ses *Voyages* et n'a-t-il pas craint
de mêler leurs silhouettes à ses romans, même lorsque cela n'était pas
très nécessaire. C'est le cas de la scène de Gavroche et des deux enfants
dans la rue, puis dans l'éléphant : on ne sait plus ce qu'ils deviennent
après, peu importe d'ailleurs ; sa fantaisie était seule en cause, et il ne

s'est pas refusé cet amusement. Avec l'âge, ce goût tourne véritablement à la passion, et Hugo le marque en plaçant à la fin de ses *Idylles*, dans *la Légende des Siècles*, une pièce supplémentaire intitulée *l'Idylle du Vieillard* : un enfant d'un an y est son partenaire.

Il est évident qu'il aurait fallu citer *l'Art d'être grand-père* en entier, et d'autres scènes aussi comme *le Massacre de Saint-Barthélemy*, dans *Quatrevingt-treize*, où l'on voit les trois enfants déchiqueter un livre saint qui rappelle la Bible contemplée par Victor et ses frères (*C.*, V, x). Je me suis borné à citer des extraits, les plus courts ou les plus condensés possible, empruntés aux œuvres les plus diverses du poète, pour montrer la place occupée par ce motif. J'ai cherché à retenir en particulier les scènes où deux ou trois enfants sont seuls, en l'absence de toute grande personne. Le poète y excelle, il s'en amusait vraisemblablement beaucoup, et ce sont celles qui méritent vraiment leur nom.

Vous souvient-il de ce fameux *saval* de notre douce enfant, de notre chère petite D. (Didine), lequel est resté si longtemps exposé à tous les ouragans et fondant sous toutes les pluies dans un coin du balcon de la place Royale, avec un nez en papier gris, ni oreilles ni queue, et plus rien que trois roulettes ?
(*Rh.*, XXIX, 350, Bar-le-Duc, août 1839.)

A quelques pas derrière moi riaient et jasaient, en se roulant sur l'herbe, trois marmots anglais fort jolis et fort empanachés, jouant avec leur bonne en tablier blanc, comme au Luxembourg, et me disant bonjour en français.
(*V.*, II, 198, Berne-le-Rigi, 17 septembre 1839.)

(*La cataracte du Rhin.*)
Il y a de petits endroits paisibles au milieu de cette chose pleine d'épouvante... Un enfant, habitué à faire ménage avec cette merveille du monde, jouait parmi des fleurs et mettait en chantant ses petits doigts dans des gueules-de-loup roses...
(*Rh.*, XXXVIII, 398, Laufen, septembre 1839.)

Devant cette sévère façade (1), à quelques pas de cette double lamentation de Job et de Jésus, de charmants petits enfants, gais et roses, s'ébattaient sur une pelouse verte et faisaient brouter, avec de grands cris, un pauvre lapin tout ensemble apprivoisé et effarouché.
(*Rh.*, XIII, 110, Andernach, septembre 1840.)

On entend rire et jaser un tas de petits enfants qui viennent jouer avec le Rhin. Pourquoi pas ? Ceux de Tréport et d'Étretat jouent bien avec l'Océan. Au reste, les enfants du Rhin sont charmants. Aucun d'eux n'a cette mine rogue et sévère des marmots anglais, par exemple. Les marmots allemands ont l'air indulgent comme de vieux curés.
(*Rh.*, XVII, 135, Saint-Goar, septembre 1840.)

J'avais sous ma croisée tout un petit monde heureux et charmant. C'était une sorte d'arrière-cour attenante à l'église romane, d'où l'on peut monter par un roide escalier en lave jusqu'aux ruines de l'église gothique. Là jouaient tout le jour, avec les hautes herbes jusqu'au menton, trois petits garçons et deux petites filles qui battaient volontiers les trois petits garçons. Ils pouvaient bien avoir à eux cinq une quinzaine d'années.
(*Rh.*, XVIII, 145, Bacharach, de Lorch, septembre 1840.)

(1) Le portail de l'église dont le tympan porte une peinture byzantine du Crucifiement.

... Si j'avais su que faire d'un pauvre petit cochon de lait, qu'un boucher emportait devant moi par les deux pieds de derrière et qui ne criait pas, ignorant ce qu'on lui voulait et ne comprenant rien à la chose, je l'aurais acheté et sauvé. Une jolie petite fille de quatre ans, qui comme moi le considérait avec compassion, semblait m'y encourager du regard. Je n'ai pas fait ce que cet œil charmant me disait, j'ai désobéi à ce doux regard, et je me le reproche.

(Rh., XXIV, 253, octobre 1840, Francfort.)

Tout à l'heure je traversais le Pont-Neuf. Un beau soleil d'avril faisait joyeusement verdoyer les touffes d'arbre des bains Vigier. Les laveuses battaient allégrement leur linge au bord de l'eau. Deux enfants du peuple ont passé près de moi au coin du pont. Deux enfants du peuple, deux pauvres gamins, l'un ayant dix ans peut-être, l'autre sept, gais, frais, souriants, en guenilles, mais pleins de vie et de santé, courant, riant, ayant le loisir devant eux et la joie en eux. Le plus petit s'est penché vers le plus grand et lui a dit : *Passons-nous à la morgue?*

(Ch. v., I, 79, 20 avril 1843.)

L'enfant, qui rampe dans l'escalier d'un étage à l'autre, va et vient tout le jour, rit, remplit la maison, et la réchauffe avec son innocence, sa grâce et sa naïveté. Un enfant dans une maison, c'est un poêle de gaîté.

(V., II, 344, Pasages, août 1843.)

Les enfants dansent aussi ; marmots de deux ans qui chaloupent de façon à effaroucher des sergents de ville parisiens.

(V., II, 355, Pasages, août 1843.)

Mes deux frères et moi, nous étions tout enfants...

Abel était l'aîné, j'étais le plus petit...

Nous montions pour jouer au grenier du couvent.
Et, là, tout en jouant, nous regardions souvent,
Sur le haut d'une armoire, un livre inaccessible.

Nous grimpâmes un jour jusqu'à ce livre noir ;
Je ne sais pas comment nous fîmes pour l'avoir,
Mais je me souviens bien que c'était une Bible...

(C., V, x, 10 août 1846.)

C'est sur un des bancs de gazon de ce jardin qu'a été improvisé par une bouche rose de six ans ce conte écouté par des yeux bleus de quatre à cinq ans :

« — Il y avait trois petits coqs qui avaient un pays où il y avait beaucoup de fleurs. Ils ont cueilli les fleurs, et ils les ont mises dans leur poche. Après ça, ils ont cueilli les feuilles, et ils les ont mises dans leurs joujoux. Il y avait un loup dans le pays, et il y avait beaucoup de bois ; et le loup était dans les bois ; et il a mangé les petits coqs. »

Et encore cet autre poème :

« — Il est arrivé un coup de bâton.
« C'est Polichinelle qui l'a donné au chat.
« Ça ne lui a pas fait du bien, ça lui a fait du mal.
« Alors une dame a mis Polichinelle en prison. »

(Mis., II, vi, 4, 196, 1847.)

(*Dans la rue.*)

... Deux enfants de taille inégale, assez proprement vêtus, et encore plus petits que lui (Gavroche), paraissant l'un sept ans, l'autre cinq... Le petit Gavroche courut après eux et les aborda :

— Qu'est-ce que vous avez donc, moutards?...
— Faites excuse, monsieur, nous avons papa et maman, mais nous ne savons pas où ils sont...
— Ah! nous avons perdu nos auteurs. Nous ne savons plus ce que nous en avons fait. Ça ne se doit pas, gamins. C'est bête d'égarer comme ça des gens d'âge..., etc...

(Mis., IV, VI, 2, 125-127, 1847-1848.)

(Dans l'éléphant.)

Tout en parlant, il enveloppait d'un pan de la couverture le tout petit qui murmura :
— Oh! c'est bon! c'est chaud!
Gavroche fixa un œil satisfait sur la couverture...
— Les bêtes avaient tout ça. Je le leur ai pris. Ça ne les a pas fâchées. Je leur ai dit : C'est pour l'éléphant.

. . . .
— Dame, fit l'enfant, nous n'avions plus du tout de logement où aller.
— Moutard! reprit Gavroche, on ne dit pas un logement, on dit une piolle.
— Et puis nous avions peur d'être tout seuls comme ça la nuit.
— On ne dit pas la nuit, on dit la sorgue.
— Merci, monsieur, dit l'enfant.
— Écoute, repartit Gavroche... L'été, nous irons à la Glacière avec Navet... Nous nous baignerons à la gare, nous courrons tout nus sur les trains devant le pont d'Austerlitz, ça fait rager les blanchisseuses... Et puis je vous conduirai au spectacle. Je vous mènerai à Frédérick-Lemaître. J'ai des billets, je connais des acteurs, j'ai même joué une fois dans une pièce. Nous étions des mômes comme ça, on courait sous une toile, ça faisait la mer..., etc...

(Ibid., 138-139.)

CONVERSATION DES FLOTS

(Sous l'eau.)

(La scène se passe à la Porte-Saint-Martin... Tas de gamins remuant une toile, sautant dessous et faisant : chhh...)

PREMIER FLOT

Dis donc, Titi, tu m'as marché à même sur la main.

DEUXIÈME FLOT

M'sieu, tu m'embêtes, etc...

(Th. Lib., *Les Mômes*, II, 240 [1848-1850 ?].)

Trois petits enfants, doux et gais comme l'aurore,
Jasent sur le gazon, nappe aux vertes couleurs,
Qu'émaillent par endroits, à défaut d'autres fleurs,
Les morceaux d'un pot bleu, cassé par quelque ivrogne.

(Th. Lib., *Maglia*, VI, 200, 1848-1850 [?].)

... Trois enfants escaladèrent l'escarpement de Plainmont... C'était ce qu'on appelle dans la langue locale des *déniquoiseaux*...
La haute croupe de roches escaladée, les trois déniquoiseaux parvinrent sur le plateau où est la maison visionnée...
Comme ils venaient de dépasser un assez gros tas de fagots qui, on ne sait pas pourquoi, les rassurait dans cette solitude, une chevêche s'envola d'un buisson... L'oiseau passa de travers près des enfants, en fixant sur eux la rondeur de ses yeux, clairs dans la nuit.
Il y eut un certain tremblement dans le groupe derrière le petit Français.
Il apostropha la chevêche.
— Moineau, tu viens trop tard. Il n'est plus temps. Je veux voir.
Et il avança.

(T. M., I, V, 5, 1864-1865.)

CÉCILE (sept ans).

Je descends de cheval auprès de ta fenêtre ;
Moi, je suis le monsieur.

CHARLES (six ans).

Toi, tu ne peux pas être
Le monsieur.

C., *avec dignité.*

Je voudrais savoir votre raison.

CH.

Quand on est une fille, on n'est pas un garçon.

C.

Est-il brute !

CH.

Un monsieur qui s'appelle Cécile !

C.

Je mettrai ton chapeau, ce n'est pas difficile.
J'entre dans la cour. Toi, tu dis : Il est fort bien,
Ce jeune homme ! On aboie...

CH.

Et qui fera le chien ?

C.

Adèle.

CH.

Adèle ! Oh ! non !

C.

Pourquoi donc, monsieur Charles ?

CH.

Elle ne parle pas.

C.

Bête ! est-ce qu'un chien parle ?
Elle aboiera.

(*Elle se tourne vers Adèle et se penche.*)

Houab !

ADÈLE (un an).

Houab !

C., *se redressant, à Charles.*

C'est aisé !

CH.

Non.

C.

Pourquoi ?

CH.

Parce qu'il me déplaît d'être la dame, à moi !

(*Th. Lib.*, *G. M.*, sc. VI, 1865.)

— Allons, soupe, créature ! prends-moi le téton.
Et il lui mit dans la bouche le goulot de la fiole...
La petite avait bu si énergiquement... qu'elle fut prise d'une quinte de toux.
— Tu vas t'étrangler, gronda Ursus. Une fière goulue aussi que celle-là !
Il lui retira l'éponge qu'elle suçait, laissa la quinte s'apaiser, et lui replaça la fiole entre les lèvres, en disant :

Tette, coureuse.

(*H. Q. R.*, I, III, 5 [septembre 1866 ?].)

La voix d'un enfant d'un an.

Que dit-il? Croyez-vous qu'il parle? J'en suis sûr.
Mais à qui parle-t-il? A quelqu'un dans l'azur...
C'est là, dans l'ombre, au fond des éblouissements,
Qu'il dialogue avec des inconnus charmants;
L'enfant fait la demande et l'ange la réponse;
Le babil puéril dans le ciel bleu s'enfonce,
Puis s'en revient, avec les hésitations
Du moineau qui verrait planer les alcyons.

(L. S., N. S., Idylle du Vieillard, 16 octobre 1870.)

Georgette braqua son doigt sur les hirondelles et cria : « Cocos! »
René-Jean la réprimanda.
— Mademoiselle, on ne dit pas des cocos, on dit des oseaux.
— Zozo, dit Georgette.
Et tous trois regardèrent les hirondelles. Puis une abeille entra... Sa visite
faite, elle partit.
— Elle va dans sa maison, dit René-Jean.
— C'est une bête, dit Gros-Alain.
— Non, repartit René-Jean, c'est une mouche.
— Muche, dit Georgette..., etc.

(Q. V. T., III, III, 3 [1873 ?].)

CINQ ANS

Les lions, c'est des loups.

SIX ANS

C'est très méchant, les bêtes.

C.

Oui.

S.

Les petits oiseaux, ce sont des malhonnêtes;
Ils sont des sales.

C.

Oui.

S., *regardant les serpents.*

Les serpents...

C., *les examinant.*

C'est en peau...

S.

Moi, j'aime l'éléphant, c'est gros.

SEPT ANS

Allons! venez!
Vous voyez bien qu'il va vous battre avec son nez.

(A. G. P., IV, III, 15 août 1874.)

— Les deux bêtes les plus gracieuses du monde,
Le chat et la souris, se haïssent. Pourquoi?
Explique-moi cela, Jeanne...
— Vois-tu, le chat c'est gros, la souris c'est petit.
— Eh bien? — Et Jeanne alors, en se grattant la tête,
Reprit : — Si la souris était la grosse bête,
A moins que le bon Dieu là-haut ne se fâchât,
Ce serait la souris qui mangerait le chat.

(L. S., D. S., XXI [1874-1876 ?].)

. . . .
— Sortons. — Grand-père? — Quoi? — Pleuvra-t-il? — Non, j'espère.
— Je veux qu'il pleuve, moi. — Pourquoi? — Pour faire un peu

Pousser mon haricot dans mon jardin. — C'est Dieu
Qui fait la pluie. — Eh bien, je veux que Dieu la fasse...
Viens, prenons l'arrosoir du jardinier Jacquot,
Et nous ferons pleuvoir. — Où? — Sur ton haricot.

(T. L., V, XLVII [1874-1876 ?].)

On parle à sa poupée, elle a beaucoup d'esprit ;
On mange des gâteaux et l'on saute à la corde.
On me demande un sou pour un pauvre ; j'accorde
Un franc ; merci, grand-père ! et l'on retourne au jeu,
Et l'on grimpe, et l'on danse, et l'on chante. O ciel bleu !
C'est toi le cheval. Bien. Tu traînes la charrette,
Moi je suis le cocher. A gauche ; à droite ; arrête.
Jouons aux quatre coins. Non ; à Colin-Maillard...

(A. G. P., VII, 25 juin 1875.)

(*Dans une allée.*)

UN ENFANT, *à une boule qu'il fait rouler.*

... Je ne veux pas que vous alliez par là !

(T. L., VII, XXII, 4, 25 juin 1876.)

Charle a fait des dessins sur son livre de classe...
Les barbouillages sont étranges, profonds, drus.
Les monstres ! Les voilà perchés, l'un sur Codrus,
L'autre sur Néron. L'autre égratigne un dactyle.
Un pâté fait son nid dans les branches du style.
Un âne, qui ressemble à monsieur Nisard, brait,
Et s'achève en hibou dans l'obscure forêt ;
L'encrier sur lui coule, et, la tête inondée
De cette pluie, il tient dans sa patte un spondée, etc...

(A. G. P., VIII, 12 septembre [1870-1877 ?].)

Les petits enfants vont se baigner dans la mer ;
J'y vois en ce moment, charmants et nus, s'ébattre
Un Daphnis de cinq ans, une Chloé de quatre...

(A. G. P., R. 584, s. d.)

« LE VIEUX PARC DÉSERT »

Dans l'allée obscure
Où l'ombre à Mercure
Met un domino...
                              (*C. R. B.*, R. 313.)

Ce motif constitue le décor du thème plus large des « Fêtes galantes »
ou des *Trumeaux*, comme dit Victor Hugo : élément capital, puisque c'est
le cadre qui souvent évoque les scènes du temps passé dont il a été témoin
et que le poète aime à y faire revivre pour la fête de son imagination.

Il n'est guère de poète ou de conteur fantastique, à compter de l'époque
romantique, qui n'ait cultivé ce motif riche en rêverie. Musset encadre
dans le parc antique et seigneurial le portrait de Lucie, sa jeune fille de
quinze ans promise à la mort, et rêve dans celui de Versailles des favorites
disparues qui ont posé leur pied *sur trois marches de marbre rose*.
Jules Janin en décrit plus d'un dans ses *Contes fantastiques*, Versailles,
les Roches, et le château de Lagarde (1). Le château Louis XIII, dans
Fantaisie de Nerval, offre peut-être le premier en date, sans parler des
autres parcs du Valois évoqués dans *Sylvie* et *la Bohème galante*. Gautier,
Banville ont assuré la continuité de ce motif avec Hugo jusqu'à Mallarmé
et surtout Verlaine dont « le parc solitaire et glacé » demeure, semble-t-il,
l'expression achevée de ce qu'on en peut faire.

L'évolution générale de ce motif est assez curieuse : Nerval peut-être
mis à part, il a commencé par être nuancé de moquerie et de sarcasme.
Versailles, pour le Hugo de 1826, est un symbole d'ordre mesquin, de
convention et de monotonie, opposé à la riche nature vierge. Janin par-
tage cette attitude en s'arrêtant à caricaturer quelques détails délicieuse-
ment rococo, accompagné par Gautier et Banville. Musset y glisse une
pointe d'émotion et le retour à la mode des maîtres du XVIIIe siècle a,
j'imagine, contribué à la maintenir. Ainsi le parc abandonné recule d'une
gloire périmée dans une brume nostalgique, qui fait son charme.

Mais il serait inexact de n'y voir, pour Hugo, qu'un motif d'estampe.
De nouvelles expériences n'ont pas cessé de relayer les souvenirs : une

(1) T. I, préface, t. II, pp. 10 et 136. Cf. *La Fantaisie de Victor Hugo*, t. I, pp. 360-
369.

après-midi oisive au parc mort de la Miltière en 1825, les séjours aux Roches entre 1831 et 1835, dans la vallée de Bièvre, où les Bertin donnaient des fêtes, les vacances passées à la Terrasse de Saint-Prix, près de Montmorency (1840-1842), le séjour à Versailles en 1843 après la mort de sa fille, les mascarades des Plâtreries chez les Biard, la découverte du parc de la Favorite à Rastadt, autant de réalités personnelles font de ce motif autre chose qu'un exercice littéraire. On ne trouve guère dans les dessins de Victor Hugo d'illustration de ce motif, mais le sujet prête à l'évocation plus qu'à une description précise. Cependant, il existe une toute petite chose, miniature sur papier bulle, cotée au catalogue de la Maison de Victor Hugo sous le n° 176 ; on y discerne une avenue sous des frondaisons obscures, entre deux troncs, où apparaît une vague silhouette, et qui se perd dans un ciel, blanc-rose, tout pelucheux encore des coups légers de grattoir que l'artiste y a savamment donnés.

Chose curieuse, au lieu que le motif semble se conformer au dessin de cette mystérieuse allée inachevée et garde un charme ambigu, un détail de l'ensemble, dont nous citons quelques exemples en annexe, l'*antre*, est resté marqué du sarcasme initial et s'apparente à la caricature.

(Le) ... jardin royal de Versailles, bien nivelé, bien taillé, bien nettoyé, bien ratissé, bien sablé, tout plein de petites cascades, de petits bassins, de petits bosquets, de tritons de bronze folâtrant en cérémonie sur des océans pompés à grands frais dans la Seine, de faunes de marbre courtisant les dryades allégoriquement renfermées dans une multitude d'ifs coniques, de lauriers cylindriques, d'orangers sphériques, de myrtes elliptiques, et d'autres arbres dont la forme naturelle, trop triviale sans doute, a été gracieusement corrigée par la serpette du jardinier...

(O. B., préface, août 1826.)

J'aime íes soirs sereins et beaux, j'aime les soirs,
Soit qu'ils dorent le front des antiques manoirs
Ensevelis dans les feuillages...
(F. A., XXXV, 1, novembre 1828.)

Dans ce jardin antique où les grandes allées
Passent sous les tilleuls si chastes, si voilées
Que toute fleur qui s'ouvre y semble un encensoir,
Où, marquant tous ses pas de l'aube jusqu'au soir,
L'heure met tour à tour dans les vases de marbre
Les rayons du soleil et les ombres de l'arbre...
(V. I., XXI, 20 février 1837.)

C'était un grand château du temps de Louis treize.
Le couchant rougissait ce palais oublié...
. . . .
Sous nos yeux s'étendait, gloire antique abattue,
Un de ces parcs dont l'herbe inonde le chemin,
Où dans un coin, de lierre à demi revêtue,
Sur un piédestal gris, l'hiver, morne statue,
Se chauffe avec un feu de marbre sous sa main (1).

O deuil! le grand bassin dormait, lac solitaire.
Un Neptune verdâtre y moisissait dans l'eau...

(1) M. Levaillant croit reconnaître ici la statue de l'*Hiver* par Girardon dans le parc de Versailles et, plus loin, le fameux bassin de Neptune.

On voyait par moments errer dans la futaie
De beaux cerfs qui semblaient regretter les chasseurs ;
Et, pauvres marbres blancs qu'un vieux tronc d'arbre étaie,
Seules, sous la charmille, hélas ! changée en haie,
Soupirer Gabrielle et Vénus, ces deux sœurs !

(*V. I.*, XVI, 1er avril 1837).

Il semblait grelotter, car la bise était dure.
C'était, sous un amas de rameaux sans verdure,
Une pauvre statue au dos noir, au pied vert,
Un vieux faune isolé dans le vieux parc désert,
Qui, de son front penché touchant aux branches d'arbre,
Se perdait à mi-corps dans sa gaîne de marbre... (1).
Peut-être dans la brume au loin pouvait-on voir
Quelque longue terrasse aux verdâtres assises,
Ou, près d'un grand bassin, des nymphes indécises,
Honteuses à bon droit, dans ce parc aboli,
Autrefois des regards, maintenant de l'oubli.

(*R. O.*, XXXVI, 4 septembre 1837.)

Les tritons que Coypel groupe autour d'une conque,
Les faunes que Watteau dans les bois fourvoya...

(*R. O.*, XIX, 31 mai 1839.)

Le soleil tenait lieu de lustre ; la saison
Avait brodé de fleurs un immense gazon,
Vert tapis déroulé sous maint groupe folâtre.
Rangés des deux côtés de l'agreste théâtre,
Les vrais arbres du parc, les sorbiers, les lilas,
Les ébéniers qu'avril charge de falbalas,
De leur sève embaumée exhalant les délices,
Semblaient se divertir à faire les coulisses,
Et, pour nous voir, ouvrant leurs fleurs comme des yeux,
Joignaient aux violons leur murmure joyeux ;
Si bien qu'à ce concert gracieux et classique,
La nature mêlait un peu de sa musique.

(*C.*, I, XXII, 16 février 1840.)

Mélancolique palais de la margrave Sybille (*sic*)... On s'attend à rencontrer sous ces bosquets en ruine des spectres de poupées.
Jardin, grands marronniers. Je me suis promené dans ces allées dont le tracé se dérobait.
Statues tristes au-dessus d'une treille, brutalisées par des vignerons ; elles, ces Pomones et ces Dianes, qui, il y a cent ans à peine, étaient courtisées par des seigneurs...
Sous les feuilles jaunes, fontaines taries, bassin effacé. Grand gazon devant la façade...

(*V.*, II, 478, Album 1840, Rastadt, 24 octobre.)

L'allée principale du parc était éclairée en verres de couleurs. On croyait voir au milieu des arbres les colliers d'émeraudes et de rubis des nymphes... Des mèches à sape brûlaient dans les taillis et jetaient des lueurs à travers le bois. Il y avait trois grands peupliers éclairés sur le ciel sombre d'une manière fantastique qui surprenait. Les branches et les feuilles remuaient au vent parmi des clartés d'opéra...

(1) Ici se place la belle pochade des arbres estompés, classée sous la rubrique *Arbres fantasques*.

Partout sous les arbres on avait suspendu des lanternes chinoises qui ressemblaient à de grosses oranges lumineuses... (1).

(*Ch. v.*, I, 223, 6 juillet 1847.)

Ce jardin ainsi livré à lui-même depuis plus d'un demi-siècle était devenu extraordinaire et charmant... à travers les barreaux de l'antique grille cadenassée, tordue, branlante, scellée à deux piliers verdis et moussus, bizarrement couronnée d'un fronton d'arabesques indéchiffrables.

Il y avait un banc de pierre dans un coin, une ou deux statues moisies...

En floréal, cet énorme buisson... semait sur la terre humide, sur les statues frustes, sur le perron croulant du pavillon... les fleurs en étoiles, la rosée en perles..., etc...

L'hiver, la broussaille était noire, mouillée, hérissée, grelottante... On apercevait, au lieu de fleurs dans les rameaux et de rosée dans les fleurs, les longs rubans d'argent des limaces sur le froid et épais tapis des feuilles jaunes.

(*Mis.*, IV, III, 3 [1847 ?].)

... Ce qui donnait au Jardin d'Hiver une figure à part, c'est qu'au delà de ce vestibule de lumière, de musique et de bruit, que les yeux traversaient comme un voile vague et éclatant, on apercevait une sorte d'arche immense et ténébreuse, une grotte d'ombre et de mystère. Cette grotte où se dressaient de grands arbres, où se hérissait un taillis percé d'allées et de clairières, où l'on voyait un jet d'eau se dissoudre en brume de diamants, n'était autre que le fond même du jardin. Des points rougeâtres, qui ressemblaient à des oranges de feu, y reluisaient çà et là dans les branchages... (2).

... Au milieu des arbres, des satyres, des nymphes toutes nues, des hydres, toutes sortes de groupes et de statues, qui avaient, tout ensemble, comme le lieu même où on les voyait, je ne sais quoi d'impossible et je ne sais quoi de vivant.

(*Ch. v.*, II, 31, février 1849.)

Le rayon de midi dans nos fraîcheurs s'émousse ;
La lune s'assoupit dans nos chambres de mousse ;
Les paons ouvrent leur queue éblouissante au fond
Des antres que nos fleurs et nos feuillages font ;
Plus d'une nymphe y songe, et dans nos perspectives
Parfois se laissent voir des nudités furtives.

(*L. S.*, *N. S.*, X, II [1855-1862 ?].)

Vous tronquez des talents, de même qu'à Versaille ;
O brutes, vous changez en pains de sucre verts
Le cèdre et le cyprès, géants d'ombre couverts,
Sans même voir, parmi vos bronzes et vos marbres,
L'humiliation de tous ces pauvres arbres,
L'ennui de l'oranger fait pomme, et le chagrin
Des ifs taillés en cône autour du boulingrin (3).

(*A.*, 337 [1857-1880 ?].)

Quoi ? que regarde-t-elle ? Elle ne sait pas. L'eau,
Un bassin qu'assombrit le pin et le bouleau ;
Ce qu'elle a devant elle ; un cygne aux ailes blanches,
Le bercement des flots sous la chanson des branches,
Et le profond jardin rayonnant et fleuri ; ...
On voit un grand palais comme au fond d'une gloire,

(1) Voir la suite citée dans la rubrique *Fruits de feu.*
(2) *Ibid.*
(3) Le motif est dans cet exemple détourné vers la satire : ce sont les éducateurs qui sont comparés à des jardiniers, comme, dans la préface des *Odes et Ballades*, il s'agissait des poètes.

Un parc, de clairs viviers où les biches vont boire,
Et des paons étoilés sous les bois chevelus...
Autour de cette enfant l'herbe est splendide et semble
Pleine de vrais rubis et de diamants fins;
Un jet de saphirs sort des bouches des dauphins.

(L. S., P. S., IX, mai 1859.)

Là, point d'orangers en livrée,
Point de grenadiers alignés;
Là, point d'ifs allant en soirée,
Pas de buis, par Boileau peignés.

(C. R. B., II, IV, 4, 8 juin 1859.)

Au fond du parc qui se délabre,
Vieux, désert, mais encor charmant
Quand la lune, obscur candélabre,
S'allume en son écroulement...

(C. R. B., II, II, 3, 18 juin 1859.)

Dans un grand jardin en cinq actes,
Conforme aux préceptes du goût,
Où les branches étaient exactes,
Où les fleurs se tenaient debout,

Quelques clématites sauvages
Poussaient, pauvres bourgeons pensifs,
Parmi les nobles esclavages
Des buis, des myrtes et des ifs.

Tout près croissait, sur la terrasse
Pleine de dieux bien copiés,
Un rosier de si grande race
Qu'il avait du marbre à ses pieds.

(C. R. B., II, III, 7, 26 juin 1859.)

Dans le parc froid et superbe,
Rien de vivant ne venait...
Les ifs, que l'équerre hébète,
Semblaient porter des rabats...

(C. R. B., I, v, 1, 2 juillet 1859.)

La fleur se penche et dort; et les nymphes de marbre
Elles-mêmes ont chaud dans les parcs assombris
Quand l'ombre de leurs seins descend vers leurs nombrils.

(D. G., XV [1859?].).

Le bassin luit dans l'herbe, et semble, à ciel ouvert,
Un miroir de cristal bordé de velours vert;
Un lierre maigre y rate un effet de broussaille;
Et, bric-à-brac venu d'Anet ou de Versaille,
Pris à l'antre galant de quelque nymphe Écho,
Un vase en terre cuite, en style rococo,
Dans l'eau qui tremble avec de confuses cadences,
Mire les deux serpents qui lui tiennent lieu d'anses,
Et qui jadis voyaient danser dans leur réduit
Les marquises le jour, les dryades la nuit (1).

(D. G., XVIII [1859?].)

---

(1) Il s'agit du jardin de Hauteville House, à Guernesey, que Victor Hugo croque
en badinant, comme une parodie du parc classique.

Le 6 juin 1832, vers onze heures du matin, le Luxembourg, solitaire et dépeuplé, était charmant. Les quinconces et les parterres s'envoyaient dans la lumière des baumes et des éblouissements... Les statues sous les arbres, nues et blanches, avaient des robes d'ombre trouées de lumière ; ces déesses étaient toutes déguenillées de soleil ; il leur pendait des rayons de tous les côtés. Autour du grand bassin, la terre était déjà séchée au point d'être presque brûlée. Il faisait assez de vent pour soulever çà et là de petites émeutes de poussière. Quelques feuilles jaunes, restées du dernier automne, se poursuivaient joyeusement, et semblaient gaminer.

(Mis., V, 1, 16 [1861-1862 ?].)

> Les terrasses étaient tout en charmille...
> Les grottes rayonnaient, et, dans le clair-obscur,
> On voyait les bras nus et les gorges de marbre
> Des déesses riant parmi les branches d'arbre...

(T. L., II, xxvii [septembre 1863 ?].) (1)

> Je viens vous annoncer une nouvelle, c'est
> Qu'il existe des lieux charmants ; c'est que Versailles,
> Potsdam, Schœnbrunn, ont mis l'Olympe en leurs broussailles ;
> C'est qu'il est des palais ; c'est qu'il est des bosquets ;
> C'est qu'au seuil d'une idylle il faut de grands laquais ;
> C'est que le buisson, l'herbe, et la bruyère, et l'arbre,
> Ne sont beaux que mêlés à des nymphes de marbre ;
> C'est qu'un torrent est laid, et qu'au fond du vallon
> L'eau doit se comporter comme dans un salon...

(Q. V. E., II, a. I, sc. 3, 153 [1865-1869 ?].)

> De claires eaux luisaient au fond des avenues ;
> Et les reines du roi se baignaient toutes nues
> Dans les parcs où rôdaient des paons étoilés d'yeux...

(L. S., N. S., IV, 14 août 1874.)

---

(1) Cette pièce, intitulée *Jardins de la Margrave Sybille*, est attribuée d'après l'écriture à 1856-1858 dans l'édition I. N. Cependant, il paraît vraisemblable de l'attribuer à une date voisine du 11 septembre 1863, où le poète vit le château de la Favorite déjà aperçu en 1840 (voir ci-dessus) : Victor Hugo notait à cette date : « Charmant palais rocaille. Chef-d'œuvre du fantasque et du charmant. » Le Guide de Schreiber en décrit ainsi le parc : « Rien de mieux choisi que la position de ce château à l'avant-scène d'un bocage d'arbres et d'arbrisseaux étrangers, mêlés aux chênes de la patrie. C'est un quarré long dont les côtés sont un peu en dehors et les murs recouverts en cailloutage. Le derrière est décoré de deux arcades dont l'une est un promenoir. La vigne entrelace aux pilastres des arcs avec d'autres plans odoriférans, dont les rameaux fleuris pénètrent dans l'intérieur et couvrent la partie supérieure de l'arcade... Ce *palais des fées* fût bâti en 1725 par la margrave Sybille-Auguste..., etc... »

ANNEXE

ANTRES

... vers la grotte où le lierre
Met une barbe verte au vieux fleuve de pierre (1)!
(*V. I.*, XXI, éd. février 1837.)

Un vieux antre ennuyé bâillait au fond du bois.
(*V. I.*, XVI, 1ᵉʳ avril 1837.)

L'antre pensif, pareil au sourcil qui se fronce...
(*Th. lib.*, *F. M.*, III, 1854.)

O vieil antre, devant le sourcil que tu fronces...
(*T. L.*, II, XXI, 15 octobre 1854.)

Le vieux antre, attendri, pleure comme un visage...
(*C.*, I, IV, 19 mars 1855.)

Les vieux antres pensifs, dont rit le geai moqueur,
Clignent leurs gros sourcils et font la bouche en cœur.
(*C.*, II, I, 29 mars 1855.)

(1) Cf. le même type de personnification pour l'océan :

L'océan, vieux guerrier, vieux sabreur de rochers...
Son écume est de neige et sa vague est de nuit.
Il a la barbe blanche et la moustache noire.
(*D. G.*, *R.* 512 [1857-1858 ?].)

FLEURS ET FRUITS DE FEU

Un motif, qui n'est parfois qu'un détail du *Parc*, mais se dégage souvent aussi de ce cadre. Sous forme de fleurs et de fruits, d'étincelles et d'étoiles, de gerbes et de bouquets, l'or s'épanouit au milieu des feuillages sombres ou du ciel noir. Le souvenir classique des Hespérides est ravivé par des impressions de fêtes, de jardins ou de vergers qui font un jeu réciproque d'interférences de la nature à l'artifice. Ces notes fulgurantes de couleur remplissent, dans le paysage irréel, l'office des touches de jaune, d'orange ou de vermillon dans les toiles de Monticelli — plus tard.

> Dans mes beaux jardins aux fruits d'or...
>
> (*B.*, XV, juillet 1824.)

> Et nous recommencions nos jeux, cueillant par gerbe
> Les fleurs, tous les bouquets qui réjouissent l'herbe...
> Surtout ces fleurs de flamme et d'or qu'on voit, si belles,
> Luire à terre en avril comme des étincelles
>   Qui tombent au soleil!
>
> (*V. I.*, XXXIX, 6 juin 1837.)

> Le pâtre attend sous le ciel bleu
> L'heure où son étoile paisible
> Va s'épanouir, fleur de feu,
> Au bout d'une tige invisible.
>
> (*R. O.*, XXVI, 23 mai 1839.)

Dans tous les coins du jardinet, des gerbes étoilées de soleils, de roses trémières et de reines-marguerites, éclataient comme les bouquets d'un feu d'artifice.

> (*Rh.*, XVIII, 145, Bacharach, septembre 1840.)

Partout sous les arbres on avait suspendu des lanternes chinoises qui ressemblaient à de grosses oranges lumineuses. Rien de plus étrange que ces fruits de feu éclos tout à coup sur ces branches noires.

> (*Ch. v.*, I, 223, juillet 1847.)

Au-dessus de cette cohue parée, resplendissait un monstrueux lustre de cuivre, ou plutôt un immense arbre d'or et de flamme renversé, qui semblait avoir sa racine dans la voûte, et qui laissait pendre sur la foule son feuillage de clartés et d'étincelles...
(*Le fond du jardin*) Des points rougeâtres, qui ressemblaient à des oranges de feu, y reluisaient çà et là dans les branchages. Tout cet ensemble était

comme un rêve. Les lanternes dans le taillis, quand on en approchait, devenaient de grosses tulipes lumineuses mêlées aux vrais camélias et aux roses
réelles.

(Ch. v., II, 31, février 1849.)

Ses petits doigts allaient chercher le fruit vermeil,
Semblable au feu qu'on voit dans le buisson qui flambe.

(C., II, VII, 5 juin 1853.)

Les globes, fruits vermeils des divines ramées... (1).

(C., A celle qui est restée, v. 341, novembre 1855.)

Je voyais des jardins de feu...

(C. R. B., I, VI, 20, 18 septembre 1859.)

Les pivoines sont en feu ;
. Le ciel bleu
Allume cent fleurs écloses ;
Le printemps est pour nos yeux
Tout joyeux
Une fournaise de roses.

(F. S., III, I, 3, Ch. Ois., Bruxelles,
11-15 avril 1860.)

Le soleil dorait, empourprait et allumait les tulipes, qui ne sont autre
chose que toutes les variétés de la flamme, faites fleurs.

(Mis., V, I, 16, 1860-1862.)

Toutes les roses sont en flammes.

(C. R. B., I, VI, 12, 6 septembre 1865.)

Tu verras mes jardins. Il y a des sources sous les feuilles, des grottes où
l'on peut s'embrasser... Et des fleurs ! Il y en a trop. Au printemps, c'est
un incendie de roses.

(H. Q. R., II, VII, 4, 432 [mai 1868 ?].)

---

(1) Il s'agit des astres dans le ciel, la nuit.

PAONS

Le paon est un motif essentiellement décoratif. Il y avait des paons, fort estimés des enfants Hugo, dans le parc des Roches, où le poète fit de fréquents séjours entre 1830 et 1840. Mais il n'est pas impossible non plus qu'il ait remarqué telle tapisserie du XVIIIᵉ siècle, où quelques masques de la comédie italienne évoluent parmi des bêtes exotiques devant un portique, sur les marches duquel, au beau milieu, un paon déploie superbement sa queue. Là, comme dans le précédent motif, des yeux de l'oiseau de Junon aux étoiles du ciel, tout un jeu brillant de correspondances qui, dépassant le niveau de l'ornement, lui prêtent parfois une subtile résonance cosmique.

> Un vase à forme étrange en porcelaine bleue
> Où brille, avec des paons ouvrant leur large queue,
> Ce beau pays d'azur que rêvent les Chinois.
>
> (R. O., IV, 24-29 juin 1839.)

> Thérèse était assise à l'ombre d'un buisson :
> Les roses pâlissaient à côté de sa joue,
> Et, la voyant si belle, un paon faisait la roue.
>
> (C., I, XXII, 16 février 1840.)

Ce n'étaient autour de moi, à perte de vue, que montagnes, prairies, eaux vives, vagues verdures, molles brumes, lueurs humides qui chatoyaient comme des yeux entr'ouverts, vifs reflets d'or noyés dans le bleu des lointains, magiques forêts pareilles à des touffes de plumes vertes, horizons moirés d'ombres et de clartés. — C'était un de ces lieux où l'on croit voir faire la roue à ce paon magnifique qu'on appelle la nature.

> (Rh., XX, 168, de Lorch à Bingen, septembre 1840.)

> . . . .
> Tes jardins d'or et d'azur
> Où le paon ouvre sa queue.
>
> (T. L., VII, IV, 1ᵉʳ décembre 1851.)

> La forêt, qui frissonne à la bouche de Pan,
> S'emplit de fleurs ; le lac rit dans les monts ; le paon
> Traîne la gerbe d'yeux qui frémit sur sa queue.
> Éden vague et lointain montre sa porte bleue...
>
> (T. L., III, LXI, 10 février 1854.)

L'eau courait, l'air jouait ; de son râle étranglé
La couleuvre amoureuse épouvantait Eglé ;
Les paons dans la lumière ouvraient leurs larges queues...

(T. L., II, IX, 29 mai 1856.)

Un parc, de clairs viviers où les biches vont boire,
Et des paons étoilés sous les bois chevelus...

(L. S., P. S., IX, mai 1859.)

Les paons ouvrent leur queue éblouissante au fond
Des antres que nos fleurs et nos feuillages font...

(L. S., N. S., X, II [1855-1862 ?].)

. . . .
Dans les parcs où rôdaient des paons étoilés d'yeux.

(L. S., N. S., IV, 14 août 1874.)

Ces prodigalités de regards lumineux
Qui font du ciel lui-même une effrayante queue
De paon ouvrant ses yeux dans l'énormité bleue.

(A., 350 [1857-1880 ?].)

Autrefois j'étais jeune. — Il y avait des moments où
je me contentais du vol de la fantaisie qui est à la jeunesse ce que le papillon est au matin. Dans ces moments-
là

> La rêverie et l'art, mes deux religions,
> M'emportaient dans l'azur des vagues régions ;
> J'aimais Titania riant sous la liane ;
> Par Jupiter ! j'aurais enlevé la Diane ;
> Fou d'amour, je m'en fusse en allé n'importe où
> Avec la nymphe blanche et pure de Coustou,
> Comptant bien l'arracher palpitante à son arbre,
> Et voir sous mes baisers rougir ce sein de marbre,
> Et faire au Ranelagh, dont j'étais le lion,
> Galoper Galatée avec Pygmalion.
> . . . .
> J'adorais des magots chinois ; j'étais l'apôtre
> Des trumeaux de Watteau, des vases de Lepautre...

(*Oc.*, *Tas.*, 545, s. d.)

Nul thème plus inattendu, pensera-t-on, d'un Victor Hugo, et pourtant la moisson s'étend abondante et régulière sur près de cinquante
années. Nul moins élaboré, et cependant Hugo y apparaît toujours à
l'aise. Le premier titre est de Verlaine, parce qu'il est impossible de ne
pas penser d'abord à lui ; mais le second est bien celui dont Hugo se
servait pour désigner ce genre de fantaisies dans ses manuscrits.

Les deux termes attestent l'inspiration picturale de ce motif (1). Hugo
précise même parfois que c'est un tableau qu'il décrit, par exemple dans
la parfaite chanson intitulée *Lettre* (2), comme s'il voulait rivaliser avec
Gautier dans le genre de la « transposition d'art » où ce dernier s'est
illustré. Non pas seul, mais avec Nerval, Banville, Musset, d'autres encore
en poésie, cependant que, dans des contes en prose, Janin, Nerval encore
s'essayaient à évoquer plus d'un *Embarquement pour Cythère*. Aussi
bien la réputation de Watteau — que Victor Hugo est loin d'avoir ignoré
ou méprisé et qu'il cite quelquefois — a commencé de se développer

---

(1) Gautier dit dans la même sens : *Watteau, Rocaille* ou *Rococo*.
(2) Voir ci-dessous, *C. R. B.*, I, VI, 20.

doucement, semble-t-il, vers 1830-32, autour du cénacle de la rue du
Doyenné, et les efforts conjugués de Gérard de Nerval, d'Arsène Houssaye
et de sa revue *l'Artiste*, des Goncourt un peu plus tard, l'ont consolidée
entre 1845 et 1855. C'est l'époque où ce genre de poésie est à la mode,
mais dès avant, de son côté, Hugo avait appris en Belgique et en Allemagne à goûter le style rococo et montré qu'il aimait s'entourer de
Lancret, comme il apparut à la vente de son mobilier (1).

Le plus connu de ces « Trumeaux » est assurément *la Fête chez Thérèse*,
d'une verve si soutenue et variée, si étincelante et subtile, qu'il la faudrait citer tout entière. Mais *Lettre*, on le verra, et la pièce des *Quatre
Vents* qui vient chronologiquement à la suite la valent bien et, par la
brièveté vaporeuse, annoncent Verlaine, qui connaissait et appréciait les
deux premières. Il semble en tout cas que l'évolution se borne à la conquête d'une allure plus dégagée et que, après les années 1840-1850, Hugo
se soit moins tenu aux évocations historiques et se soit abandonné davantage à peupler ses parcs en fête de créatures de légende ou d'imagination.

A ce propos, on a supposé, puis discuté, que *la Fête chez Thérèse* ait
été inspirée au poète par une fête masquée réellement donnée au printemps 1839 par le peintre Biard et sa femme aux Plâteries. Mais c'est qu'on
faisait malgré soi de cette pièce une exception. Tout comme elle n'est ni
la première, ni la dernière de cette série, Hugo eut l'occasion avant et
après 1839 de voir bien d'autres fêtes : fête masquée aux Roches (vers 1830),
que Jules Janin a décrite (2), fête à Versailles de l'été 1837 pour les noces
du duc d'Orléans, fête chez le duc de Montpensier en 1847, et tant de
fêtes du temps où il hantait les salons littéraires et artistiques (3). La
duchesse Thérèse s'apparente peut-être à ces actrices galantes aux noms
de guerre qu'il évoque sous le nom de dona Zubiri (*Choses vues*, 1849)
ou de la comtesse Josiane (*Chansons des rues et des bois*, Reliquat). Quelques
extraits de ces fêtes — de celles au moins que Hugo a racontées — cités
parmi les thèmes élaborés permettront, je pense, de dégager la filiation.

Mais, au delà, je crois fort que cette veine de poésie dépasse aussi bien
tel authentique trumeau ou telle fête costumée que Victor Hugo ait pu
voir et tient peut-être à l'époque même : Horace Walpole, contant à
un ami dans une de ses célèbres lettres une partie de ce genre, trouve
presque les mêmes mots. C'est la grâce même du temps, spirituelle et
sensuelle, légère et retenue, nostalgique et narquoise, qui flotte encore
autour de la plus irréelle des époques dont l'histoire nous garde le souvenir. Mais, ne nous hypnotisons pas sur le XVIIIe siècle : il y a aussi bien
du XVIIe dans ce thème (4). Plus encore, c'est la grâce du *passé*, car, comme
le disait Gérard de Nerval, « il n'est plus le temps où les chasses de
Condé passaient avec leurs amazones fières (5) » : c'est justement parce
qu'il n'est plus qu'on en peut faire le refuge de la poésie.

(1) Cf. l'article de Théophile GAUTIER dans l'*Histoire du Romantisme*.
(2) *Contes fantastiques*, t. II, la *Vallée de Bièvre*, p. 21. Voir, pour tous rapprochements suggérés dans cette notice, *la Fantaisie de Victor Hugo*, t. I, pp. 354-395.
(3) Dans un article du *Figaro littéraire*, 3 septembre 1949, M. Maurice Rat a
ingénieusement rappelé le souvenir possible des « fêtes costumées restées célèbres,
aux Folies Saint-James de Neuilly » chez la duchesse Laure d'Abrantès, au temps
de la jeunesse de Hugo (cf. texte primitif : « La duchesse *Laura*, brune à l'œil bien
ouvert »).
(4) Comme je l'ai indiqué dans le tome I, p. 382 et n. 1.
(5) *Sylvie*, chap. XIV.

En annexe, le *Nocturne bleu*, qui couronne le soir ces *Fêtes galantes*, et quelques *Chinoiseries*, vases fantasques du Japon ou de la Chine, que Victor Hugo goûta toujours pour le fouillis précieux de leurs dessins et dont la mode s'accentue entre 1850 et 1860. Comme il les transposait en vers, il en tirait des sujets de décoration pour ses travaux de pyrogravure. Une même atmosphère d'étrangeté rêveuse — éloignement dans l'espace au lieu du temps, et, si l'on peut dire, travesti — permet de rattacher en gros ce motif, assez peu exploité d'ailleurs dans sa poésie, au thème des *Fêtes galantes*.

> Étudiez Racan. Lisez ses *Bergeries.*
> Qu'Aminte avec Tircis erre dans vos prairies,
> Qu'elle y mène un mouton au bout d'un ruban bleu.
> Mais Ève! Mais Adam! l'enfer! un lac de feu!
> C'est hideux! Satan nu sous ses ailes roussies!...
> Passe au moins s'il cachait ses formes adoucies
> Sous quelque habit galant, et s'il portait encor
> Sur une ample perruque un casque à pointes d'or,
> Une jaquette aurore, un manteau de Florence,
> Ainsi qu'il me souvient, dans l'Opéra de France,
> Dont naguère à Paris la cour nous régala,
> Avoir vu le soleil, en habit de gala!
>
> 　　　　　　(*Cr.*, a. III, sc. 2, 208, septembre 1826.)

> 　　　Voir autour des mornes idoles
> 　　　Des sultanes danser en rond ;
> 　　　D'un bal compter les girandoles ;
> 　　　La nuit, voir sur l'eau les gondoles
> 　　　Fuir avec une étoile au front ;
>
> 　　　Regarder la lune sereine ;
> 　　　Dormir sous l'arbre du chemin ;
> 　　　Être le roi lorsque la reine,
> 　　　Par son sceptre d'or souveraine,
> 　　　L'est aussi par sa blanche main ;
>
> 　　　Ouïr sur les harpes jalouses
> 　　　Se plaindre la romance en pleurs ;
> 　　　Errer, pensif, sur les pelouses,
> 　　　Le soir, lorsque les andalouses
> 　　　De leurs balcons jettent des fleurs...
>
> 　　　　　　(*F. A.*, XXV, 12 septembre 1828.)

Dans cet antre, où la mousse a recouvert la dalle,
Venait, les yeux baissés et le sein palpitant,
Ou la belle Caussade ou la jeune Candale,
Qui, d'un royal amant conquête féodale,
En entrant disait Sire, et Louis en sortant.

　　　　　　(*V. I.*, XVI, 1er avril 1837.)

(*Au faune du vieux parc désert...*)
Je lui dis : « Vous étiez du beau siècle amoureux.
Sylvain, qu'avez-vous vu quand vous étiez heureux?
Vous étiez de la cour? Vous assistiez aux fêtes?...
Contez-moi les secrets de ce passé trop vain,
De ce passé charmant, plein de flammes discrètes...
Avez-vous quelquefois, moqueur antique et grec,
Quand près de vous passait avec le beau Lautrec
Marguerite aux doux yeux, la reine béarnaise,

Lancé votre œil oblique à l'Hercule Farnèse?...
Faune! avez-vous suivi de ce regard étrange
Anne avec Buckingham, Louis avec Fontange?...
Étiez-vous consulté sur le thyrse ou le lierre,
Lorsqu'en un grand ballet de forme singulière
La cour du dieu Phœbus ou la cour du dieu Pan
Du nom d'Amaryllis enivrait Montespan?...
Avez-vous vu jouer les beautés dans les herbes,
Chevreuse aux yeux noyés, Thiange aux airs superbes (1)?...

(R. O., XXXVI, 4 septembre 1837.)

La chose fut exquise et fort bien ordonnée...
Cette belle Thérèse, aux yeux de diamant,
Nous avait conviés dans son jardin charmant.

On était peu nombreux. Le choix faisait la fête.
Nous étions tous ensemble et chacun tête à tête.
Des couples pas à pas erraient de tous côtés.
C'étaient les fiers seigneurs et les rares beautés,
Les Amyntas rêvant auprès des Léonores,
Les marquises riant avec les monsignores;
Et l'on voyait rôder dans les grands escaliers
Un nain qui dérobait leur bourse aux cavaliers.

. . . .
Scaramouche en un coin harcelait de sa batte
Le tragique Alcantor, suivi du triste Arbate;
Crispin, vêtu de noir, jouait de l'éventail;
Perché, jambe pendante, au sommet du portail,
Carlino se penchait, écoutant les aubades,
Et son pied ébauchait de rêveuses gambades.

. . . .
Pierrot, qui haranguait dans un vague entretien,
Un singe timbalier à cheval sur un chien...
L'un faisait apporter des glaces au valet;
L'autre, galant drapé d'une cape fantasque,
Parlait bas à sa dame en lui nouant son masque;
Trois marquis attablés chantaient une chanson;
Thérèse était assise à l'ombre d'un buisson :
Les roses pâlissaient à côté de sa joue,
Et, la voyant si belle, un paon faisait la roue.

Moi, j'écoutais, pensif, un profane couplet
Que fredonnait dans l'ombre un abbé violet (2).

(C., I, XXII, 16 février 1840.)

O bonheur d'être aimé! Félicité suprême!
Berger, rends grâce aux dieux! on te désire! on t'aime!
O berger! Vesper luit, ce bel astre éclatant.
Ta maîtresse est là-bas qui brûle et qui t'attend.
Traverse la forêt, traverse la clairière,
Cours et chante à grand bruit la chanson la plus fière,
Chante et passe gaîment, et laisse au fond des bois
La triste nymphe Écho se plaindre à demi-voix.

(T. L., VI, XVII, 16 juillet 1840, Trumeau.)

(1) Peut-être le dessin de cette pièce fut-il conçu d'après la fête donnée par le roi Louis-Philippe à Versailles dans l'été de 1837 pour le mariage du duc d'Orléans et à laquelle Victor Hugo assista. Authentique fête, sinon galante, puisqu' « il n'y avait guère que des hommes ». Voir *V. H. rac.*, chap. LXIII : « La fête commençait par la visite de l'intérieur du château. Si nombreuse que fût la foule, on circulait à l'aise dans ces vastes appartements royaux et dans ces galeries interminables... », etc.
(2) C'est bien entendu *la Fête chez Thérèse* tout entière qui devrait être citée. Je me suis borné à ces extraits où se retrouvent les motifs les plus caractéristiques.

Il y avait au troisième étage un pauvre trumeau Louis XV, avec des arbres rocaille et des bergers de Gentil-Bernard, qui a lutté longtemps. Je le regardais avec admiration. Je n'ai jamais vu une églogue faire si bonne contenance. Enfin une grande flamme est entrée dans la chambre, a saisi l'infortuné paysage vert-céladon, et le villageois embrassant sa villageoise, et Tircis cajolant Glycère, s'en est allé en fumée (1).

(Rh., XIX, 151, Lorch, septembre 1840.)

M. de Montpensier a donné cette nuit une fête dans le parc des Minimes, au bois de Vincennes.

C'était beau et charmant... On avait dressé dans le bois une foule de tentes, empruntées au garde-meuble et au trésor d'armes de France, quelques-unes historiques...

... On était comme dans un immense coffret de brocart d'or ; sur ce brocart des fleurs et mille caprices d'ornement...

On dansait sous une immense marquise où se tenaient les princesses...

On dansait des contredanses chantées. Rien de charmant comme ces voix d'enfants chantant au loin dans les arbres des mélodies tendres et gaies ; on eût dit des chevaliers enchantés arrêtés à jamais dans ce bois en écoutant la chanson des fées (2).

(Ch. v., I, 222, 6 juillet 1847.)

(*Le Jardin d'Hiver.*)

Quand on y entrait, l'œil se fermait d'abord dans l'éblouissement d'un flot de lumière, on distinguait toutes sortes de fleurs magnifiques et d'arbres étranges... Les plus jolies femmes et les plus belles filles de Paris, en toilettes de bal, tourbillonnaient dans cette illumination *à giorno* comme un essaim dans un rayon.

Au-dessus de cette cohue parée, resplendissait un monstrueux lustre arbre d'or et de flamme renversé (2)...

(*Ch. v.*, II, 31, février 1849.)

Vénus rit toute nue au-dessus de mon lit
Qu'un damas écarlate à glands dorés plafonne.
Des singes sur mon mur, bande agreste et bouffonne,
Font cent choses avec ces rires furieux
Qui ravissent Molière et choquent Andrieux.

(*T. L.*, V, ix [1849-1851 ?].)

Porter les éventails durant les promenades !
La suivre en se cachant entre les colonnades !...
On va grincer des dents parmi les sérénades ;
Ou bien on la conduit, parée, aux pasquinades...
— Conduisez-moi ce soir au jardin de la reine !

(*T. L.*, VI, xi [1850-1852 ?].)

Mois de Maïa ! Lilas, parfums, ruisseaux, bosquets,
Marquises regardant en dessous leurs laquais !...
Au temps jadis, au temps du bel Esplandian,
Pour être en ce moment visité dans mon bouge
Par Garlinde, j'aurais mordu dans du fer rouge...
Pour la belle Euriante ou la belle Fosseuse (3)...

(*D. G.*, XIX [1852 ?].)

---

(1) On se demande si ce n'est pas cette vision qui est à l'origine des vers suivants (*L. S.*, *N. S.*, XVIII, Id. xix, *Chaulieu*, 6 avril 1860) :

... Ainsi qu'un vieux trumeau dépeint et décloué
L'idylle aujourd'hui pend au grand plafond céleste.

(2) Voir la suite de ces extraits à *Parc*.
(3) La belle Fosseuse était la maîtresse du roi Henri IV et le célèbre comte de Tressan avait conté l'*Histoire de Gérard de Nevers et de la belle Euriante sa mère*.

(Les bêtes dans les prés...)
Venaient pour regarder passer dans la ravine,
Plein de rires, de chants, de masques et d'épis,
Le vieux chariot fou que promenait Thespis.

(T. L., IV, I, Jersey, 5 novembre 1853.) (1)

Oh! d'Estrée et de Bueil, d'Entrague et des Essarts!
Nuits! parcs mystérieux, murmures des cascades!
O danses et chansons sous les pâles arcades!
Nymphes reines! ô rois satyres et sylvains!
O bon Henri! beautés, folles aux yeux divins!...
Comme il leur prodiguait les bijoux florentins,
Les fêtes, les ballets, les concerts, les festins
Sur qui, pour laisser voir les cieux, le plafond s'ouvre,
Les lits de brocart d'or dans les chambres du Louvre,
Et les vastes palais et les riches habits,
Et dans la pourpre en feu la braise des rubis,
Et les perles des mers dans les flots de la soie!

(Q. V. E., IV, II, 384, décembre 1857.)

Prenez garde à ce lieu fantasque!
Ève à Meudon achèvera
Le rire ébauché sous le masque
Avec le diable à l'Opéra.

(C. R. B., I, II, 7, 11 juillet 1859.)

Les champs sont pleins de tambourins;
On voit dans une lueur douce
Des groupes vagues et sereins.

(C. R. B., I, IV, 2, 23 août 1859.)

Le paysage est plein d'amantes,
Et du vieux sourire effacé
De toutes les femmes charmantes
Et cruelles du temps passé.

Sans les éteindre, les années
Ont couvert de molles pâleurs
Les robes vaguement traînées
Dans de la lumière et des fleurs.

Un bateau passe. Il porte un groupe
Où chante un prélat violet;
L'ombre des branches se découpe
Sur le plafond du tendelet.

A terre, un pâtre, aimé des muses,
Qui n'a que la peau sur les os,

(1) Ici pourraient se placer ces deux brèves images de bal assez parentes :

La vierge au bal, qui danse, ange aux fraîches couleurs,
Et qui porte en sa main une touffe de fleurs...

(C., VI, XXVI, 13 octobre 1854.)

« En attendant, notre Carpentras (Jersey) donne des bals, où vos fleurs font mer-
veille. Votre bouquet et ma fille ont dansé, l'une portant l'autre, et ont fort ébloui
les Anglais chez lesquels la Crimée n'a pas encore tué le rigodon. » (Lettre à Mme de
Girardin, Marine Terrace, 4 janvier 1855.)
Cf. la vision du bal de la rue du Cherche-Midi, le jour de la mort de sa mère,
V. H. rac., chap. XXXIV.

Regarde des choses confuses
Dans le profond ciel, plein d'oiseaux (1).
(C. R. B., I, vi, 20, 18 septembre 1859.)

Un docteur tout noir d'encre passe
Avec Cyllanire à son bras ;
Un bouc mène au bal une grâce...
(C. R. B., I, ii, 5, 5 octobre 1859.)

. . . .
Et le murmure des amantes
S'y mêle au babil des oiseaux.

Là vivent, dans les fleurs, des groupes
Épars, et parfois réunis,
Avec des chants au fond des coupes
Et le silence au fond des nids.

La grâce de cette ombre heureuse
Et de ce verdoyant coteau
Semble faite des pleurs de Greuze
Et du sourire de Watteau.

. . . .
Les vagues robes brillantées,
Les seins blancs et les jeunes voix
Des Phyllis et des Galatées
Conseillent le rire et les bois.
(Q. V. E., III, v, 1, 28 octobre 1859.)

Fils, je veux dans ce conte, où vont venir les fées,
Bâtir un temple avec des fleurs et des trophées,
Heurter les Arlequins contre les Amyntas...
(T. L., VII, xx [1859 ?].)

Les roses sont autant de molles Cythérées...
... L'herbe douce après la douce lutte
Devient un trône ; Horace y fait asseoir Chloé.
Ainsi qu'un vieux trumeau dépeint et décloué
L'idylle aujourd'hui pend au grand plafond céleste ;
Restaurons-la : suivons Galatée au pied leste ;
Et je serai Virgile, et vous serez Églé...
Nous sommes des bergers, Gnide est notre village.
(L. S., N. S., XVIII, Id. xix, 6 avril 1860.)

... Comme on était gai dans ce temps-là ! la jeunesse était un bouquet...
fût-on guerrier, on était berger ; et si, par hasard, on était capitaine de dragons, on trouvait moyen de s'appeler Florian. On tenait à être joli. On se
brodait, on s'empourprait... On était pimpant, lustré, moiré, mordoré, vol-
tigeant, mignon, coquet, ce qui n'empêchait pas d'avoir l'épée au côté...
C'était le temps des *Indes galantes.*
Oh ! si je faisais à ma fantaisie, ce serait galant. On entendrait des violons
dans les arbres. Voici mon programme : bleu de ciel et argent. Je mêlerais
à la fête les divinités agrestes, je convoquerais les dryades et les néréides.

(1) C'est, Hugo le dit, un tableau qui lui inspire ces vers :

Un tableau qui dans ma mansarde
Suspend Venise à quatre clous.

En effet, qu'il soit de Fragonard ou de Lancret, Hugo a *vu :* ainsi s'explique la
permanence du « prélat violet ». Cf. ci-dessus, l'*abbé violet* de *la Fête chez Thérèse*
(*C.*, I, xxii).

Les noces d'Amphitrite, une nuée rose, des nymphes bien coiffées et toutes nues, un académicien offrant des quatrains à la déesse, un char traîné par des monstres marins.

> Triton trottait devant, et tirait de sa conque
> Des sons si ravissants qu'il ravissait quiconque !
>
> (*Mis.*, V, v, 6, juin 1861.)

Ce n'avait pas été la fête bleue rêvée par le grand-père, une féerie avec une confusion de chérubins et de cupidons au-dessus de la tête des mariés, un mariage digne de faire un dessus de porte.

... Les masques abondaient sur le boulevard. Il avait beau pleuvoir par intervalles, Paillasse, Pantalon et Gille s'obstinaient... Paris s'était déguisé en Venise...

> (*Mis.*, V, vi, 1, juin 1861.)

> L'amour est fantôme en ce lieu ;
> Ce doux revenant s'y promène ;
> Parabère y charma Chaulieu ;
> Alceste y gronda Célimène.
>
> Le baiser rit dans ce jardin ;
> Et ce bois et cette colline,
> Ayant vu le vertugadin,
> Reconnaissent la crinoline.
>
> Ayons une alcôve à trumeaux,
> Ayons un lit à bergerade ;
> Hier et demain sont jumeaux,
> Jadis est notre camarade.
>
> (*C. R. B.*, *R.*, 346, 17 septembre 1861.) (1)

> Le jardin était plein de bonne compagnie.
> Thérèse dans un coin, avec quelque ironie,
> Tenait sa cour, menant du bout de l'éventail
> Des ducs, des financiers, des prélats, son bétail ;
> Les terrasses étaient tout en charmille, et mainte
> Rhadamire y jasait avec quelque Aramynthe ;
> Dans l'ombre d'un antre un vieux faune courbé
> Faisait du bel esprit avec un jeune abbé ;...
> Les grottes rayonnaient, et, dans le clair-obscur,
> On voyait les bras nus et les gorges de marbre
> Des déesses riant parmi les branches d'arbre,
> Pendant que des marquis en manteaux espagnols
> Leur lisaient des sonnets sifflés des rossignols.
>
> (*T. L.*, II, xxvii [1863 ?]) (2)

Toute la comédie italienne est un cauchemar qui éclate de rire. Cassandre, Trivelin, Tartaglia, Pantalon, Scaramouche, sont des bêtes vaguement incorporées à des hommes ; la guitare de Sganarelle est faite du même bois que la bière du Commandeur ; l'enfer se déguise en farce ; Polichinelle, c'est le vice deux fois difforme... ; le spectre blanc coud des manches à son suaire, et devient Pierrot ; le démon écaillé, à face noire, devient Arlequin ; l'âme, c'est Colombine.

... La Renaissance a donné à l'Europe pendant trois siècles la folie payenne. *Théagène et Chariclée* et les pastorales de Longus arborent une sorte de civilisation mythologique, galante et bergère. La Fontaine écrit :

> Depuis que la cour d'Amathonte
> S'est enfuie à Bois-le-Vicomte...

---

(1) *Vertugadin* et *Parabère*, double rencontre ou souvenir de Musset, *Sur trois marches de marbre rose*.
(2) Cette pièce est une évidente démarcation de *la Fête chez Thérèse*. Au sujet de la date et de l'inspiration, cf. note de l'extrait cité à *Parc*.

Apollon gardeur de moutons était le type auquel le cardinal de Richelieu s'efforçait de ressembler. En France, il y avait une sorte d'Olympe gaulois. Les dieux rencontraient les druides dans les oseraies fleuries du Lignon. On poussait la bergerie jusqu'à la bergerade. On n'était plus en France, mais en Arcadie. On écrivait le *Berger extravagant*. Ronsard, épris d'une femme de la cour, changeait Estrée en Astrée. Les tritons et les néréides, Rubens l'atteste, débarquaient Marie de Médicis... Le maréchal de Saxe à Chambord avait un régiment de uhlans exquis et fantasque... Le comte de Saxe passait la revue de ce régiment joujou, en grand costume de maréchal-général, et suivi d'une pleine gondole de déesses à peu près nues... Élisabeth d'Angleterre, avant eux, avait eu son Parnasse et son Olympe. Cette pédante était digne d'être payenne. Elle habillait ses femmes en dryades et ses valets de pied en satyres ; à Hampton-Court, elle faisait danser autour d'elle les Jeux et les Ris, qui étaient ses pages...

(*W. S., Prom. Somn., R.*, 305 [1863 ?].)

Parce que le sommeil des moineaux et des merles
Ne m'est pas à ce point sacré que dans ce bois
Je ne me glisse avec des joueurs de hautbois,
Et parce que j'ordonne à cinq ou six maroufles
De faire avec leurs chants, leurs gammes et leurs souffles,
Flotter un songe d'or sur de beaux yeux fermés !
. . . .
... Eh bien, je me masque, et j'entends,
A défaut du bonheur, fleur que nul ne transplante,
Lui faire une nuée amoureuse et galante.
Personnages du conte : Angélique et Médor.
Elle est Danaë. Soit. Moi, pluie et grêle d'or.
Elle est Héro, pensive, et moi je me ranime
A lui faire rêver un Léandre anonyme.

(*Q. V. E.*, II, II, *Esca*, II, sc. 2, 203, 1869.)

Les jardins d'aujourd'hui sont faits pour la musique,
J'aime les violons dans les bois, et l'écho
Des cors de chasse au fond des grottes rococo.

(*Q. V. E., ibid.*, II, 3, 213, 1869.)

Le soir, au fond du parc, ces dames, ô Virgile,
Sous les buissons, où glisse un bruit de taffetas,
Dans l'ombre, avec César qui devient Amyntas,
Font des églogues, presque aussi décolletées
Que tes Amaryllis et que tes Galatées (1).

(*A. F.*, LV, 9 décembre 1869, Hauteville House.)

Il fallait, pour conduire Alcandre à Cydalise,
Quelqu'un qui fût lettré, mais qui fût de l'Église.

(*T. L.*, I, XXIV [1874-1875 ?].)

(1) Le motif est, on le voit, détourné ici de sa pureté pour servir à la satire du régime fastueux de Napoléon III.

NOCTURNE BLEU (1)

.

Regarde. Plus de feux, plus de bruit. Tout se tait.
La lune tout à l'heure à l'horizon montait...

> (*H.*, a. V, sc. 3, 21 septembre 1829.)

Ils sentaient par degrés se mêler à leur âme,
A leurs discours secrets, à leurs regards de flamme,
A leur cœur, à leurs sens, à leur molle raison,
Le clair de lune bleu qui baignait l'horizon.

> (*C.*, I, XXII, 16 février 1840.)

    ... Prouvez que deux amants
Livraient leur âme aux fleurs, aux bois, aux lacs dormants,
Et qu'ils ont fait un pacte avec la lune sombre...
Et qu'ils allaient tous deux, dès que brillait Vénus,
Sur l'herbe que la brise agite par bouffées,
Danser au bleu sabbat de ces nocturnes fées,
Éperdus, possédés d'un adorable ennui,
Elle n'étant plus elle et lui n'étant plus lui!

> (*C.*, III, X, 5 mars 1855.)

Et voici qu'à travers la grande forêt brune
Qu'emplit la rêverie immense de la lune,
On entend frissonner et vibrer mollement,
Communiquant aux bois son doux frémissement,
La guitare des monts d'Inspruck, reconnaissable
Au grelot de son manche où sonne un grain de sable ;
Il s'y mêle la voix d'un homme, et ce frisson
Prend un sens et devient une vague chanson...

---

(1) On trouvera des clairs de lune de voyage dans *La Fantaisie*, t. I, IIᵉ P., 1ʳᵉ S., ch. III, *le Rêve*. Gris, rouges, même bleus, ils sont pittoresques ; ceux-ci seraient picturaux, c'est-à-dire comme vus et sentis à travers quelque Watteau. Seul, celui-ci, extrait d'un rêve, a cette suavité : « Au-dessous de la fenêtre s'étendait et se prolongeait, entre deux masses noires d'édifices, un large fleuve que le clair de lune faisait éclatant par endroit... Le ciel était d'un bleu tendre et d'une mollesse charmante. Un vent tiède agitait dans un coin des arbres à peine distincts. Le fleuve bruissait doucement. Tout cet ensemble avait je ne sais quelle sérénité inexprimable. » (*Ch. v.*, I, 75, 14 novembre 1842.)

LE TEMPS PERDU

La mélodie encor quelques instants se traîne
Sous les arbres bleuis par la lune sereine,
Puis tremble, puis expire, et la voix qui chantait
S'éteint comme un oiseau se pose ; tout se tait.

(*L. S., P. S.*, V, II, div. XI, 28 janvier 1859.)

ANNEXE II

CHINOISERIES

Autrefois, j'étais jeune...
J'adorais des magots chinois...
(*Oc.*, *Tas*, 545, s. d.)

Quel vase du Japon en mille éclats brisé?...
Les beaux insectes peints sur mes tasses de Saxe...
Mes gros chinois ventrus faits comme des concombres...
(*V. I.*, XXII, 23 avril 1837.)

Un vase à forme étrange en porcelaine bleue
Où brille, avec des paons ouvrant leur large queue,
Ce beau pays d'azur que rêvent les chinois.
(*R. O.*, IV, 24-29 juin 1839.)

Partout, autour de moi, sur maint vieux parchemin,
Sur le satin fleuri, sur les pots, sur les laques,
Vivent confusément les djinns, les brucolaques,
Les mandarins à l'air vénérable et sournois,
Les dragons, les magots, et ces démons chinois
Fort laids, mais pétillants de malice et de flamme.
(*T. L.*, V, IX [1849-1851?].)

Vierge du pays du thé,
Dans ton beau rêve enchanté,
Le ciel est une cité
Dont la Chine est la banlieue.

Dans notre Paris obscur,
Tu cherches, fille au front pur,
Tes jardins d'or et d'azur
Où le paon ouvre sa queue ;

Et tu souris à nos cieux ;
A ton âge un nain joyeux
Sur la faïence des yeux
Peint l'innocence, fleur bleue.
(*T. L.*, VII, IV, 1er décembre 1851.)

Et la jeune dormeuse, entr'ouvrant son œil noir,
Fraîche, et ses coudes blancs sortis hors du peignoir,
Cherche de son pied nu sa pantoufle chinoise.

(*Ch.*, IV, x, 28 avril 1853, Jersey.)

Le maréchal de Saxe à Chambord avait un régiment de uhlans exquis et fantasque ; habits couleur limace, culottes vertes, bottes hongroises, turbans à crinières, piques à banderoles, avec une compagnie colonelle de nègres vêtus de blanc sur des chevaux blancs,... et en tête une musique chinoise...

(*W. S., Prom. Somn., R.* 306 [1863 ?].)

Un vase, flanqué d'un masque,
En faïence de Courtrai,
Vieille floraison fantasque
Où j'ai mis un rosier vrai.

(*C. R. B.*, I, iv, 8, 24 juillet 1865.)

O ciel ! toute la Chine est par terre en morceaux !
Ce vase, pâle et doux comme un reflet des eaux,
Couvert d'oiseaux, de fleurs, de fruits, et des mensonges
De ce vague idéal qui sort du bleu des songes,
Ce vase unique, étrange, impossible, engourdi,
Gardant sur lui le clair de lune en plein midi,
Qui paraissait vivant, où luisait une flamme...
Des bœufs d'or y broutaient des prés de porcelaine...
Voici l'yak ; voici le singe quadrumane ;
Ceci c'est un docteur peut-être, ou bien un âne ;
Il dit la messe, à moins qu'il ne dise hi-han ;
Ça, c'est un mandarin qu'on nomme aussi kohan ;
Il faut qu'il soit savant, puisqu'il a ce gros ventre...

(*A. G. P.*, VI, viii, 4 avril [1871-1872 ?].)

PAN

LE COTÉ DE LA NATURE

(*Suite.*)

... Et quelles sont les chaînes?
Les rayons, les parfums, les soupirs, les chansons,
Et l'entrelacement des fleurs dans les buissons.
(*T. L.*, VI, L [1876-1878 ?].)

LE LIVRE DE LA NATURE

Cette image n'est pas neuve : elle est chez Voltaire (1), on la **trouve** au xviie siècle, et déjà dans la Bible. Mais Hugo en a fait un tel **usage** qu'il s'est acquis presque un droit sur elle.

Elle touche à l'occultisme, et cette origine n'est pas étrangère **à la** prédilection que le poète montre pour cette expression et à la valeur **qu'il** lui donne entre 1830 et 1840 (2). Après 1850, elle se nourrit d'une intimité avec la nature, d'une connaissance de sa richesse, qu'elle est **chargée** de résumer. Elle tourne ainsi à l'allusion, et même à la formule. Le **poète** tire un chèque sur son crédit, et c'est parfois un chèque sans **provision.** Alors, elle est prête à servir de thème aux variations gratuites des *Chansons des rues et des bois,* et, sans être de la fantaisie à proprement parler, **elle** y donne lieu.

C'est pourquoi sa place, au seuil de cette Seconde Partie, signifie **la** part de la nature dans la formation du poète Hugo, et, par surcroît, de sa fantaisie.

> O champs! ô feuillages!
> Monde fraternel!
> Clocher des villages
> Humble et solennel! etc.
>
> N'êtes-vous qu'un livre,
> Sans fin ni milieu,
> Où chacun pour vivre
> Cherche à lire un peu!
> Phrase si profonde
> Qu'en vain on la sonde!
> L'œil y voit un monde,
> L'âme y trouve Dieu!
>
> Beau livre qu'achèvent
> Les cœurs ingénus,
> Où les penseurs rêvent
> Des sens inconnus,
> Où ceux que Dieu charge

---

(1) « ... Le grand livre que Dieu a mis sous nos yeux. » (*Zadig*, chap. III.)
(2) Cf. l'extrait de *N. D. P.* cité dans la note 1 ci-dessous.

D'un front vaste et large
Écrivent en marge :
Nous sommes venus!

Saint livre où la voile, etc...
Saint livre où l'étoile, etc...

Livre salutaire, etc...

(*C. C.*, XX, décembre 1834.)

Tout verbe est déchiffré. Notre esprit éperdu,
Chaque jour, en lisant dans le livre des choses,
Découvre à l'univers un sens inattendu.

(*V. I.*, I, 15 avril 1837.)

Le ciel bleu, le printemps, la sereine nature,
Ce livre des oiseaux et des bohémiens.

(*V. I.*, XXII, 23 avril 1837.)

(*Sous un schéma de la Grande-Ourse dessiné avec des taches d'encre.*)
Vois, mon enfant, comme Dieu est grand, et comme nous sommes petits :
où nous mettons des taches d'encre, il pose des soleils. C'est avec ces lettres-là
qu'il écrit. Le ciel est son livre. Je bénirai Dieu si tu sais toujours y lire,
ma Didine. Et je l'espère.

(*Corresp.*, t. I, 554, Etaples, 3 septembre 1837.)

Une figure vénérable que ce prêtre! il avait l'œil fixé sur son livre, et moi,
je regardais la campagne. Il lisait dans son bréviaire, et moi dans le mien.

(*V.*, II, 130, Montreuil-sur-Mer, 5 septembre 1837.)

Nous irions tous un jour, dans l'espace vermeil,
Lire l'œuvre infinie et l'éternel poëme,
Vers à vers, soleil à soleil!

(*C.*, III, III, 30 avril 1839.)

Laisse-nous cet enfant! nous lui ferons un cœur
Qui comprendra la femme ; un esprit non moqueur,
Où naîtront aisément le songe et la chimère,
Qui prendra Dieu pour livre et les champs pour grammaire...
Épelez dans le ciel plein de lettres de feu...
Lisez au même livre en vous touchant du front...

(*R. O.*, XIX, 31 mai 1839.)

(*Sur le Rigi...*)
Le penseur y trouve un livre immense où chaque rocher est une lettre,
où chaque lac est une phrase, où chaque village est un accent...

(*V.*, II, 199, Berne, 17 septembre 1839.)

Je regarde, chapiteau par chapiteau, les arbres, ces piliers de la grande
cathédrale mystérieuse ; et, plongé dans la lecture de la nature, comme les
vieux puritains dans la méditation de la bible, je cherche Dieu (1).

(1) L'image du livre interfère avec celle de la cathédrale, qui est aussi un livre :
cf. le portail de la cathédrale de Cologne : « ... sous les voussures une foule d'exquises
statuettes assises, anges et saints qui lisent dans un grand livre ouvert sur leurs
genoux ou qui parlent et prêchent, le doigt levé. Ainsi les uns étudient, les autres
enseignent. Admirable prologue pour une église, qui n'est autre chose que le Verbe
fait marbre, bronze et pierre ! » (*Rh.*, X, p. 84, Cologne, août 1840.) Cf. déjà *Notre-
Dame de Paris*, V, II, 143 : « ... L'architecture est le grand livre de l'humanité...
L'architecture commença comme toute écriture. Elle fut d'abord alphabet. On
plantait une pierre debout, et c'était une lettre, et chaque lettre était un hiéroglyphe...
Plus tard on fit des mots. On accoupla des syllabes de granit, le verbe essaya quelques
combinaisons... Enfin on fit des livres... Tout édifice est livre... la bible de pierre.
Il faut relire le passé sur ces pages de marbre. Il faut admirer et refeuilleter sans
cesse le livre écrit par l'architecture. »

Ami, chacun a son livre, et, voyez-vous, dans l'évangile comme dans le paysage, la même main a écrit les mêmes choses.

(Rh., XXVIII, 312, Heidelberg, octobre 1840.)

J'irai lire la grande bible...

(C., VI, II, 24 juillet 1854.)

Voici pourquoi. Tout jeune encor, tâchant de lire
Dans le livre effrayant des forêts et des eaux...

(C., I, v, 14 octobre 1854.)

Marquis, je m'échappais et j'apprenais à lire
Dans cet hiéroglyphe énorme : l'univers.
Oui, j'aillais feuilleter les champs tout grands ouverts ;
Tout enfant, j'essayais d'épeler cette bible...
Livre écrit dans l'azur, sur l'onde et le chemin,
Avec la fleur, le vent, l'étoile ; et qu'en sa main
Tient la création au regard de statue...

(C., V, III, 4, 12 novembre 1854.)

Nature ! âme, ombre, vie ! ô figure voilée !...
Texte écrit dans la nue ainsi que dans les marbres !
Bible faite de flots, de montagnes et d'arbres,
    De nuit sombre et d'azur serein !

(T. L., II, xv [1854-1855 ?].)

Je lisais. Que lisais-je ? Oh ! le vieux livre austère,
Le poëme éternel ! — La Bible ? — Non, la terre.
Platon, tous les matins, quand revit le ciel bleu,
Lisait les vers d'Homère, et moi les fleurs de Dieu.
J'épèle les buissons, les brins d'herbe, les sources
Et je n'ai pas besoin d'emporter dans mes courses
Mon livre sous mon bras, car je l'ai sous mes pieds.
Je m'en vais devant moi dans les lieux non frayés,
Et j'étudie à fond le texte, et je me penche,
Cherchant à déchiffrer la corolle et la branche...

(C., III, VIII, 24 janvier 1855.)

Le vent lit à quelqu'un d'invisible un passage
Du poëme inouï de la création.

(C., I, IV, 19 mars 1855.)

Son effrayant doigt invisible
Écrit sous leur crâne la bible
Des arbres, des monts et des eaux.

(C., VI, XXIII, 24 avril 1855.)

O nature, alphabet des grandes lettres d'ombre !

(C., I, XIII, 31 mai 1855.)

Le grave laboureur fait ses sillons et règle
Le page où s'écrira le poëme des blés...

(C., VI, x, 4 juillet 1855.)

       Les yeux levés là-haut
Sans relâche, durant mes nuits exténuées,
Je regarde ce livre énorme de nuées,
De ténèbres, d'éclairs, d'astres aux pâles fronts,

Et je dis : — C'est en vain que nous le déchiffrons.
Dieu, qu'as-tu donc écrit dans cette obscure Bible ?
Et qu'as-tu griffonné dans ton ciel illisible ?

            (*Oc.*, LXXXI [1855-1858 ?].)

Comment t'y prendrais-tu, dans ton abjection,
Pour feuilleter la vie et la création ?
La pagination de l'infini t'échappe.
A chaque instant, lacune, embûche, chausse-trape,
Ratures, sens perdu, doute, feuillet manquant...

            (*A.*, II, 317, 1858-1859.)

    La religion naturelle
    M'ouvre son livre où Job lisait,
    Où luit l'astre, où la sauterelle
    Saute de verset en verset.

    . . . .
    Je récite mon bréviaire
    Dans les champs...

            (*C. R. B.*, II, IV, 4, 8 juin 1859.)

      J'étais jadis à l'école
      Chez ce pédant, le Passé.
      J'ai rompu cette bricole ;
      J'épelle un autre ABC.

      Mon livre, ô fils de Lutèce,
      C'est la nature, alphabet
      Où le lys n'est point altesse,
      Où l'arbre n'est point gibet.

            (*C. R. B.*, I, VI, 17, 11 août [1859 ?].)

J'épelle aussi moi ; je me penche
Sur l'immense livre joyeux.
O champs, quel vers que la pervenche !
Quelle strophe que l'aigle, ô cieux !

            (*C. R. B.*, II, II, 4, 23 octobre 1859.)

      Et l'unique livre, le ciel,
      Est par l'aube doré sur tranche.

            (*A. G. P.*, I, VIII [1859-1865 ?].)

Elle ouvre un livre obscur sous les rameaux épais.

            (*L. S.*, *N. S.*, I, *La Terre*, 12 août 1873.)

Le babil des marmots est ma bibliothèque ;
J'ouvre chacun des mots qu'ils disent, comme on prend
Un livre, et j'y découvre un sens profond et grand,
Sévère quelquefois...

            (*A. G. P.*, XV, VII, 22 août 1875.)

La nature se sent en train de travailler,
Bégaie un idéal dans ses noirs dialogues,
Fait des strophes qui sont les chênes, des églogues
Qui sont les amandiers et les lilas en fleur,
Et se laisse railler par le merle siffleur ;
Il lui vient à l'esprit des nouveautés superbes ;
Elle mêle la folle avoine aux grandes herbes ;
Son poëme est la plaine où paissent les troupeaux...
Et l'inspiration des ronces, c'est la rose.

            (*D. G.*, VII, 21 janvier 1877.)

I

FLORÉAL
OU
LA SONATE DU PRINTEMPS

« *VERE NOVO* »

C'est encore à Virgile que Victor Hugo emprunte ce fragment d'un vers (1) pour désigner le thème du printemps sur ses manuscrits avant de donner un titre définitif aux poèmes qui s'en inspirent. Il l'a même conservé pour l'une de ses *Contemplations* (I, XII).

En effet, des élégiaques latins (2), en passant par les poètes de la Renaissance, jusqu'aux romantiques et bien au delà, le renouveau de la nature au printemps est un sujet d'émerveillement toujours si neuf et si accessible au moindre d'entre nous, un thème si familier et chaque fois si nouveau de la tradition poétique, qu'on souhaiterait des mains d'enchanteur pour en écrire. Peintres, poètes et musiciens ont traité ce thème en variant seulement la combinaison des mêmes motifs (3). Hugo, autant et plus que quiconque, a vivement senti cette allégresse minérale, végétale, animale, une certaine qualité subtile et douce de l'air, le pépiement perpétuel des oiseaux prêts à s'apparier, une langueur sourde de la vie qui se presse autour de nous, toute cette Pâque intense après le silence mortel de l'hiver, au point qu'il paraît, comme une force de la nature qu'il est, en avoir été saisonnièrement bouleversé et ne s'être jamais rassasié d'y faire écho.

Nul thème ne l'a aussi prodigalement inspiré. Le premier exemple cité est de 1828, le dernier de 1878 ; chaque année ou presque apporte ses prémices, et il s'en faut que nous ayons tout épuisé. Abordé à l'imi-

(1) Début du v. 43, *Géorgiques*, I. Mais on pense aux *Odes* d'Horace.
(2) Voir R. SCHILLING, *Les Printemps romains*, Paris, la Colombe, 1946.
(3) Seul peut-être un Mallarmé, plus sensible à la langueur qu'à la joie, est oppressé, non délivré, par la venue du printemps qui le condamne plus que jamais à une trouble impuissance. Cf. *Renouveau*.

tation sans doute d'un Ronsard, d'un Baïf, dont l'*Avril* sert d'épigraphe
à *Pluie d'été*, le thème s'écarte peu à peu, chez Hugo, du modèle court
et gracieux pour se charger entre 1836 et 1850 d'expériences de voyage,
des palpitations de la vie sous toutes ses formes — vie souterraine et
immédiatement superficielle surtout ; puis par un retour direct à Horace
et Virgile, il est balayé aux alentours de 1850-1856 d'un grand souffle
tendre et tiède d'amour mythologique, où s'épanouissent avec une joie
naïve toutes les mignardises des oiseaux et des fleurs ; cette fantaisie,
peut-être lassante à force de répétition, vient couper encore par saisons
en 1859 et 1865 la résonance profonde qu'il prend bientôt et en particulier, après 1860, sur le plan cosmique, pour se figer après 1871-72 en
un tardif *carmen amoris* où les Margots jouent souvent le rôle des Gly-
cères.

C'est un immense répertoire de motifs qui est donc assemblé là pêle-
mêle et qui se détaillera par la suite. Par moment, la différence semblera
mince du pur lyrisme à la fantaisie, mais qu'on y prête attention, et l'on
ne tardera pas à déceler tel ou tel détail où paraisse une animation déré-
glée de la nature qui, pour reprendre l'expression saisissante d'un de ces
vere novo, « frissonne à la bouche de Pan (1) ».

> Des boutons d'or qu'avril étale
> Dépouiller le riche gazon...
>
> (*F. A.*, XXV, 12 septembre 1828.)

> Vois, cette branche est rude, elle est noire, et la nue
> Verse la pluie à flots sur son écorce nue ;
> Mais attends que l'hiver s'en aille, et tu vas voir
> Une feuille percer ces nœuds si durs pour elle...
> C'est qu'il faut l'arbre au vent et la feuille au zéphire ;
> C'est qu'après le malheur m'est venu ton sourire ;
> C'est que c'était l'hiver et que c'est le printemps !
>
> (*F. A.*, XXVI, 7 mai 1829.)

> La vallée est comme un beau rêve.
> La brume écarte son rideau.
> Partout la nature s'éveille ;
> La fleur s'ouvre, rose et vermeille ;
> La brise y suspend une abeille,
> La rosée une goutte d'eau !
>
> (*F. A.*, XXXIV, 8 juillet 1831.)

> ... mon beau printemps...
> . . . .
> Alors, prés verts, ciels bleus, eaux vives,
> Dans les riantes perspectives
> Mes regards flottaient égarés !

---

(1) Il y a de l'enchantement, presque de la magie, au fond de l'impression qui
fonde ce thème. Entre autres innombrables *vere novo* de romanciers et de poètes,
j'en relèverais volontiers un, très hugolien en ce sens et surtout très naturel,
d'Henri Bosco (*Le Jardin d'Hyacinthe*, Paris, Gallimard, 1946, pp. 204-205) où un
printemps magique est précisément l'œuvre d'un enchanteur et surgit au cœur d'une
forêt, en plein été, en présence de la jeune fille Hyacinthe. Hugo, je ne suis pas
loin de le penser, a pu, dans ses « contemplations » prolongées de la nature, s'y croire
et peut-être devenir un mage, une manière de médium poétique. J'en vois pour preuve
son goût pour les hauts lieux, ses escalades solitaires vers une nature toujours plus
fruste, qui s'apprivoise à son contact, et les résultats de ces expériences poétiques
(Cf. *la Fantaisie de Victor Hugo*, t. I, p. 187 sq.).

. . . .
Et roses par avril fardées,
Nuits d'été de lune inondées...

(*C. C.*, XXVI, *A Mlle J.*, 1ᵉʳ mars 1835.)

Puisqu'avril donne aux chênes
Un bruit charmant...

Puisque l'air à la branche
Donne l'oiseau ;
Que l'aube à la pervenche
Donne un peu d'eau ;

Puisque, lorsqu'elle arrive
S'y reposer,
L'onde amère à la rive
Donne un baiser...

(*V. I.*, XI, 19 mai 1836.)

Qu'avril renouvelle
Le jardin en fleur !
La fleur la plus belle
Fleurit dans ton cœur.

(*R. B.*, II, 1, *Chanson*, 1838.)

. . . .
Voici le printemps, mars, avril au doux sourire,
Mai fleuri, juin brûlant, tous les beaux mois amis ;
Les peupliers, au bord des fleuves endormis,
Se courbent mollement comme de grandes palmes ;
L'oiseau palpite au fond des bois tièdes et calmes ;
Il semble que tout rit, et que les arbres verts
Sont joyeux d'être ensemble et se disent des vers.
Le jour naît couronné d'une aube fraîche et tendre,
Le soir est plein d'amour, la nuit, on croit entendre,
A travers l'ombre immense et sous le ciel béni,
Quelque chose d'heureux chanter dans l'infini.

(*T. L.*, II, xxvi [1836-1838 ?].)

Tout est lumière, tout est joie.
L'araignée au pied diligent
Attache aux tulipes de soie
Ses rondes dentelles d'argent.

La frissonnante libellule
Mire les globes de ses yeux
Dans l'étang splendide où pullule
Tout un monde mystérieux !

La rose semble, rajeunie,
S'accoupler au bouton vermeil ;
L'oiseau chante plein d'harmonie
Dans les rameaux pleins de soleil, etc...

(*R. O.*, XVII, *Spectacle rassurant*, 1ᵉʳ juin 1839.)

En floréal, cet énorme buisson, libre derrière sa grille et dans ses quatre
murs, entrait en rut dans le sourd travail de la germination universelle, tressaillait au soleil levant presque comme une bête qui aspire les effluves de
l'amour cosmique et qui sent la sève d'avril monter et bouillonner dans ses
veines, et, secouant au vent sa prodigieuse chevelure verte, semait sur la
terre humide, sur les statues frustes, sur le perron croulant du pavillon et

jusque sur le pavé de la rue déserte, les fleurs en étoiles, la rosée en perles, la fécondité, la beauté, la vie, la joie, les parfums. A midi mille papillons blancs s'y réfugiaient, et c'était un spectacle divin de voir là tourbillonner en flocons dans l'ombre cette neige vivante de l'été. Là, dans ces gaies ténèbres de la verdure, une foule de voix innocentes parlaient doucement à l'âme, et ce que les gazouillements avaient oublié de dire, les bourdonnements le complétaient. Le soir une vapeur de rêverie se dégageait du jardin et l'enveloppait ; un linceul de brume, une tristesse céleste et calme, le couvraient ; l'odeur si enivrante des chèvrefeuilles et des liserons en sortait de toute part comme un poison exquis et subtil ; on entendait les derniers appels des grimpereaux et des bergeronnettes s'assoupissant sous les branchages ; on y sentait cette intimité sacrée de l'oiseau et de l'arbre ; le jour les ailes réjouissent les feuilles, la nuit les feuilles protègent les ailes (1).

(Mis., IV, III, 3, Foliis ac frondibus, 1847.)

Un rayon de soleil ! une bête à bon Dieu !
Oh oui, je te comprends, printemps, tu m'insinues
Que c'est le mois des fleurs, des bois, des gorges nues,
Des billets doux ornés d'un cœur d'où sort du feu...

(D. G., XIX [1852 ?].)

Même pour le proscrit, avril veut bien renaître.
Tandis que les oiseaux, chantant leurs joyeux chants,
Les fleurs et le soleil jouaient sous ma fenêtre
          Ensemble dans les champs ;

Tandis que, remplissant d'amour la créature,
L'espace de rayons, de parfums le ravin,
Le beau printemps faisait de toute la nature
          Un sourire divin ;

Tandis que tout riait, filles à la fontaine,
Chevriers sur la route et qu'au ciel l'aquilon
Courait après la nue, et l'enfant dans la plaine
          Après le papillon...

(Ch., R., 342, 4 avril 1853.)

Au retour des beaux jours, dans ce vert Floréal...
Quand les nids font l'amour, quand le pommier se poudre
Pour le printemps ainsi qu'un marquis pour le bal,...
Moi, je crie : ô soleil ! salut ! parmi les fleurs
J'entends les gais pinsons et les merles siffleurs ;
L'arbre chante ; j'accours ; ô printemps ! on vit double ;
Gallus entraîne au bois Lycoris qui se trouble ;
Tout rayonne ; et le ciel, couvrant l'homme enchanté,
N'est plus qu'un grand regard plein de sérénité !
Alors l'herbe m'invite et le pré me convie ;
Alors j'absous le sort, je pardonne à la vie,
Et je dis : pourquoi faire autre chose qu'aimer ?

(Ch., VI, XIV, Floréal, 28 mai 1853.)

Nous étions, elle et moi, dans cet avril charmant
De l'amour qui commence en éblouissement...
Parfois, près d'une source, on s'asseyait un peu.
Que de fois j'ai montré sa gorge aux branches d'arbre !...
Puis nous nous en allions rêveurs. Il me semblait,
En regardant autour de nous les pâquerettes,
Les boutons d'or joyeux, les pervenches secrètes,

---

(1) Ce vere novo a le caractère sacré et cosmique de ceux des années 1860 (v. Mis., T. M., L. S.). En 1847, il fait tache. Il est possible qu'en dépit de la date indiquée par l'éd. I. N. pour la première rédaction, ce passage soit une addition ?

Et les frais liserons d'une eau pure arrosés,
Que ces petites fleurs étaient tous les baisers
Tombés dans le trajet de ma bouche à ta bouche...

(T. L., VI, LVIII, 3 avril, Jersey [1853-1854?].)

L'étang n'exhale plus le souffle de la tombe.
La forêt, qui frissonne à la bouche de Pan,
S'emplit de fleurs ; le lac rit dans les monts ; le paon
Traîne la gerbe d'yeux qui frémit sur sa queue (1)...

(T. L., III, LXI, 10 février 1854.)

C'est le printemps qui vient, ce frère de l'aurore ;
C'est la saison qui rit, sœur de l'heure qui dore ;
C'est l'instant où verdit le sillon nourricier,
Où, sonore et gonflé des fontes du glacier,
L'Arveyron bleu s'accouple au flot jaune de l'Arve...
L'azur est dans le ciel, l'amour est dans les nids ;
L'amour trouble les yeux de vierge des gazelles ;
Oiseaux, mêlez vos chants ; âmes, mêlez vos ailes (2).

(Th. Lib., F. M., II, mai 1854.)

Voici juin. Le moineau raille
Dans les champs les amoureux ;
Le rossignol de muraille
Chante dans son nid pierreux.

Les herbes et les branchages,
Pleins de soupirs et d'abois,
Font de charmants rabâchages
Dans la profondeur des bois.

La grive et la tourterelle
Prolongent, dans les nids sourds,
La ravissante querelle
Des baisers et des amours, etc... (3).

(C., I, XIV, 10 octobre 1854.)

Comme le matin rit sur les roses en pleurs !
Oh ! les charmants petits amoureux qu'ont les fleurs !
Ce n'est dans les jasmins, ce n'est dans les pervenches
Qu'un éblouissement de folles ailes blanches...
O printemps ! quand on songe à toutes les missives...
Qu'on reçoit en avril et qu'en mai l'on déchire, etc...

(C., I, XII, Vere Novo, 14 octobre 1854.)

---

(1) C'est un *vere novo* philosophique : cette vision édenique est l'image de la libération de la terre par la pensée de l'homme.
(2) A quoi il faut ajouter la note pour la mise en scène qui constitue peut-être le *vere novo* le plus analytique et le plus précis qui soit :
« Au signal donné par le moineau (*Dehors, tous!*), un mouvement extraordinaire agite la forêt. Il semble que tout s'éveille et se mette à vivre. Les choses deviennent des êtres. Les fleurs prennent des airs de femmes. On dirait que les esprits des plantes sortent la tête de dessous les feuilles et se mettent à jaser. Tout parle, tout murmure, tout chuchote. Des querelles çà et là. Toutes les tiges se penchent pêle-mêle les unes vers les autres. Le vent va et vient. Les oiseaux, les papillons, les mouches vont et viennent. Les vers de terre se dressent hors de leurs trous comme en proie à un rut mystérieux. Les parfums et les rayons se baisent. Le soleil fait dans les massifs d'arbres tous les verts possibles. Pendant toute la scène, les mousses, les plantes, les oiseaux, les mouches se mêlent en groupes qui se décomposent et se recomposent sans cesse. Dans des coins, des fleurs font leur toilette, les joyeuses s'ajustant des colliers de gouttes de rosée, les mélancoliques faisant briller au soleil leur larme de pluie. L'eau de l'étang imite les frémissements d'une gaze d'argent. Les nids font de petits cris. Pour le voyant, c'est un immense tumulte ; pour l'homme, c'est une paix immense. »
(3) Le poème tout entier est un *vere novo*.

Oui, je suis le rêveur ; je suis le camarade
Des petites fleurs d'or du mur qui se dégrade,
Et l'interlocuteur des arbres et du vent.
Tout cela me connaît, voyez-vous. J'ai souvent,
En mai, quand de parfums les branches sont gonflées,
Des conversations avec les giroflées, etc...

(*C.*, I, xxvii, 15 octobre 1854.)

Le vallon où je vais tous les jours est charmant,
Serein, abandonné, seul sous le firmament...
Là, l'ombre fait l'amour ; l'idylle naturelle
Rit ; le bouvreuil avec le verdier s'y querelle,
Et la fauvette y met de travers son bonnet...

(*C.*, V, xxiii, La Corbière, 17 décembre 1854.)

Oh! reviens! printemps! fanfare
Des parfums et des couleurs!
Toute la plaine s'effare
Dans une émeute de fleurs.

La prairie est une fête ;
L'âme aspire l'air, le jour,
L'aube, et sent qu'elle en est faite ;
L'azur se mêle à l'amour.

On croit voir, tant avril dore
Tout de son reflet riant,
Éclore au rosier l'aurore
Et la rose à l'orient.

(*Q. V. E.*, III, xii, 5, 15 janvier 1855.)

Le firmament est plein de la vaste clarté ;
Tout est joie, innocence, espoir, bonheur, bonté.
Le beau lac brille au fond du vallon qui le mure ;
Le champ sera fécond, la vigne sera mûre ;
Tout regorge de sève et de vie et de bruit,
De rameaux verts, d'azur frissonnant, d'eau qui luit,
Et de petits oiseaux qui se cherchent querelle.
Qu'a donc le papillon? qu'a donc la sauterelle?
La sauterelle a l'herbe, et le papillon l'air ;
Et tous deux ont avril, qui rit dans le ciel clair.
Un refrain joyeux sort de la nature entière ;
Chanson qui doucement monte et devient prière.
Le poussin court, l'enfant joue et danse, l'agneau
Saute et, laissant tomber goutte à goutte son eau,
Le vieux antre, attendri, pleure comme un visage...
L'oiseau parle au parfum ; la fleur parle au rayon ;
Les pins sur les étangs dressent leur verte ombrelle ;
Les nids ont chaud ; l'azur trouve la terre belle, etc...

(*C.*, I, iv, 19 mars 1855.)

Tout conjugue le verbe aimer. Voici les roses.
Je ne suis pas en train de parler d'autres choses ;
Premier mai! l'amour gai, triste, brûlant, jaloux,
Fait soupirer les bois, les nids, les fleurs, les loups ;
L'arbre où j'ai, l'autre automne, écrit une devise,
La redit pour son compte, et croit qu'il improvise ;
Les vieux antres pensifs, dont rit le geai moqueur,
Clignent leurs gros sourcils et font la bouche en cœur ;
L'atmosphère, embaumée et tendre, semble pleine
Des déclarations qu'au Printemps fait la plaine, etc...

(*C.*, II, i, 29 mars 1855.)

Tout revit, ma bien-aimée!
Le ciel gris perd sa pâleur;
Quand la terre est embaumée
Le cœur de l'homme est meilleur.

. . . .
La branche au soleil se dore
Et penche, pour l'abriter,
Ses boutons qui vont éclore
Sur l'oiseau qui va chanter.

. . . .
On entend rire, on voit luire
Tous les êtres tour à tour,
La nuit, les astres bruire,
Et les abeilles, le jour...

(C., II, xxiii, Après l'hiver, 18 juin 1855.)

L'Océan resplendit sous sa vaste nuée.
L'onde, de son combat sans fin exténuée,
S'assoupit, et, laissant l'écueil se reposer,
Fait de toute la rive un immense baiser...
Le moineau d'un coup d'aile, ainsi qu'un fol esprit,
Vient taquiner le flot monstrueux qui sourit;
L'air joue avec la mouche et l'écume avec l'aigle;
Le grave laboureur fait ses sillons et règle
La page où s'écrira le poëme des blés;
Des pêcheurs sont là-bas sous un pampre attablés (1)...

(C., VI, x, 4 juillet 1855.)

Jadis c'était le temps du beau printemps divin;
Silène était dans l'antre et ronflait plein de vin;
Mai frissonnait d'aurore, et des flûtes magiques
Se répondaient dans l'ombre au fond des géorgiques;
L'eau courait, l'air jouait; de son râle étranglé
La couleuvre amoureuse épouvantait Eglé...

(T. L., II, ix, 29 mai 1856.)

Or voici poindre avril. Les bons petits oiseaux
Font un charivari tout joyeux dans mon arbre;
La montagne a moins froid à ses vieux pieds de marbre;
La nature, par moi prise en flagrant délit,
S'éveille, bâille, met le nez hors de son lit,
Suit des yeux la nuée aux folles aventures,
Et, tout en s'étirant, rit sous ses couvertures.

(Oc., XXXIV [1856?].)

La vaste genèse est tournée
Vers son but : renaître à jamais.
Tout vibre; on sent de l'hyménée
Et de l'amour sur les sommets...

. . . .
Le printemps est une revanche.
Ce bois sait à quel point les thyms,
Les joncs, les saules, la pervenche,
Et l'églantier sont libertins, etc...

(C. R. B., I, ii, 7, 11 juillet 1859.)

---

(1) Oasis de fantaisie dans le lyrisme philosophique de ce poème.

L'abeille errait, l'aube était large,
L'oiseau jetait de petis cris,
Les moucherons sonnaient la charge
A l'assaut des rosiers fleuris.

C'était charmant. Adieu ces fêtes,
Adieu la joie, adieu l'été!
Adieu le tumulte des têtes
Dans le rire et dans la clarté!

(T. L., VI, xvi, 4 novembre [1859?].)

Tout est nouveau, tout est debout;
L'adolescence est dans les plaines;
La beauté du diable, partout,
Rayonne et se mire aux fontaines.

L'arbre est coquet; parmi les fleurs
C'est à qui sera la plus belle;
Toutes étalent leurs couleurs,
Et les plus laides ont du zèle, etc... (1).

(A. G. P., I, viii [1859-1865?].)

Le printemps est un tendre et farouche mystère;
On sent flotter dans l'air la faute involontaire
Qui se pose, au doux bruit du vent et du ruisseau,
Dans les âmes ainsi que dans les bois l'oiseau.
Sève! hymen! le printemps vient, et prend la nature
Par surprise, et, divin, apporte l'aventure
De l'amour aux forêts, aux fleurs, aux cœurs. Aimez.

(L. S., N. S., XVIII, Id. xi, 6 avril 1860.) (2)

La jeune année arrive avec l'aurore au front,
Remet le temps à neuf, court d'un pas leste et prompt,
Lave le ciel, sourit à la terre engourdie,
Et commence gaîment, par une mélodie,
Le printemps...
Avril s'appelle Amour et juin s'appelle Hymen,
Le fruit suivra la fleur. Faisons des nids, fauvettes!...
J'erre; un vent tiède émeut les bois, je vois les scènes
Que font les pauvres fleurs aux papillons obscènes;
Le lys vers le bourdon se penche, et, l'écoutant,
A l'air de s'écrier : Ah! vous m'en direz tant!
L'ombre a le tremblement sonore d'une tente
Et cache les amours; la nature est contente;
Et la fécondité fermente, etc...

(L. S., D. S., XIII, l'Amour, III [1860?].) (3)

Le soleil était charmant; les branches avaient ce doux frémissement de mai qui semble venir des nids plus encore que du vent. Un brave petit oiseau, probablement amoureux, vocalisait éperdument dans un grand arbre.

(Mis., II, I, I, Hougomont (Mont Saint-Jean), mai 1861.)

Brillez, cieux. Vis, nature. O printemps, fais des roses.
Rayonnez, papillons, dans les métamorphoses.
Que le matin est pur!

---

(1) Toute la pièce, intulée *Floréal*, est un vaste *vere novo*.
(2) Cette idylle, intitulée *Longus*, provient d'un manuscrit unique dont le titre est précisément *Vere Novo-Printemps*. Le reste est devenu l'idylle *Chaulieu*.
(3) C'est, comme on devait s'y attendre dans ce recueil, un *vere novo* épique, de nuance sacrée et d'ampleur cosmique.

Et comme les chansons des oiseaux sont charmantes,
Au-dessus des amants, au-dessus des amantes,
        Dans le profond azur!
                    (*L. S.*, *N. S.*, XI, 31 décembre 1862.)

J'appelle ça l'été. C'est superbe. Les branches
Sont joyeuses, — je t'aime, — et que de choses blanches!
Les lys, les papillons, les colombes! Le ciel
N'endosse pas son bleu de Prusse officiel,
Il s'humanise, il a de très jolis nuages.
On devine dans l'ombre un tas de mariages,
De l'abeille et du thym, de l'herbe et du rayon... (1).
                    (*Th. Lib.*, *G. M.*, sc. 3, 1865.)

Vie, sève, chaleur, effluves, débordaient; on sentait sous la création l'énormité de la source; dans tous ces souffles pénétrés d'amour, dans ce va-et-vient de réverbérations et de reflets, dans cette prodigieuse dépense de rayons, dans ce versement indéfini d'or fluide, on sentait la prodigalité de l'inépuisable; et, derrière cette splendeur comme derrière un rideau de flamme, on entrevoyait Dieu, ce millionnaire d'étoiles.

... Toute l'harmonie de la saison s'accomplissait dans un gracieux ensemble; les entrées et les sorties du printemps avaient lieu dans l'ordre voulu; les lilas finissaient, les jasmins commençaient; quelques fleurs étaient attardées, quelques insectes en avance; l'avant-garde des papillons rouges de juin fraternisait avec l'arrière-garde des papillons blancs de mai. Les platanes faisaient peau neuve. La brise creusait des ondulations dans l'énormité magnifique des marronniers. C'était splendide. Un vétéran de la caserne voisine qui regardait à travers la grille disait : Voilà le printemps au port d'armes et en grande tenue.
                    (*Mis.*, V, 1, 16, 58, 1861-1862.)

... Dans les vallons, dans les gorges, dans les plis abrités, dans les entre-deux d'escarpements, ruisseaux, oiseaux, nids, feuillages, enchantements, flores extraordinaires. Au-dessus de l'effrayante arche de l'Arveyron, au milieu de la Mer de Glace, ce paradis appelé le Jardin, l'avez-vous vu? Quel épisode! un chaud soleil, une ombre tiède et fraîche, une vague exsudation de parfums sur les pelouses, on ne sait quel mois de mai perpétuel blotti dans les précipices. Rien n'est plus tendre et plus exquis. Tels sont les poètes; telles sont les Alpes. Ces grands vieux monts horribles sont de merveilleux faiseurs de roses et de violettes; ils se servent de l'aube et de la rosée, mieux que toutes vos prairies et que toutes vos collines, dont c'est l'état pourtant; l'avril de la plaine est plat et vulgaire à côté du leur, et ils ont, ces vieillards immenses, dans leur recoin le plus farouche, un charmant petit printemps à eux, bien connu des abeilles.
                    (*W. S.*, II, III, 6, 149, 1863-1864.)

Or, nous sommes au mois d'avril, et mon gazon,
Mon jardin, les jardins d'à côté, l'horizon,
Tout, du ciel à la terre, est plein de cette joie
Qui dans la fleur embaume et dans l'astre flamboie;
Les ajoncs sont en fête, et dorent les ravins
Où les abeilles font des murmures divins;
Penché sur les cressons, le myosotis goûte
A la source, tombant dans les fleurs goutte à goutte;

___

(1) Bien qu'Emma « appelle ça l'été », ce passage n'en constitue pas moins un *vere novo*, où été et printemps sont synonymes de saison de soleil. Un peu plus loin, dans la même scène, elle ajoute :

        Et l'on a sur le front je ne sais quoi de doux,
        L'air, *le printemps*, le ciel, l'amour profond des choses,
        Des bénédictions faites avec les roses.

Le brin d'herbe est heureux ; l'âcre hiver se dissout (1) ;
La nature paraît contente d'avoir tout,
Parfums, chansons, rayons, et d'être hospitalière.
L'espace aime.

(*A. G. P.*, X, VI, 27 avril 1864.)

Il y avait là des pointes de branches perpétuellement mouillées par l'écume. Au printemps c'était plein de fleurs, de nids, de parfums, d'oiseaux, de papillons et d'abeilles.

(*T. M.*, III, III, 1, 431, 1864-1865.)

Cette matinée avait on ne sait quoi de nuptial. C'était un de ces jours printaniers où mai se dépense tout entier ; la création semble n'avoir d'autre but que de se donner une fête et de faire son bonheur. Sous toutes les rumeurs, de la forêt comme du village, de la vague comme de l'atmosphère, il y avait un roucoulement. Les premiers papillons se posaient sur les premières roses. Tout était neuf dans la nature, les herbes, les mousses, les feuilles, les parfums, les rayons. Il semblait que le soleil n'eût jamais servi. Les cailloux étaient lavés de frais. La profonde chanson des arbre était chantée par des oiseaux nés d'hier... C'était un doux parlage de tous à la fois, huppes, mésanges, piquebois, chardonnerets, bouvreuils, moines et miss. Les lilas, les muguets, les daphnés, les glycines faisaient dans les fourrés un bariolage exquis... Quelques nuées lascives s'entrepoursuivaient dans l'azur avec des ondoiements de nymphes. On croyait sentir passer des baisers que s'envoyaient des bouches invisibles. Pas un vieux mur qui n'eût, comme un marié, son bouquet de giroflées... Le printemps jetait tout son argent et tout son or dans l'immense panier percé des bois... La grande harmonie diffuse s'épanouissait. Ce qui commence à poindre provoquait ce qui commence à sourdre. Un trouble, qui venait d'en bas, et qui venait aussi d'en haut, remuait vaguement les cœurs, corruptibles à l'influence éparse et souterraine des germes. La fleur promettait obscurément le fruit, toute vierge songeait, la reproduction des êtres, préméditée par l'immense âme de l'ombre, s'ébauchait dans l'irradiation des choses. On se fiançait partout... ; à travers les haies, dans les enclos, on voyait rire les enfants. Quelques-uns jouaient aux mérelles... Des bêtes toutes dorées couraient entre les pierres... La nature, perméable au printemps, était moite de volupté (2).

(*T. M.*, III, III, 5, 447, 1864-1865.)

Ici les passereaux pillaient le sénevé,
Et les petits oiseaux se cherchaient des querelles ;
Les lueurs de ce bois étaient surnaturelles...
O l'ineffable aurore où volaient des colombes !...
Mille éblouissements émerveillaient ses yeux.
Printemps ! en ce jardin abondaient les pervenches,
Les roses, et des tas de pâquerettes blanches
Qui toutes semblaient rire au soleil se chauffant,
Et lui-même était fleur, puisqu'il était enfant.

(*A. T., Janvier*, VI, 1871.)

Tout rayonne, tout luit, tout aime, tout est doux ;
Les oiseaux semblent d'air et de lumière fous ;
L'âme dans l'infini croit voir un grand sourire...
Pouvez-vous m'amoindrir les grands flots haletants,
L'océan, la joyeuse écume, le printemps
Jetant les parfums comme un prodigue en démence,

---

(1) Est-il besoin de souligner que cet hémistiche est traduit d'Horace : *Solvitur acris hiems.*

(2) Toute cette page, dans laquelle nous avons pratiqué de larges coupures, est un immense *vere novo*, où se sont donné rendez-vous à la fois tous les motifs de la fantaisie hugolienne et ses conceptions philosophiques et panthéistiques : l'amour sacré anime la nature entière.

Et m'ôter un rayon de ce soleil immense?...
Quand, au-dessus de moi, dans l'arbre, un querelleur,
Un mâle, cherche noise à sa douce femelle...
Mon gazon est étroit, et, tout près de la mer...
J'entends dans le jardin les petits enfants rire (1).

(A. G. P., I, x, Printemps, 12 avril [1870?].)

De quoi parlait le vent? De quoi tremblaient les branches?
Était-ce, en ce doux mois des nids et des pervenches,
Parce que les oiseaux couraient dans les glaïeuls,
Ou parce qu'elle et moi nous étions là tout seuls?...
Que la mousse est épaisse au fond des antres frais!...
Une source disait des choses sous un saule;
Je n'avais encor vu qu'un peu de son épaule,
Je ne sais plus comment et je ne sais plus où;
Oh! le profond printemps, comme cela rend fou!
L'audace des moineaux sous les feuilles obscures,
Les papillons, l'abeille en quête, les piqûres...
Le printemps laisse faire, il permet, rien ne bouge.

(T. L., VI, XL, 3 avril 1874.)

O beaux jours! le printemps auprès de moi s'empresse;
Tout verdit; la forêt est une enchanteresse;
L'horizon change, ainsi qu'un décor d'opéra;
Appelez ce doux mois du nom qu'il vous plaira,
C'est mai, c'est floréal; c'est l'hyménée auguste
De la chose tremblante et de la chose juste,
Du nid et de l'azur, du brin d'herbe et du ciel;
C'est l'heure où tout se sent vaguement éternel; etc... (2).

(A. G. P., X, III, 31 mai 1874.)

Il fait beau; l'air est pur; le ciel est d'un bleu tendre;
A bas l'hiver. Géronte, adieu; bonjour, Clitandre.
Je ne me le fais pas dire deux fois, l'été
Nous appelle, et l'idylle est mise en liberté;
Ah! je profiterai, certes, de l'ouverture
Des portes, puisque avril nous livre la nature,
Et puisque le printemps nous invite à venir
Entendre les chevaux de l'aurore hennir...
Les papillons feront tout ce qui leur plaira,
Les nids échangeront tout bas et sous les branches
De libres questions et des réponses franches, etc...

(T. L., II, XXIX, 8 mai [1872-1874?].)

Il n'est qu'un dieu, l'amour; avril est son prophète;
Je me supposerai convive de la fête
Que le pinson chanteur donne au pluvier doré...
Car l'âme du poëte est une vagabonde,
Dans les ravins où mai plein de roses abonde,
Là les papillons blancs et les papillons bleus...
Vont et viennent, croisant leurs essors, joyeux, lestes...
Là jasent les oiseaux, se cherchant, s'évitant;

---

(1) Le *vere novo* est ici altéré par la nuance satirique de son utilisation : « ... à quoi bon proscrire? Proscrivez-vous l'été? »
(2) Le sentiment qui domine ici est, comme dans le fragment cité ci-dessus des *Travailleurs de la mer*, le sens sacré des noces universelles : ce qui donne, la fantaisie en moins, dans le ton épique, le vers de *Booz endormi* :

L'ombre était nuptiale, auguste et solennelle.

Là Margot vient quand c'est Glycère qu'on attend...
O jeunesse! ô seins nus des femmes dans les bois!
Oh! quelle vaste idylle et que de sombres voix!
Comme tout le hallier, plein d'invisibles mondes,
Rit dans le clair-obscur des églogues profondes!...

> (*T. L.*, VI, XVIII, 1840, *Mai*, 6 mai [1874-1875?].)

Le vent me semble avec les branches familier,
Le papillon souhaite un calice et le trouve,
La rose est nue, et l'herbe est tendre, et le lys prouve
Qu'on montre sa blancheur sans perdre sa vertu,
Et les petits oiseaux tout bas se disent tu...
      ... Le printemps est un épithalame ;
La feuille est un rideau, la source est un soupir ;
Cupidon vient dans l'herbe agreste se tapir, etc... (1).

> (*T. L.*, VI, LV [1874-1875?].)

Printemps. Mai le décrète, et c'est officiel.
L'amour, cet enfer bleu très ressemblant au ciel,
Emplit l'azur, les champs, les prés, les fleurs, les herbes ;
Dans les hautes forêts lascives et superbes
L'innocente nature épanouit son cœur, etc... (2).

> (*T. L.*, VI, XVIII, 1820, 10 avril 1875.)

      ... Aimons. Le printemps est divin ;
Nous nous sentons troublés par les fleurs du ravin,
Par l'indulgent avril, par les nids peu moroses,
Par l'offre de la mousse et le parfum des roses,
Et par l'obscurité des sentiers dans les bois...

> (*L. S.*, *N. S.*, XVIII, Id. IV, 1er février 1877.)

La nature n'est qu'une alcôve ; et c'est Vénus
Dont on distingue au fond de l'ombre les seins nus ;
Janvier part, floréal accourt ; le dialogue
De l'hiver qui bougonne avec la vive églogue
Tourne en querelle, et l'air est plein d'un vague chant...
O profondeur sauvage et fraîche du printemps!
On entend alterner des flûtes sous les chênes.
Quel est le maître? Éros. Et quelles sont les chaînes?
Les rayons, les parfums, les soupirs, les chansons,
Et l'entrelacement des fleurs dans les buissons...
Belle, vois cette idylle immense, l'horizon...
Belle, ayons pour affaire unique l'arrivée
Du premier souffle tiède échauffant la couvée
L'éclosion du lys des étangs, les rameaux
Où le nid et le vent jasent à demi-mots,
La pénétration du soleil dans les feuilles,
Le clair-obscur des eaux, le bouquet que tu cueilles,
Le parfum qui te plaît, la clarté que tu vois,
L'herbe et l'ombre, et l'amour, mélodie à deux voix.
Ici, Pan cherche Astrée et Faune guette Flore...
— Oui, l'aube au fond des bois ébauche un frais sourire,

---

(1) Ce *vere novo* est particulièrement marqué d'érotisme ; cet échantillon permet déjà de s'en rendre compte : rose, c'est la chair nue qui s'offre sur l'herbe ; blanc, c'est la chasteté. Les moindres détails trouvent dans l'imagination ardente du poète une interprétation sexuelle. Le reste de la pièce est dans le même ton.

(2) L'épisode 1820 de *Toute la vie d'un cœur* est tout entier un *vere novo*. La suite monte la gamme des unions du papillon avec le bouton à l'idylle du gouffre et de la mer « dans le chuchotement auguste du baiser ». Pour que rien n'y manque, « les doux fichus s'envolent vaguement ».

Le doux avril accourt avec un bruit de lyre ;
Les oiseaux sur qui rien ne pèse sont contents ;
Oui, ce qui doit emplir nos cœurs, c'est le printemps,
C'est l'idylle, c'est Flore et Maïa, c'est Astrée,
C'est l'éden ; c'est aussi la tristesse sacrée.

                    (*T. L.*, VI, L [1876-1878?]) (1).

Je suis par le printemps vaguement attendri.
Avril est un enfant, frêle, charmant, fleuri ;
Je sens devant l'enfance et devant le zéphyre
Je ne sais quel besoin de pleurer et de rire...
Jeanne, George, accourez, puisque voilà des fleurs.
Accourez, la forêt chante, l'azur se dore,
Vous n'avez pas le droit d'être absents de l'aurore...
O printemps ! bois sacrés ! ciel profondément bleu !
On sent un souffle d'air vivant qui vous pénètre,
Et l'ouverture au loin d'une blanche fenêtre ;
On mêle sa pensée au clair-obscur des eaux ;
On a le doux bonheur d'être avec les oiseaux,
Et de voir, sous l'abri des branches printanières,
Ces messieurs faire avec ces dames des manières.

                    (*T. L.*, V, XLIX, 26 juin 1878) (2).

---

(1) Vaste *vere novo* attribué d'après l'écriture aux années 1876-1878. Il date sûrement d'après 1870, car la réponse à l'invitation du printemps se nuance en refus, marqué de la « tristesse sacrée » :

            Je songe au noir clocher de Strasbourg asservi.

Il est peut-être, pour cette raison, plutôt de 1870-72.
(2) *Vere novo* du grand-père ragaillardi par le printemps et dont la pensée se tourne enfin vers ses petits-enfants.

CINQ GRANDES VARIATIONS
SUR
LE THÈME « VERE NOVO »

Soit *vere novo* vu du « côté des hommes », c'est-à-dire sous l'angle d'Éros. C'est le printemps interprété à travers les réactions sur l'homme de ce temps des accouplements et des gentillesses. Mais, là encore, il y a des nuances et les points de vue peuvent se déplacer légèrement par rapport à l'objet.

I. — *Conseils de la nature.*

Comme la nature est un « livre » et le jardin un « maître », la « grande muette » offre ses leçons à qui veut les entendre : conseils d'une vague sagesse sceptique d'abord, transmis selon l'humeur par un buisson bourru ou quelque oiseau railleur, qui se précisent autour de 1854 en exhortations à l'amour, et même à l'érotisme.

II. — *Conspiration amoureuse de la nature.*

La différence est subtile sans doute, mais elle existe. Peut-être est-elle seulement stylistique ? Dans la variation I, la nature prend la parole, elle est *conseillère*. Dans cette variation II, elle n'est que *complice*. C'est moins, et c'est beaucoup plus. Il se dégage de son spectacle un exemple irrésistible, une véritable contagion de l'amour. On est pris à sa « glu ». Plus d'une fois certes, le poète aura l'impression que « l'ombre était nuptiale » et pour un dessein moins divin :

On sent flotter dans l'air la faute involontaire.

C'est dire presque un effet de magie :

Et le dernier sorcier qu'on brûle, c'est l'Amour!

III. — « *Viens, le printemps rit* » ou « *la clef des champs* ».

Là encore, nuance de style, qui traduit un léger déplacement du point de vue. C'est l'appel de l'amant : « Viens, le printemps rit » (*V. I.*, VIII), scandé par l'immuable impératif. C'est l'invitation à prendre « la clef des champs », selon le conseil formulé par l'abeille dans *la Forêt mouillée* (scène II) ; la prière pressante de s'évader à deux dans la campagne qui convie ; une « invitation au voyage » — le poème de Baudelaire parut dans la *Revue des Deux Mondes* le 1ᵉʳ juin 1855 — mais à un voyage moins ambitieux et à un rêve plus précis.

IV. — *Couplet des amants.*

Ce couplet, qui tourne parfois au duo, est une réplique de la précédente variation, mais confiée cette fois à l'amante. Il développe une impression de bonheur, mais sans ordre, d'une manière très féminine, non préconçue, toute à l'instant, que le poète s'est plu à parodier délicatement. D'où le sautillement de sensations, de remarque en remarque, dans le style familier d'une conversation à peine ébauchée, semé d'impératifs et d'exclamations (« Ecoute », « Oh ! dis »), d'affirmations vagues (« C'est superbe », « C'est charmant »), spirituel, parfois mièvre ou mignard, qui doit certainement quelque chose à l'esprit pétulant de Juliette, tel qu'il apparaît dans ses lettres.

V. — *Libertinage de la nature.*

C'est Éros de la nature, les amours, presque le rut de la nature. Aussi cette variation n'apparaît guère avant 1853-54. C'est un peu, dira-t-on, la *Conspiration*, mais sans témoin humain et pour le seul plaisir et exercice de la nature. Variation débridée, impudente, impudique, hantée de visions érotiques ; la nature est une « alcôve » qui cache à peine « le libertinage énorme du bon Dieu ». L'excès explique cette distinction.

VARIATION I

CONSEILS DE LA NATURE

Que les cœurs où Dieu met des échos sérieux
Pour tous les bruits qu'anime un sens mystérieux
Dans un cri, dans un son, dans un vague murmure,
Entendent les conseils de toute la nature!

(*R. O.*, XIX, 31 mai 1839.)

Et les bois et les champs, du sage seul compris,
Font l'éducation de tous les grands esprits!

(*R. O.*, XIX, 31 mai 1839.)

DENARIUS

            O rose diaphane...

Je t'aime!

LA ROSE

      Il faut aimer une fille joufflue

Mon cher.

(*Th. Lib., F. M.*, III, mai 1854.)

(*La coccinelle...*)
« Fils, apprends comme on me nomme »,
Dit l'insecte du ciel bleu,
« Les bêtes sont au bon Dieu ;
« Mais la bêtise est à l'homme. »

(*C.*, I, xv, 10 octobre 1854.)

Un houx noir qui songeait près d'une tombe, un sage,
M'arrêta brusquement par la manche au passage,
Et me dit : — Ces oiseaux sont dans leur fonction.
Laisse-les. Nous avons besoin de ce rayon...

(*C.*, I, xviii, 14 octobre 1854.)

Un jour que je songeais seul au milieu des branches,
Un bouvreuil qui faisait le feuilleton du bois
M'a dit : « Il faut marcher à terre quelquefois.
« La nature est un peu moqueuse autour des hommes... »

(*C.*, I, v, 14 octobre 1854.)

Je reçois des conseils du lierre et du bleuet.
L'être mystérieux, que vous croyez muet,
Sur moi se penche, et vient avec ma plume écrire (1).

(C., I, xxvii, 15 octobre 1854.)

Dieu prend par la main l'homme enfant, et le convie
A la classe qu'au fond des champs, au sein des bois,
Il fait dans l'ombre à tous les êtres à la fois...
J'y vivais ; j'écoutais comme des témoignages,
L'oiseau, le lys, l'eau vive et la nuit qui tombait.

(C., V, iii, 4, 12 novembre 1854.)

Je fus interrompu dans cette rêverie ;
Un doux martinet noir avec un ventre blanc
Me parlait ; il disait : — O pauvre homme, tremblant
Entre le doute morne et la foi qui délivre,
Je t'approuve. Il est bon de lire dans ce livre (2).

(C., III, viii, 24 janvier 1855.)

... Je pris un baiser peut-être ;
Un vieux frêne soupira ;
La république des bêtes
Chantait, moineaux et fauvettes,
Sur nos têtes,
Ça ira !

(T. L., VII, xii, 8 février 1855.)

Un oiseau bleu volait dans l'air, et me parla ;
Et comment voulez-vous que j'échappe à cela ?

(C., III, x, 5 mars 1855.)

O libres oiseaux, fiers, charmants, purs, sans ennuis,
Vous dites à l'aurore, aux fleurs, à l'astre, aux nuits :
— Est-ce qu'on ne peut pas aimer quand on est homme ?

(L. S., D. S., XIII, 1 [juin 1855 ?].)

Et le liseron insinue
Ce que conseille le moineau.

(C. R. B., I, ii, 7, 11 juillet 1859.)

Un pinson vint sur mon palier,
M'examina, hocha la tête,
Et dit : « Si j'étais écolier,
« Je ne serais pas une bête.

« Je serais joyeux, point songeur ;
« Je regarderais Jeanne éclore ;
« Et j'aimerais mieux la rougeur
« D'une fille que de l'aurore. »

(C. R. B., R., 340, 17 septembre [1859 ?].)

(1) Pour cette attitude bienveillante et au propre « condescendante » de la nature,
cf. C, I, xxv, 2 juillet 1853 :

Le soleil...
Se penchait sur la terre...

et C., I, xv, 10 octobre 1854 :

Les fauvettes pour nous voir
Se penchaient dans le feuillage.

(2) Le livre de la nature. Cf. sous cette rubrique, extrait de la même pièce.

« Voilà six mille ans que les roses
Conseillent, en se prodiguant,
L'amour aux cœurs les plus moroses.
Avril est un vieil intrigant. »

(*C. R. B.*, I, iv, 7, 27 septembre [1859 ?].)

Toutes les fleurs sont un langage
Qui nous recommande l'amour,
Qui nous berce, et qui nous engage
A mettre dans nos cœurs le jour.

(*Q. V. E.*, III, v, 1, 28 octobre [1859 ?].)

Que dit l'essaim ébloui ?
Oui! Oui! Oui!
Les collines, les fontaines,
Les bourgeons verts, les fruits mûrs,
Les azurs
Pleins de visions lointaines...

(*F. S.*, III, 1, 3, Sur la Tour Victoria à Bruxelles,
11-15 avril 1860.)

Donnez l'exemple, oiseaux! les vierges aux yeux doux
Vous regardent, ayant des ailes comme vous.

(*L. S., D. S.*, XIII, iii [1860 ?].)

Allons sous la charmille où l'églantier fleurit,
Dans l'ombre où sont les grands chuchotements des chênes.
Les douces libertés avec les douces chaînes,
Et beaucoup de réel dans un peu d'idéal,
Voilà ce que conseille en riant floréal.

(*L. S., N. S.*, XVIII, Id, xxi, 17 mai [1860 ?].)

(*Le merle...*)
Il faut que je le consulte
Sur ma conquête d'hier.
Et je criai : « Merle adulte,
Sais-tu pourquoi je suis fier ? »

Il dit, gardant sa posture,
Semblable au diable boiteux :
« C'est pour la même aventure
Dont Gros-Guillaume est honteux. »

(*C. R. B.*, I, iv, 8, 24 juillet 1865.)

Le tremblement sacré des branches dans l'aurore
Conseille aux cœurs d'aimer, conseille aux nids d'éclore.

(*L. S., N. S.*, XVIII, Id. x, 30 janvier 1877.)

Belle, vois cette idylle immense, l'horizon ;
Vois la fougère et l'herbe et ses bancs de gazon ;
Crois-tu que de cette ombre et de ce paysage
Il sorte le conseil insensé d'être sage...
De refuser d'entrer dans l'amour, douce école ?...

(*T. L.*, VI, l [1876-1878 ?].)

VARIATION II

CONSPIRATION AMOUREUSE DE LA NATURE

Tandis que tout me disait : J'aime!...
J'entendais, ravissant murmure,
Le chant de toute la nature
Dans le tumulte de mes sens.
(*C. C.*, XXVI, 1er mars 1835.)

Les êtres sont poussés au péché par les choses;
Oh! la douce saison que la saison des roses!
(*D. G.*, XIX [1852?].)

LE MOINEAU
L'amour pince déjà ce bélitre hagard.
Achevons-le. Donnons ce cuistre à Balminette.

LE CAILLOU DU SENTIER
Elle a le pied petit et la jambe bien faite.

LE MYOSOTIS, *à un ruisseau*
C'est dit. Incendions ce grand dadais transi.

LE RUISSEAU, *à Balminette...*
Allons! relève donc ta jupe.

OSCAR, *au fond.*
Par ici!

MADAME ANTIOCHE, *apercevant Denarius.*
Prends garde, Balminette, on voit ta jarretière!

BALMINETTE
Qu'est-ce que ça me fait?

DENARIUS
C'est Vénus tout entière!...
J'aime!

LE MOINEAU
Enfin! c'est heureux! Nous eûmes de la peine!

LE CAILLOU, *au ruisseau.*
Sans nous, si nous n'avions fait retrousser Goton,
Ce Jocrisse risquait de devenir Platon.
(*Th. Lib.*, *F. M.*, IV, 14 mai 1854.)

Le diable est fin, mais nous sommes bien sots.
Elle s'assit sous de charmants berceaux
Près d'un ruisseau qui dans l'herbe s'épanche ;
Et vous chantiez dans votre gaîté franche,
          Petits oiseaux.

Et nous cueillions ensemble la pervenche...
          (*T. L.*, VI, xx, 20 septembre 1854.)

Est-ce que je sais, moi ? C'était au temps des roses ;
Les arbres se disaient tout bas de douces choses ;
Les ruisseaux l'ont voulu, les fleurs l'ont comploté.
J'aime !...
Demandez le secret de ce doux maléfice
Aux vents, au frais printemps chassant l'hiver hagard...
Demandez aux sentiers traîtres qui, dans les bois,
Vous font recommencer les mêmes pas cent fois,
A la branche de mai, cette Armide qui guette,
Et fait tourner sur nous en cercle sa baguette !...
Dressez procès-verbal contre les pâquerettes
Qui laissent les bourdons froisser leurs collerettes ;
Instrumentez ; tonnez. Prouvez que deux amants
Livraient leur âme aux fleurs, aux bois, aux lacs dormants,
Et qu'ils ont fait un pacte avec la lune sombre...
Et qu'ils allaient tous deux, dès que brillait Vénus,
Sur l'herbe que la brise agite par bouffées,
Danser au bleu sabbat de ces nocturnes fées...
Et le dernier sorcier qu'on brûle, c'est l'Amour !
          (*C.*, III, x, 5 mars 1855.)

Tout conjugue le verbe aimer. Voici les roses.
Je ne suis pas en train de parler d'autres choses ;
Premier mai ! l'amour gai, triste, brûlant, jaloux,
Fait soupirer les bois, les nids, les fleurs, les loups...
L'atmosphère, embaumée et tendre, semble pleine
Des déclarations qu'au Printemps fait la plaine,
Et que l'herbe amoureuse adresse au ciel charmant, etc...
          (*C.*, II, i, 29 mars 1855.)

Et partout nos regards lisent,
Et, dans l'herbe et dans les nids,
De petites voix nous disent :
« Les aimants sont les bénis ! »
          (*C.*, II, xxiii, 18 juin 1855.)

Et l'aube où Dieu se montre, et l'astre où Dieu se nomme,
La nuit qui fait tomber ses soupirs les plus doux
Du nid des rossignols dans le trou des hiboux,
Les fleurs dont les parfums dans les rayons se fondent,
Et les herbes, les eaux, les pierres vous répondent,
D'une si douce voix qu'on ne peut l'exprimer :
— O bons petits oiseaux, tout est fait pour aimer !
          (*L. S., D. S.*, XIII, I [juin 1855 ?].)

L'onde, de son combat sans fin exténuée,
S'assoupit, et, laissant l'écueil se reposer,
Fait de toute la rive un immense baiser.
On dirait qu'en tous lieux, en même temps la vie
Dissout le mal, le deuil, l'hiver, la nuit, l'envie,
Et que le mort couché dit au vivant debout :
Aime ! et qu'une âme obscure, épanouie en tout,

Avance doucement sa bouche vers nos lèvres...
Le moineau d'un coup d'aile, ainsi qu'un fol esprit,
Vient taquiner le flot monstrueux qui sourit... (1).

(*C.*, VI, x, 4 juillet 1855.)

« Ce ne sera point ma faute
Si les forêts et les monts,
En nous voyant côte à côte,
Ne murmurent pas : « Aimons! »

(*L. S., P. S.*, V, II, 11, 28 janvier 1859.)

Tu ne veux pas aimer, méchante?
Le printemps en est triste, vois;
Entends-tu ce que l'oiseau chante
Dans la sombre douceur des bois?

(*C. R. B.*, I, vi, 5, 30 mai 1859.)

Prenez garde à ce lieu fantasque!...
Le démon dans ces bois repose...
L'hymne est tendre; et l'esprit de corps
Des fauvettes et des linottes
Éclate en ces profonds accords...
Les roses disent des folies,
Et les chardonnerets en font.

. . . .

La branche cède, l'herbe plie;
L'oiseau rit du prix Montyon;
Toute la nature est remplie
De rappels à la question.

(*C. R. B.*, I, II, 7, 11 juillet 1859.)

« L'oiseau gazouille, l'agneau bêle,
Gloire à ce rivage écarté!
Lavandière, vous êtes belle.
Votre rire est de la clarté.

« Je suis capable de faiblesses.
O lavandière, quel beau jour!
Les fauvettes sont des drôlesses
Qui chantent des chansons d'amour.

« Voilà six mille ans que les roses
Conseillent, en se prodiguant... »

(*C. R. B.*, I, iv, 7, 27 septembre [1859?].)

On sent flotter dans l'air la faute involontaire
Qui se pose, au doux bruit du vent et du ruisseau,
Dans les âmes ainsi que dans les bois l'oiseau.

(*L. S., N. S.*, XVIII, Id. xi, 6 avril [1860?].)

Fête aux champs. Il s'agit de ne pas s'ennuyer...
Puisque les prés sont verts, puisque le ciel est bleu,
Aimons...

(*L. S., N. S.*, XVIII, Id. xxi, 17 mai [1860?].)

---

(1) Ce poème est l'un des derniers qui aient été écrits pour les *Contemplations*. Aussi le thème de l'amour universel s'y exprime-t-il sur le ton épique et philosophique, à peine égayé par quelques traits de fantaisie à la fin : le moineau, la mouche, etc. Il est significatif que le conseil d'aimer, exprimé vaguement par la nature, et encore par ses éléments les plus austères — la mer — soit formulé d'outre-tombe : « le mort couché ».

Nous sommes acceptés là-haut par les espaces,
Et, tu dis vrai, les champs, les halliers noirs, les monts
Sont de notre parti, puisque nous nous aimons...
Le chêne, en te voyant, frémit, ce pauvre vieux ;
La source offre son eau, la ronce offre ses mûres,
Et les ruisseaux, les prés, les parfums, les murmures,
Semblent n'avoir pour but que d'être autour de toi.
Emma, tu vas et viens, tu me parles, sans quoi
Je mourrais. Avec nous l'ombre est de connivence.

(Th. Lib., G. M., sc. 3, 1865.)

Les fleurs prendront des airs penchés dans les ravines ;
Lalagé se mettra des roses sur le front,
Et rira ; les rayons des deux sexes pourront
Se mêler ; le gazon sera sans pruderie ;
Les bois murmureront : Ici l'on se marie ;...

(T. L., II, xxix, 8 mai [1872-1874 ?].)

Mais je suis indulgent plus que lui (1) ; le ciel bleu,
Diable ! et le doux printemps, tout cela trouble un peu ;
Et les petits oiseaux, quel détestable exemple !
Le jeune mois de mai, c'est toujours le vieux temple
Où, doucement raillés par les merles siffleurs,
Les gens qui s'aiment vont s'adorer dans les fleurs.

(T. L., II, iii, 1874.)

Le vent me semble avec les branches familier...
Et les petits oiseaux tout bas se disent tu.
Faisons comme eux. Veux-tu ?...

(T. L., VI, lv [1874-1875 ?].)

Mais aujourd'hui je t'aime et tu m'aimes ; l'aurore
Emplit les champs, emplit les cieux, emplit nos cœurs...
Vais-je donc étonner ces prés, ces bois, ces eaux,
Par un homme ayant moins d'esprit que les oiseaux ?
C'est pour le jeune amour que les forêts sont faites.
Belle, ne me rends pas ridicule aux fauvettes...
Veux-tu fâcher les fleurs par nos façons moroses ?
Veux-tu nous mettre mal avec toutes ces roses ?... etc...

(T. L., VI, l [1876-1878 ?].)

L'aurore et le printemps sont en coquetterie ;
Les moineaux dans les bois font des choses entre eux
Qui changent deux enfants dans l'ombre en amoureux.

(I S., D. S., XIII, ii, 25 juin 1878.)

Ne te figure pas, ma belle,
Que les bois soient pleins d'innocents.
La feuille s'émeut comme l'aile (2)
Dans les noirs taillis frémissants ;

L'innocence que tu supposes
Aux chers petits oiseaux bénis
N'empêche pas les douces choses
Que Dieu veut et que font les nids.

(1) Le curé, qui gourmande les amoureux.
(2) Cf. *T. L.*, VII, xxiii, 16, cité plus loin :

Les feuilles sont sœurs des ailes...

Les imiter serait mon rêve...

Toutes les mauvaises pensées,
Les oiseaux les ont, je les ai,
Et par les forêts insensées
Notre cœur n'est point apaisé.

(T. L., VI, lx, 2 juin [1878-1880?].)

Les nids ont l'arbre pour complice ;
L'amour prend les cœurs à sa glu ;
Il faut bien que tout s'accomplisse
Comme le bon Dieu l'a voulu.

Les feuilles sont les sœurs des ailes ;
Un bosquet c'est une cloison ;
Les bois sont complaisants aux belles,
Et je trouve qu'ils ont raison.

(T. L., VII, xxiii, 16, 9 octobre [1878-1880?].)

VARIATION III

« *VIENS, LE PRINTEMPS RIT...* »
OU
« *LA CLEF DES CHAMPS* »

> Ce bijou rayonnant nommé la clef des champs.
> (*R. B.*, II, 1, 371.)

Viens! on dirait, Madeleine,
Que le printemps, dont l'haleine
Donne aux roses leurs couleurs...
(*B.*, IX, 14 septembre 1825.)

Que la soirée est fraîche et douce!
Oh! viens! il a plu ce matin ;
Les humides tapis de mousse
Verdissent tes pieds de satin... (1).
. . . .
Viens errer dans la plaine humide.
A cette heure nous serons seuls.
Mets sur mon bras ton bras timide ;
Viens, nous prendrons par les tilleuls...
(*O.*, V, XXIV, 7 juin 1828.)

Viens, respire avec moi l'air embaumé de rose!
(*H.*, a. V, sc. 3, 24-29 septembre 1829.)

Puisque mai tout en fleurs dans les prés nous réclame,
Viens! ne te lasse pas de mêler à ton âme
La campagne, les bois, les ombrages charmants...
(*C. C.*, XXXI, 21 mai 1835.)

---

(1) Cf. un peu dans le même ton, moins caractérisé :

Quand il sort pour rêver, et qu'il erre incertain,
Soit dans les prés lustrés, au gazon de satin,
Soit dans un bois qu'emplit cette chanson sonore
Que le petit oiseau chante à la jeune aurore...
(*F. A.*, XXXVI, novembre 1831.)

Venez. Le printemps rit, l'ombre est sur le chemin,
L'air est tiède, et là-bas, dans les forêts prochaines,
La mousse épaisse et verte abonde au pied des chênes.
(*V. I.*, VIII, 21 avril 1837.)

Viens, j'ai des fruits d'or, j'ai des roses,
J'en remplirai tes petits bras ;
Je te dirai de douces choses,
Et peut-être tu souriras ! »
(*V. I.*, V, éd. février 1839.)

Aimons ! prions ! Les bois sont verts,
L'été resplendit sur la mousse,
Les germes vivent entr'ouverts,
L'onde s'épanche et l'herbe pousse.
(*R. O.*, XXVI, 23 mai 1839.)

Viens ! la saison n'est pas finie.
L'été renaît.
Cherchons la grotte rajeunie
Qui nous connaît !
(*T. L.*, VI, XLIX, 5 juillet 1844.)

Viens ! — une flûte invisible
Soupire dans les vergers.
La chanson la plus paisible
Est la chanson des bergers.

. . . .
Que nul soin ne te tourmente.
Aimons-nous ! Aimons toujours !
La chanson la plus charmante
Est la chanson des amours.
(*C.*, II, XIII, les Metz, 8 septembre 1846.)

Elle était déchaussée, elle était décoiffée,
Assise, les pieds nus, parmi les joncs penchants ;
Moi qui passais par là, je crus voir une fée,
Et je lui dis : Veux-tu t'en venir dans les champs ?
(*C.*, I, XXI, 16 avril 1853, Jersey.)

Avril, c'est la jeunesse.
Viens, sortons, la maison,
L'enclos, la prison,
Le foyer, la sagesse,
N'ont jamais eu raison
Contre la saison.

Pour peu que tu le veuilles,
Nous serons heureux ; vois,
L'aube est sur les toits,
Et l'eau court sous les feuilles,
Et l'on entend des voix
Du ciel dans les bois.
(*T. L.*, VII, XXIII, 19, 28 mai 1857, Guernesey.)

« Si tu veux, faisons un rêve :
Montons sur deux palefrois ;
Tu m'emmènes, je t'enlève.
L'oiseau chante dans les bois.

. . . .
« Viens, le soir brunit les chênes ;
Le moineau rit ; ce moqueur
Entend le doux bruit des chaînes
Que tu m'a mises au cœur.

. . . .
« Viens, sois tendre, je suis ivre.
O les verts taillis mouillés !
Ton souffle te fera suivre
Des papillons réveillés. »
                    (*L. S., P. S.*, V, II, 11, janvier 1859.)

Venez nous voir dans l'asile
Où notre nid s'est caché,
Où Chloé suivrait Mnasyle,
Où l'Amour suivrait Psyché.

. . . .
Venez ; fiers de vos présences,
Les champs, qui sont des jardins,
Auront mille complaisances
Pour vous autres citadins.
                    (*A. F.*, XXVIII, 25 juin 1859.)

Viens sous l'arbre aux voix étouffées,
Viens dans les taillis pleins d'amour
Où la nuit vont danser les fées
Et les paysannes le jour.

Viens, on t'attend dans la nature.
Les martinets sont revenus ;
L'eau veut te conter l'aventure
Des bas ôtés et des pieds nus.
                    (*C. R. B.*, I, v, 2, 17 juillet 1859 ou 1865.)

Viens dans les prés, le gai printemps
Fait frissonner les vastes chênes,
L'herbe rit, les bois sont contents,
Chantons ! oh ! les claires fontaines !
                    (*C. R. B.*, I, IV, 9, 11 août 1859.)

Viens ; les rossignols t'écoutent ;
Et l'éden n'est pas détruit
Par deux amants qui s'ajoutent
A ces noces de la nuit.

Viens ; qu'en son nid qui verdoie,
Le moineau bohémien
Soit jaloux de voir ma joie,
Et ton cœur si près du mien.

. . . .
Viens, aime, oublions le monde,
Mêlons l'âme à l'âme, et vois
Monter la lune profonde
Entre les branches des bois !
                    (*C. R. B.*, I, III, 7, 15 octobre 1859.)

Allons sous la charmille où l'églantier fleurit,...
Et toi, viens avec moi, ma fraîche bien-aimée ;
Qu'on entende chanter les nids sous la ramée...
                    (*L. S., N. S.*, XVIII, Id. XXI, 17 mai [1860 ?].)

Écoute, si tu veux, puisque nous nous aimons,
Nous allons tous les deux fuir par delà les monts ;
Nous irons sous le ciel de Grèce, où sont les muses...
Viens ; devant la splendeur de cet horizon bleu,
Nous sentirons en nous croître dans l'ombre un dieu ;
Viens, nous nous aimerons dans ces fiers paysages
Comme s'aimaient jadis les belles et les sages... (1).

> (*L. S., D. S.*, XIII, IV, 12 juillet 1873.)

LISE

Je dis que l'air est frais,

ALBERT

Je dis que l'onde est pure,

LISE

Je vois un grand sourire au fond de la nature,

ALBERT

Je te prends et t'épouse,

LISE

Et de toi je fais choix,

ALBERT

Et je dis que je veux m'en aller dans les bois.
Viens.

LISE

Est-ce pour jamais ?

ALBERT

Oui. Donne ta main blanche.

> (*T. L.*, VII, XXII, 2, 25 mars 1874.)

Vous voulez bien venir avec moi dans les bois
Cueillir des fleurs, chercher l'ombre, écouter des voix,
Méditer, des lueurs épier le passage,
A la condition que je serai très sage...

Et les petits oiseaux tout bas se disent tu.
Faisons comme eux. Veux-tu ? Non. Voulez-vous, Madame ?...
J'ai tort ; pardonne-moi. Ces bois sont pleins d'ébats
Mystérieux. Veux-tu nous adorer tout bas ?

> (*T. L.*, VI, LV [1874-1875 ?].)

. . . .
Allons-nous en aux bois ;
Allons-nous en chez Dieu, dans les prés où l'on aime... (2)
. . . .
Mai dore le ravin,
Tout rit, les papillons et leur douce poursuite
Passent, l'arbre est en fleur, venez, prenons la fuite
Dans cet oubli divin.

> (*T. L.*, II, XLIII, 27 mai 1875.)

---

(1) Cette invitation commence comme la chanson de Joss dans *Eviradnus* : « Allons-nous en par l'Autriche... » et se poursuit dans le ton et le thème de *Senior est Junior* (*C. R. B.*, I, II, 9) : « Comme Socrate aimait Aspasie aux seins nus... »

(2) Moins pur, cet appel aux champs est inspiré par le dégoût de la politique, comme celui des *Années Funestes* cité plus haut, comme les appels au *Cheval* dans les *C. R. B.*

L'appel du *Poète bat aux champs* (*C. R. B.*, I, I, 4), plus général, constitue une sorte de programme bucolique : « Aux champs, compagnons et compagnes ... », qui ne rentre pas exactement dans le cadre de l'aventure à deux.

Que faire au mois d'avril à moins de s'adorer ?
Viens, nous allons songer, viens, nous allons errer...
Aimons. Allons aux bois où chantent les fauvettes.

              (*L. S., N. S.*, XVIII, x, 30 janvier 1877.)

Viens ! l'heure passe. Aimons-nous vite !
Tout cœur, à qui l'amour fait peur,
Ne sait s'il cherche ou s'il évite
Ce démon dupe, ange trompeur.

              (*T. L.*, VI, LX, 2 juin [1878-1880 ?].)

VARIATION IV

COUPLET DES AMANTS

> La nuit vint, tout se tut ; les flambeaux s'éteignirent,
> Les folles en riant entraînèrent les sages ;
> L'amante s'en alla dans l'ombre avec l'amant...
> > (*C.*, I, xxII, 16 février 1840.)

Mon duc, rien qu'un moment!
Le temps de respirer et de voir seulement.
Tout s'est éteint, flambeaux et musique de fête.
Rien que la nuit et nous. Félicité parfaite!
Dis, ne le crois-tu pas? Sur nous, tout en dormant.
La nature à demi veille amoureusement.
Pas un nuage au ciel. Tout, comme nous, repose.
Viens, respire avec moi l'air embaumé de rose!
Regarde. Plus de feux, plus de bruit. Tout se tait.
La lune tout à l'heure à l'horizon montait ;
Tandis que tu parlais, sa lumière qui tremble
Et ta voix, toutes deux m'allaient au cœur ensemble,
Je me sentais joyeuse et calme, ô mon amant,
Et j'aurais bien voulu mourir en ce moment!
> > (*H.*, a. V, sc. 3, septembre 1829.)

Oh! que je suis heureux! Près de moi, non, Hercule
Et Jupiter ne sont que des fats ridicules!
L'Olympe est un taudis! Ces femmes, c'est charmant!
Je suis heureux! Et toi?
> > (*R. A.*, a. I, sc. 2, juin 1832.)

OSCAR

Par ici!

BALMINETTE

C'est joli. Regarde donc, l'étang
Est comme une croisée.

Apercevant Denarius

Ah! quel orang-outang!...
— Sais-tu que c'est gentil, ce bois-ci! — L'herbe jute,
Par exemple! — On pourrait cueillir sous ce rocher
Une salade...
> > (*Th. Lib.*, *F. M.*, IV, 1854.)

Viens, sois tendre, je suis ivre.
O les verts taillis mouillés!
Ton souffle te fera suivre
Des papillons réveillés.

        (*L. S.*, *P. S.*, V, ɪɪ, ɪɪ, janvier 1859.)

Elle vint que j'étais en train de lire Homère...
— Qu'est-ce que tu fais là? Veux-tu bien t'en venir!
Dit-elle; mais tu n'es qu'une bête! et la preuve,
C'est que tu ne vois pas que j'ai ma robe neuve.
Nous allons à Verrière, et nous y mangerons
De ces fraises qu'on trouve avec les liserons.
Vous serez sage. Ah çà! pas de vilaines choses.
Figure-toi qu'on dit que c'est tout plein de roses!
Tu choisis bien ton temps pour lire un vieux bouquin!

        (*T. L.*, VI, xɪv, 13 août 1859.)

J'appelle ça l'été. C'est superbe. Les branches
Sont joyeuses, — je t'aime, — et que de choses blanches!
Les lys, les papillons, les colombes! Le ciel
N'endosse pas son bleu de Prusse officiel,
Il s'humanise, il a de très jolis nuages.
On devine dans l'ombre un tas de mariages,
De l'abeille et du thym, de l'herbe et du rayon.
Dessine donc ce lierre, as-tu là ton crayon?
Charles, tu ne sais pas, je suis toute contente.

        (*Th. Lib.*, *G. M.*, III, 1865.)

Elle, c'est le printemps; pluie et soleil; je l'aime;
Je m'y suis fait.
        Un jour, elle me dit :
                        « Quand même
On est tout seul, les bois sont doux. Les belles eaux!
La campagne me plaît à cause des oiseaux.
Écoutons-les chanter. »
              Moi, l'âme épanouie,
J'écoutais.
       « Les oiseaux, dit-elle, ça m'ennuie, » etc...

        (*T. L.*, VII, xxɪɪ, 6, 24 juillet [1869?].)

DONA ROSE
                Par ici! Vois,
C'est plein de papillons.

DON SANCHE
        Moi, j'aime autant les roses.
Oh! je suis enivré par tant de douces choses!

D. R.
Vois! celui-ci qui vole à la pointe des joncs!

D. S.
Tout est vie et parfums!

D. R.
        Écoute, partageons.
A toi les fleurs, à moi les papillons...
A qui ce bouquet, monsieur?

D. S.
    Devine.

D. R.

A moi.

(aux papillons)

Je vous trouve jolis, et vous fuyez! Pourquoi (1)?

(*Torq.*, a. I, sc. 5, 1869.)

. . . .

Tu souris.
          Le printemps est un épithalame;
La feuille est un rideau, la source est un soupir;...
Comme ils riraient de moi, les gais merles siffleurs,
Si je n'abusais pas un peu des solitudes!
Essayons. Ah! tu prends de graves attitudes.
J'ai tort; pardonne-moi. Ces bois sont pleins d'ébats
Mystérieux. Veux-tu nous adorer tout bas?...
Veux-tu l'idylle ainsi?...

(*T. L.*, VI, LV, 1874-1875) (2).

(1) Comparer, dans la postérité de cette variation, Francis JAMMES, *Le Deuil des Primevères*, Elégie XVIIᵉ :

Car elles sont parties, les jeunes filles, vers
ce qu'il y a de mouillé, de tremblant et de vert.
L'une avait son crochet, l'autre la bouche vive,
l'autre avait un vieux livre et l'autre des cerises,
l'autre avait oublié de faire sa prière,
— Lucie, regarde donc toutes ces taupinières?
— Oh! que cette limace est laide. Écrase-la.
— O Horreur!! Je te dis que non... Je ne veux pas
— Écoute, le coucou chante?
                          Elles sont allées
jusqu'au bout du chemin qui entre dans la lande.

(2) Bien qu'il ne s'agisse pas d'un dialogue d'amants, mais d'officiers, on peut citer cet extrait du *Cimetière d'Eylau* (février 1874) :

Mon lieutenant, garçon qui sortait de Saint-Cyr,
Me cria : « Le matin est une aimable chose;
Quel rayon de soleil charmant! La neige est rose!
Capitaine, tout brille et rit! Quel frais azur!
Comme ce paysage est blanc, paisible et pur. »

Le sautillement de la phrase au rythme des impressions et la nature de ces impressions sont identiques. Le jeune officier représente dans ce duo l'élément tendre et insouciant, qui est généralement la femme, et le passage a le même but que les autres, ramener comme un parfum l'insouciance heureuse, la paix allègre de la nature. Dans le cadre de l'épopée, elle fait ressortir de façon plus pathétique le drame qui se prépare.

VARIATION V

« *LIBERTINAGE* » *DE LA NATURE*

> ... libertinage énorme du bon Dieu.
> (*Oc.*, CXXXIX.)
> ... l'idylle dans l'herbe.
> (*T. L.*, VII, xxiii, 16.)

L'été, la nuit bleue et profonde
S'accouple au jour limpide et clair.
(*V. I.*, V, éd. février 1837.)

La rose semble, rajeunie,
S'accoupler au bouton vermeil... (1).
(*R. O.*, XVII, 1er juin 1839.)

Quand les nids font l'amour, quand le pommier se poudre...
(*Ch.*, VI, xiv, 28 mai 1853.)

La pervenche murmure à voix basse : je t'aime!
La clochette bourdonne auprès du chrysanthème...
Et lui dit : paysan, qu'as-tu donc à dormir?...
Les nymphæas, pour plaire aux nénuphars pensifs,
Dressent hors du flot noir leurs blanches silhouettes...
(*T. L.*, II, xl, 6 mars 1854.)

La fleur a-t-elle tort d'écarter sa tunique?
(*C.*, I, xxvi, 17 novembre 1854.)

Là, l'ombre fait l'amour; l'idylle naturelle
Rit, le bouvreuil avec le verdier s'y querelle,
Et la fauvette y met de travers son bonnet...
(*C.*, V, xxiii, 17 décembre 1854.)

---

(1) Victor Hugo avait d'abord écrit *contempler*. La correction est significative et montre l'éveil même du motif.

L'atmosphère, embaumée et tendre, semble pleine
Des déclarations qu'au Printemps fait la plaine,
Et que l'herbe amoureuse adresse au ciel charmant.
(C., II, 1, 29 mars 1855.)

Tout aimait ; tout faisait la paire...
. . . .
Et l'on mariait dans l'église,
Sous le myrte et le haricot,
Un œillet nommé Cydalise
Avec un chou nommé Jacquot...
(C. R. B., II, 1, 2, 1er juin 1859.)

. . . .
Ce tas de fleurs libertines
Levait la tête gaîment.
(C. R. B., R. 328, 22 juin 1859.)

Je fixais un œil ébloui
Sur l'aube qui, pudique et rose,
Semble en hésitant dire oui
A ce que le ciel lui propose.
(C. R. B., R. 340, 17 septembre 1859.)

L'aube se marie au soir ;
Le bec noir
Au bec flamboyant se mêle...
(F. S., III, 1, 3, Sur la Tour Victoria, à Bruxelles,
11-15 avril 1860.)

Les branches, folles à la clarté de midi, semblaient chercher à s'embrasser...
Les vieilles corneilles de Marie de Médicis étaient amoureuses dans les
grands arbres...
(Mis., V, 1, 16, 57, 1861-1862.)

On devine dans l'ombre un tas de mariages,
De l'abeille et du thym, de l'herbe et du rayon.
(Th., Lib., G. M., sc. III, 1865.)

La terre est belle ; elle a la divine pudeur
De se cacher sous les feuillages ;
Le printemps son amant vient en mai la baiser...
(L. S., N. S., I, 12 août 1873.)

O belle, le charmant scandale des oiseaux
Dans les arbres, les fleurs, les prés et les roseaux...
(L. S., N. S., XVIII, Id. XXII [1874 ?].)

L'arbuste tend sa feuille au chevreau qui la mord,
La rose au papillon se livre toute nue,
La violette aussi rêve, et cette ingénue
S'offre, et partout l'idylle ouvre de vagues yeux...
(A. F., XLVIII, 27 juin 1875.)

L'oiseau regarde ému l'oiselle intimidée,
Et dit : Si je faisais un nid ? C'est une idée !
(D. G., VII, 21 janvier 1877.)

Les nids, les eaux, les prés, l'épi d'or, le lac bleu,
Sont un libertinage énorme du bon Dieu.
Tout ce flot d'êtres vit, fait l'amour et se baise.
Le globe effrontément montre son ventre obèse ;
Vénus rit toute nue à la vitre du soir ;
O mer, cache ce sein que je ne saurais voir !
La rose ouverte a l'air de chercher aventure.
Veuillot rougit. Mets donc une guimpe, ô Nature !

(*Oc.*, CXXXIX [1876-1878 ?].)

La rose est une fille ; et ce qu'un papillon
Fait à la plante est fait au grain par le sillon.
La végétation terrible est ignorée.
L'horreur des bois unit Flore avec Briarée,
Et marie une fleur avec l'arbre aux cent bras.

(*T. L.*, III, iii, 8 avril 1874.)

On a le doux bonheur d'être avec les oiseaux
Et de voir, sous l'abri des branches printanières,
Ces messieurs faire avec ces dames des manières.

(*T. L.*, V, xlix, 26 juin 1878.)

Vous blâmez germinal, prairial, floréal ;
Ces mois joyeux vous font l'effet de jeunes drôles ;
Quand sur l'herbe, à travers le tremblement des saules,
Sur les eaux, les pistils, les fleurs et les sillons,
Volent tous ces baisers qu'on nomme papillons,
L'Éternel vous paraît un peu vif pour son âge ;
Le printemps n'est pas loin d'être un libertinage...

(*A.*, 351 [1857-1880 ?].)

. . . .
O lys, cela n'empêche pas
Toutes sortes de tendres choses,
Toutes sortes de frais appas,

De s'épouser, rayons, haleines,
Dans les champs pleins de douces voix...

Les fleurs écoutent la promesse
Des papillons ; la tiendra-t-il ?
Est-ce une orgie, est-ce une messe
Que ce radieux mois d'avril ?
. . . .
Les daims font l'idylle dans l'herbe.

(*T. L.*, VII, xxiii, 16 [9 octobre 1877-1880 ?].)

II

LA SYMPHONIE PASTORALE

FLEURS ET RUINES — MASURE

Ce motif a commencé par être une expérience des terrains vagues, dans les villes, les banlieues, ou les campagnes. Hugo l'a rappelé dans une page des *Misérables*, citée ci-dessous, au moment où le recul de l'exil lui permettait de s'en rendre compte : « Celui qui écrit ces lignes a été longtemps rôdeur de barrières à Paris, et c'est pour lui une source de souvenirs profonds. » Le même instinct qui lui faisait cueillir des fleurs dans les bois ou les champs l'a penché sur ces visiteuses inattendues des décombres.

Un mouvement de surprise est donc d'abord à l'origine de ce motif. Mais, plus profondément, on retrouve la constante antithétique de Victor Hugo qui lui fait dresser le valet en face de la reine, marier le bouc à Cyllanire, le hibou à la fauvette, la laideur et l'humilité à la beauté dans son éclat. Mais ce n'est encore là qu'un aspect, qu'une étape dans l'analyse de cette antithèse qui s'épluche comme un oignon par tuniques successives. Au fond de cela, il y a l'opposition fondamentale de la vie et de la mort, la persistance fragile de la vie à côté de la mort, de la vie dans la mort, une victoire de plus du printemps qui chante sur la ruine reconquise à la joie. C'est en ce sens que Victor Hugo remarque le vieux canon rouillé du golfe Juan où un rosier a fait son siège. La fleur des ruines lui apparaît un mystère d'amour et de charité, une bénédiction de la vie plus forte que la mort et que le dédain.

Nous l'avions remarqué à propos des *Scènes d'enfants*, cela commence par une note vive de couleur sur une grisaille, qui suscite dans l'âme des harmoniques profondes :

La ruine et l'enfance sont des urnes divines
Où l'esprit peut puiser des rêves à pleins bords (1).

(1) *La confiance du marquis Fabrice*, L. S., P. S., VII, III, 3, v. 521. Voir note, éd. Berret, t. II, pp. 519-520.

Le poète reprend et précise ces vers abandonnés :

La ruine et l'enfance ont de secrets accords...

Comme la petite Isoretta, « que sa grâce défend », va jouer seule « dans quelque grande tour qui lui semble une aïeule (1), » la fleur, aussi frêle, fait don à la ruine de sa joie de vivre.

Je joins à ce motif celui de la *Masure,* qui ressortit moins à la fantaisie proprement dite qu'au pittoresque ; mais, souvent traité d'un pinceau léger et dégagé, il se relie au précédent par les fleurs qui poussent sur la crête des chaumes, « les jolies petites colonies de coquelicots nains qui font des oasis sur un vieux toit ».

(1) *Ibid.,* v. 506-508.

FLEURS ET RUINES

J'ai toujours eu du goût pour les grands murs au pied desquels il y a de l'herbe. Un coin de terre verte, nu, solitaire, enclos de vieilles murailles grises, me charme. Mettez-y du soleil, des pâquerettes et des papillons, et personne. Voilà pour ma rêverie un paradis.

(*Oc.*, *Tas*, 258, s. d.)

Çà et là un champ de ciguë qui exhale une odeur de bête fauve, un mur en ruines où poussent de grands bouillons blancs...

(*V.*, II, 49, Fougères, 22 juin 1836.)

Il pousse dans l'enclos que font ces vieux murs écroulés des coquelicots doubles qui m'ont paru des fleurs bien civilisées pour un lieu si sauvage.

(*V.*, II, 109, Gand, 28 août 1837.)

J'ai déjà envoyé à ta mère une fleur des ruines, le coquelicot de Gand.

(*Corresp.*, I, 554, Etaples, 3 septembre 1839, à Léopoldine.)

> La giroflée avec l'abeille
> Folâtre en baisant le vieux mur.

(*R. O.*, XVII, 1er juin 1839.)

Deux gros canons de fonte étaient là, couchés sur l'herbe, la bouche vers la mer. Un rosier du Bengale chargé de roses obstruait la gueule du four à rougir les boulets.

(*V.*, II, 246, Golfe Juan, octobre 1839.)

Je me suis penché vers la cour, et j'ai vu sous ma fenêtre une charmante petite mauve de jardin tout en fleur qui prend des airs de rose trémière sur une planche portée par deux vieilles marmites.

(*Rh.*, IV, 37, Givet, 29 août 1840.)

Force charmantes maisons inventées pour la récréation des yeux par le génie si riche, si fantasque et si spirituel de la renaissance flamande, se mirent dans la Meuse avec leurs terrasses en fleurs des deux côtés d'un vieux pont.

(*Rh.*, VII, 57, Liége, 4 septembre 1840.)

Je suis dans la ruine... Ici, du reste, comme la nature n'oublie jamais l'ornement, ce fouillis est charmant. C'est une sorte de gros bouquet sauvage où abondent des plantes de toute forme et de toute espèce, les unes avec leurs fleurs, les autres avec leurs fruits, celles-là avec leur riche feuillage d'automne, mauve, liseron, clochette, anis, pimprenelle, bouillon-blanc, gentiane jaune, fraisier, thym, le prunellier tout violet, l'aubépine qu'en août on devrait appeler rouge-épine avec ses baies écarlates, les longs sarments chargés de mûres de la ronce déjà couleur de sang.

(*Rh.*, XV, 128, Saint-Goar, septembre 1840.)

Toutes ces façades décrépites et rechignées se dérident et s'épanouissent...
Les fleurs — il y a là des fleurs partout — se mettent à la fenêtre en même
temps que les femmes...

(*Rh.*, XVIII, 144, Bacharach, septembre 1840.)

... Les fraisiers en fleurs s'épanouissent entre les dalles...
... Aux fenêtres inaccessibles du donjon apparaissent des châtelaines
sauvages, les fougères, qui y agitent leur éventail, et les ciguës, qui y penchent leur parasol...
... Au second étage, au-dessous d'un rameau vert qui a percé l'architrave
et qui joue gracieusement avec les plumes de pierre de son casque, Frédéric
le Victorieux tire à demi son épée...
... Une ruine ravissante... Il y a là... douze portes de la Renaissance,
douze joyaux d'orfèvrerie, douze chefs-d'œuvre, douze idylles de pierre,
auxquelles se mêle, comme sortie des mêmes racines, une admirable et charmante forêt de fleurs sauvages dignes des palatins, *consule dignæ*. Je ne saurais vous dire ce qu'il y a d'inexprimable dans ce mélange de l'art et de la
réalité ; c'est à la fois une lutte et une harmonie... Les arabesques font des
broussailles, les broussailles font des arabesques. On ne sait laquelle choisir
et laquelle admirer le plus, de la feuille vivante ou de la feuille sculptée.

(*Rh.*, XXVIII, 321-333 sqq., Heidelberg, octobre 1840.)

Rien de plus triste et de plus désolé. Un sol plâtreux. Çà et là de grosses
pierres ébauchées par le maçon, puis abandonnées et attendant, à la fois
blanches comme des pierres de sépulcre et moisies comme des pierres de
ruine...
O mon Dieu ! il y avait là la plus jolie petite marguerite du monde, autour
de laquelle allait et venait coquettement une charmante mouche microscopique.
Cette fleur des prés croissant paisiblement et selon la douce loi de la nature,
en pleine terre, au centre de Paris, entre deux rues, à deux pas du Palais-
Royal, à quatre pas du Carrousel, au milieu des passants, des boutiques, des
fiacres, des omnibus et des carrosses du roi, cette fleur des champs voisine
des pavés m'a ouvert un abîme de rêverie.

(*Ch. v.*, I, 67, 29 mai 1841.)

Au milieu des ruines et des herbes, mille fleurs s'épanouissent. Douces
et charmantes fleurs ! Je sentais leurs parfums venir jusqu'à moi, je voyais
s'agiter leurs jolies petites têtes blanches, jaunes et bleues, et il me semblait
qu'elles s'efforçaient toutes à qui mieux mieux de consoler ces pauvres
pierres abandonnées.

(*V.*, II, 286, Bordeaux, 21 juillet 1843.)

Un monument romain dans ce vieux pré normand
Est tombé. Les enfants qui font un bruit charmant (1)
Vont jouer là, vers l'heure où le soleil se montre...
            ... Mais, en regardant bien,
Si l'on se penche un peu, l'on distingue, dans l'herbe
Où prairial rayonne en sa gaîté superbe...
Des soldats, qui, sans nuire au vol des hirondelles,
Assiègent sous les fleurs de vagues citadelles.

(*T. L.*, II, xvi, 16 avril 1847.)

(1) On rencontre souvent des enfants dans les ruines de Hugo. Cf. *Rh.*, XIII,
107, Andernach, août 1840 : « ... les marmots demi-nus s'asseyent pour jouer sur
les pierres tombées. » Ou des jeunes filles occupées à parler de leurs amours « dans
les embrasures des catapultes » (*ibid.*). La raison en est simple : ils mettent dans les
ruines cette même note de fraîcheur, de nouveauté et de vie que les fleurs. Ils « con-
solent » comme elles les pierres et, comme le nid, apportent « un correctif charmant
à cette sévère architecture ». (*Rh.*, X, 84, Cologne, août 1840.)

...Un long mur bas tout en ruine, avec une petite porte noire et en deuil, chargé de mousses qui s'emplissaient de fleurs au printemps.

(*Mis.*, II, IV, 1 [1847?].)

Une humble marguerite, éclose au bord d'un champ,
Sur un mur gris, croulant parmi l'avoine folle,
Blanche, épanouissait sa candide auréole...

(*C.*, I, XXV, 2 juillet 1853.)

Oui, je suis le rêveur ; je suis le camarade
Des petites fleurs d'or du mur qui se dégrade...

(*C.*, I, XXVII, 15 octobre 1854.)

J'aime les murs pleins de fentes
D'où sortent les liserons.

(*C. R. B.*, I, III, 5, 25 juin 1859.)

Une façade sévère dominait cette porte ; un mur perpendiculaire à la façade venait presque toucher la porte et la flanquait d'un brusque angle droit. Sur le pré devant la porte gisaient trois herses à travers lesquelles poussaient toutes les fleurs de mai. La porte était fermée. Elle avait pour clôture deux battants décrépits ornés d'un vieux marteau rouillé.

(*Mis.*, II, I, 1, Hougomont, mai 1861.)

Celui qui écrit ces lignes a été longtemps rôdeur de barrières à Paris, et c'est pour lui une source de souvenirs profonds... Ces thébaïdes le jour... le moulin dégingandé qui tourne au vent... des grands murs sombres coupant carrément d'immenses terrains vagues inondés de soleil et pleins de papillons... (des enfants couronnés de bleuets). Ils sont là... dans la douce clarté de mai ou de juin. Ces rencontres d'enfants étranges sont une des grâces charmantes, et en même temps poignantes, des environs de Paris (1).

(*Mis.*, III, I, 5 [1860-1862?].)

(*La cathédrale de Reims.*)
Toute la façade se dérobait à pic sous moi. J'aperçus dans cette profondeur... une sorte de cuvette ronde. L'eau des pluies s'y était amassée et faisait un étroit miroir au fond, une touffe d'herbes mêlée de fleurs y avait poussé et remuait au vent...

(*W. S.*, R. 253, Voyage à Reims de 1825, 1864.)

Derrière l'enclos du jardin des Bravées, un angle de mur couvert de houx et de lierre, encombré d'orties, avec une mauve sauvage arborescente et un grand bouillon-blanc poussant dans les granits...

(*T. M.*, I, IV, 3, 1864-1865.)

Gilliatt... s'arrêta dans ce recoin de muraille où il y avait une mauve sauvage à fleurs roses en juin, du houx, du lierre et des orties.

(*T. M.*, III, I, 2, 1864-1865.)

Pas un vieux mur qui n'eût, comme un marié, son bouquet de giroflées.

(*T. M.*, III, III, 5, 1864-1865.)

L'innocent liseron, nourri de sel amer,
Fleurit sous les blocs noirs du vieux mur de la mer.

(*A. F.*, XI, Jersey [1869-1870?].)

(1) Je laisse à dessein cette fin, apparemment étrangère au motif, pour montrer la parenté des *scènes d'enfants* avec les *fleurs de ruines* dans l'imagination de Hugo : toutes deux rajeunissent le paysage.

MASURE

Souvent, dans un de ces beaux paysages de bruyères,... sous de grands chênes qui portent leurs immenses feuillages à bras tendu, dans un champ de genêts en fleurs du milieu duquel s'envole à votre passage un énorme corbeau verni qui reluit au soleil, vous avisez une charmante chaumière qui fume gaîment à travers le lierre et les rosiers (1).

(*V.*, II, 52, Saint-Malo, [25] juin 1836.)

La route est belle et ombragée. A tous moments de délicieuses petites chaumières pleines de fleurs.

C'est une rencontre bien jolie et bien gracieuse qu'une chaumière au bord du chemin. De ces quelques bottes de paille dont le paysan croit faire un toit, la nature fait un jardin. A peine le vilain a-t-il fini son œuvre triviale que le printemps s'en empare, souffle dessus, y mêle mille graines qu'il a dans son haleine, et en moins d'un mois le toit végète, vit et fleurit. S'il est de paille, comme dans l'intérieur des terres, ce sont de belles végétations jaunes, vertes, rouges, admirablement mêlées pour l'œil. Si c'est au bord de la mer, et si le chaume est fait d'ajoncs, comme auprès de Saint-Malo, par exemple, ce sont de magnifiques mousses roses, robustes comme des goémons, qui caparaçonnent la cabane. Si bien qu'il faut vraiment très peu de temps en un rayon de soleil et un souffle d'air pour que le misérable gueux ait sur sa tête des jardins suspendus comme Sémiramis... A chaque hoquet du printemps une chaumière fleurit.

(*V.*, II, 57, Saint-Jean-de-Day, 30 juin 1836.)

> Sur les chaumières dédaignées
> Par les maîtres et les valets,
> Joyeuse, elle jette à poignées
> Les fleurs qu'elle vend aux palais !
>
> Sur un toit où l'herbe frissonne
> Le jasmin peut bien se poser...
> . . . .
> Alors la masure où la mousse
> Sur l'humble chaume a débordé
> Montre avec une fierté douce
> Son vieux mur de roses ·brodé.

(*V. I.*, V, 7-11 février 1837.)

(1) Cette apparition rappelle la pièce d'*Émaux et Camées* intitulée *Fumée* :

> Là-bas, sous les arbres s'abrite
> Une chaumière au toit bossu.

Cf. *Poésies complètes*, éd. Firmin-Didot, t. III, p. 62, et la note correspondante de l'Introduction, p. XCI, où M. René Jasinski cite quelques impressions similaires de Chateaubriand, Sainte-Beuve et George Sand.

... Les jolies petites colonies de coquelicots nains qui font des oasis sur un vieux toit...

(*Rh.*, I, 17, sur la route de la Ferté-sous-Jouarre, juillet 1838.)

Quelques vieilles masures qui ont vu ce grand spectacle y sont encore et semblent regarder au loin en mer si elles ne verront rien venir.

(*V.*, II, 246, Golfe Juan, octobre 1839.)

... la magnifique masure a tant de fleurs, de si charmantes fleurs, des fleurs disposées avec tant de goût et entretenues avec tant de soin à toutes les fenêtres, qu'on la croirait habitée. Elle est habitée en effet, habitée par la plus coquette et la plus farouche à la fois des habitantes, par cette douce fée invisible qui se loge dans toutes les ruines, qui les prend pour elle et pour elle seule, qui en défonce tous les étages, tous les plafonds, tous les escaliers, afin que le pas de l'homme n'y trouble pas les nids des oiseaux, et qui met à toutes les croisées et devant toutes les portes des pots de fleurs qu'elle sait faire, en fée qu'elle est, avec toute vieille pierre creusée par la pluie ou ébréchée par le temps.

(*Rh.*, XIII, 111, Andernach, septembre 1840.)

Dans ce pays dévasté par les guerres féodales..., les cabanes sont construites avec les ruines des châteaux ; cela fait d'étranges édifices. L'autre jour, j'ai rencontré une masure de paysan ainsi composée : quatre murs de torchis, blanchis à la chaux, une porte et une fenêtre sur la façade ; à droite de la porte, le lion de Bavière couronné, portant le globe et le sceptre, sculpté presque en ronde bosse sur une large dalle de grès rouge... Un cep de vigne, chargé de raisins, grimpe joyeusement à travers cette sombre énigme.

(*Rh.*, XXVIII, 314, Heidelberg, octobre 1840.)

Une masure ! mais savez-vous que c'est charmant, une masure ! La muraille est d'une belle couleur chaude et puissante avec des trous à papillons, des nids d'oiseaux, de vieux clous où l'araignée accroche ses rosaces, mille accidents amusants à regarder ; la fenêtre n'est qu'une lucarne, mais elle laisse passer de longues perches où pendent, se séchant au vent, toutes sortes de nippes bariolées, loques blanches, haillons rouges, drapeaux de misère qui donnent un air de joie à la baraque et resplendissent au soleil ; ... le toit est plein de crevasses, mais dans chaque crevasse il y a un liseron qui fleurira au printemps ou une marguerite qui s'épanouira à l'automne ; la tuile est rapiécée avec du chaume, parbleu ! je le crois bien, c'est une occasion d'avoir sur son toit une colonie de gueules-de-loup roses et de mauves sauvages ; une belle herbe verte tapisse le pied de ce mur décrépit ; le lierre y grimpe joyeusement et en cache les nudités, les plaies et les lèpres peut-être ; la mousse couvre de velours vert le banc de pierre qui est à la porte. Toute la nature prend en pitié cette chose dégradée et charmante que vous appelez une masure, et lui fait fête. O masure ! vieux logie honnête et paisible, doux et aimable à voir ! rajeuni tous les ans par avril et par mai ! embaumé par la giroflée et habité par l'hirondelle !

(*Ch. v.*, I, 107, 1844.)

Là rit dans les rochers, veinés comme des marbres,
Une chaumière heureuse ; en haut, un bouquet d'arbres ;
Au-dessous, un bouquet d'enfants... (1).

(*C.*, III, XXVI, 13 décembre 1854.)

Un vieux chaume croulant qui s'étoile le soir.

(*C.*, V, XXIII, 17 décembre 1854.)

(1) Il y aurait des masures dans *N. D. P.*, la maison « visionnée » dans *H. Q. R.* (la maison hantée), mais elles sont fantastiques.

Un bouge est là, montrant, dans la sauge et le thym
Un vieux saint souriant parmi les brocs d'étain,
Avec tant de rayons et de fleurs sur la berge,
Que c'est peut-être un temple ou peut-être une auberge.

(C., I, XXIX, 17 avril 1855.)

La maison, qui avait une terrasse pour toit, était rectiligne, correcte, carrée, badigeonnée de frais, toute blanche. C'était du méthodisme bâti... On songe, le cœur serré, aux vieilles baraques paysannes de France, en bois, joyeuses et noires, avec des vignes.

(W. S., I, I, 1, 3, 1863.)

Une chaumière se présente ; elle marque l'angle d'un hameau enfoui sous les arbres ; elle est verte, embaumée, charmante, toute vêtue de lierres et de fleurs, pleine d'enfants et de rires...

(T. M., Archipel, IV, 9, juin 1864-avril 1865.)

(*Le lierre.*)

Il orne les vieux murs d'alcôves peu sévères ;
C'est par lui qu'un logis qui s'écroule est complet ;
Belle, ce tapissier des masures me plaît.

(T. L., VI, XVIII, 1847, 26 mai [1874-1875 ?].)

« *MAGNIFICENCES MICROSCOPIQUES* »

Vous le savez, la pierre où court un scarabée,
Une humble goutte d'eau de fleur en fleur tombée,
Un nuage, un oiseau, m'occupent tout un jour.
(*C.*, III, xxiv, *Aux arbres*, juin 1843.)

Voici un thème riche et intéressant, un des plus anciens et des plus continûment exploités : c'est « l'étude d'un atome », menée parallèlement à « l'étude du monde ». La pâquerette du Carrousel en 1841 nous l'avait déjà présenté au passage : à la fleur des ruines s'ajoutait « une mouche microscopique ». Il plaît que le titre soit de Hugo lui-même (*T. M.*, III, iii, 5) et garantisse ainsi, comme une lettre de créance, l'authenticité de ce thème : ce n'est pas la seule fois, loin de là, que le poète a trouvé au monde microscopique de la « magnificence » (1). « Vous me reconnaissez là, » écrit-il à Louis Boulanger.

Cependant Hugo n'a pas d'emblée reconnu tous les trésors du monde infiniment petit. Ce thème s'est enrichi considérablement dans les contemplations des voyages et de l'exil. Il a commencé, comme les *vere novo*, semble-t-il, par être une imitation des gentillesses de Ronsard et de Du Bellay. Thème précieux qui pourtant, si on en croit Hugo, a ses racines dans ses souvenirs d'enfance et un intérêt, commun aux enfants, pour les insectes, du monstre imaginaire des Feuillantines au mille-pattes des enfants de la bibliothèque dans *Quatrevingt-treize*. Hugo l'a rappelé dans un passage de *Notre-Dame de Paris* (2) : la description qu'il y fait du vol de la « demoiselle » est en partie aussi un exercice de style, à la manière des poètes de la Pléiade (3). Ce motif n'est d'ailleurs pas le monopole de ces derniers ; il se rattache à un genre de poésie minutieuse et méticuleuse, même mignarde, dont Gœthe, Gessner, Rousseau donnent une version renouvelée par l'optimisme et nuancée par leur admiration enthousiaste des « harmonies de la nature » (4). Autour de 1830, on trouve sans peine de semblables exercices chez un Gautier, inspirés peut-être

---

(1) Cf. les deux extraits cités ci-dessous des *Misérables :* « la nature au microscope » et « cette magnificence était propre ».
(2) Voir ci-dessous extrait cité.
(3) Voir *la Fantaisie de Victor Hugo*, t. I, pp. 137-138.
(4) Voir *Ibid.*, pp. 187 et 197.

à travers Hugo, mais dépassant en minutie ce que celui-ci donnait alors (1).

Peut-être l'attention avec laquelle, négligeant de plus grands spectacles, il se penche en voyage sur « un carré de gazon » est-elle une conséquence tardive des leçons du bon entomologiste Nodier, peut-être atteste-t-elle surtout un retour à la liberté reconquise de sa mentalité d'enfant (2). Toujours est-il qu'il découvre alors vraiment l'ampleur du thème, retrouvant dans le comportement des insectes les usages et les drames de la vie humaine. Revenu parmi les livres, il l'enrichit d'une nomenclature scientifique récoltée au hasard des dictionnaires et des histoires naturelles du temps passé. Ainsi le thème est prêt, à partir de 1850, à lui fournir des variations inégales et diverses dont les perspectives s'approfondissent et s'élargissent dans l'animisme universel de *la Bouche d'ombre*.

Désormais, il est tour à tour philosophique ou léger et fantasque selon les époques et les moments, suivant que le poète insiste davantage sur la théorie ou en tire les conséquences extrêmes par une personnification et une humanisation poussée du monde entomologique. Hugo ne perd plus guère de vue le thème que peut-être au surplus telle publication d'un Michelet (3), ou quelque autre, moins connue, vient lui remettre en mémoire. Mais ce thème, en tout état de cause, reste un vaste thème d'exploitation, une sorte de mine en perpétuel chantier, d'où le poète extrait les motifs de proportions réduites et d'expression quasi stéréotypée qui constitueront les jeux de la *Comédie dans l'herbe*.

> Quand la demoiselle dorée
> S'envole au départ des hivers,
> Souvent sa robe diaprée,
> Souvent son aile est déchirée
> Aux mille dards des buissons verts (4).
>
> (*O.*, IV, 16, éd. mai 1827.)

> . . . .
> Le petit ruisseau de la plaine,
> Pour une heure enflé, roule et traîne
> Brins d'herbe, lézards endormis,

(1) Sans parler de la *Demoiselle* (*P. C.*, éd. Jasinski, t. I, p. 20), suscitée par celle de Hugo (*O.*, IV, 16) et mise au rythme de *Sara la baigneuse* (*Or.*, XIX), la pièce *Far Niente* (*P. C.*, t. I, p. 26) de 1830 offre un bon exemple de ce que je veux dire :

> ... Sur un moelleux tapis de fougère et de mousse.
> Au bord des bois touffus où la chaleur s'émousse ;
> Là, pour tuer le temps, j'observe la fourmi
> Qui, pensant au retour de l'hiver ennemi,
> Pour son grenier dérobe un grain d'orge à la gerbe,
> Le puceron qui grimpe et se pend au brin d'herbe,
> La chenille traînant ses anneaux veloutés,
> La limace baveuse aux sillons argentés,
> Et le frais papillon qui de fleurs en fleurs vole...

Cf. notice de R. Jasinski sur cette pièce.
(2) Voir *la Fantaisie de Victor Hugo*, t. I, pp. 137-138, 187-191 et 291-294.
(3) *L'Insecte* de Michelet a été publié en 1857 : on y trouve des descriptions très « humaines » des mœurs nuptiales de certains insectes.
(4) Cf. *O.*, IV, 17, décembre 1827 :

> La verte demoiselle aux ailes bigarrées.

Court, et, précipitant son onde
Du haut d'un caillou qu'il inonde,
Fait des Niagaras aux fourmis !

Tourbillonnant dans ce déluge,
Des insectes, sans avirons,
Voguent pressés, frêle refuge !
Sur des ailes de moucherons ;
D'autres pendent, comme à des îles,
A des feuilles, errants asiles ;
Heureux, dans leur adversité,
Si, perçant les flots de la cime,
Une paille au bord de l'abîme
Retient leur flottante cité !

(O. B., V, 24, 7 juin 1828.)

Voir au ciel briller les étoiles
Et sous l'herbe les vers luisants.

(F. A., XXV, 12 septembre 1828.)

Vous avez été enfant, lecteur, et vous êtes peut-être assez heureux pour l'être encore. Il n'est pas que vous n'ayez plus d'une fois (et pour mon compte j'y ai passé des journées entières, les mieux employées de ma vie) suivi de broussaille en broussaille, au bord d'une eau vive, par un jour de soleil, quelque belle demoiselle verte ou bleue, brisant son vol à angles brusques et baisant le bout de toutes les branches. Vous vous rappelez avec quelle curiosité amoureuse votre pensée et votre regard s'attachaient à ce petit tourbillon sifflant et bourdonnant, d'ailes de pourpre et d'azur, au milieu duquel flottait une forme insaisissable voilée par la rapidité même de son mouvement... Mais lorsque enfin la demoiselle se reposait à la pointe d'un roseau et que vous pouviez examiner, en retenant votre souffle, les longues ailes de gaze, la longue robe d'émail, les deux globes de cristal, quel étonnement n'éprouviez-vous pas et quelle peur de voir de nouveau la forme s'en aller en ombre et l'être en chimère !

(N. D. P., II, VII, 77, septembre-décembre 1830.)

La broussaille où remue un insecte invisible,
Le scarabée ami des feuilles...

(R. O., XIX, 31 mai 1839.)

Tout est lumière, tout est joie.
L'araignée au pied diligent
Attache aux tulipes de soie
Ses rondes dentelles d'argent.

La frissonnante libellule
Mire les globes de ses yeux
Dans l'étang splendide où pullule
Tout un monde mystérieux.

. . . .
Dans les verts écrins de la mousse
Luit le scarabée, or vivant.

(R. O., XVII, 1er juin 1839.)

Là, tout était petit et charmant ; le gazon était fin et doux ; de belles fleurs bleues à long corsage se mettaient aux fenêtres à travers les ronces, et semblaient admirer une jolie araignée jaune et noire qui exécutait des voltiges, comme un saltimbanque, sur un fil imperceptible tendu d'une broussaille à l'autre.

(V., II, 196, Lucerne, septembre 1839.)

A Freiburg, j'ai oublié longtemps l'immense paysage que j'avais sous les yeux pour le carré de gazon dans lequel j'étais assis. C'était sur une petite bosse sauvage de la colline. Là aussi, il y avait un monde. Les scarabées marchaient lentement sous les fibres profondes de la végétation ; des fleurs de ciguë en parasol imitaient les pins d'Italie ; ... un pauvre bourdon mouillé, en velours jaune et noir, remontait péniblement le long d'une branche épineuse ; des nuées épaisses de moucherons lui cachaient le jour ; une clochette bleue tremblait au vent, et toute une nation de pucerons s'était abritée sous cette énorme tente ; près d'une flaque d'eau qui n'eût pas rempli une cuvette, je voyais sortir de la vase et se tordre vers le ciel, en aspirant l'air, un ver de terre semblable aux pythons antédiluviens, et qui a peut-être aussi, lui, dans l'univers microscopique, son Hercule pour le tuer et son Cuvier pour le décrire. En somme, cet univers-là est aussi grand que l'autre. Je me supposais Micromégas ; mes scarabées était des *megatherium giganteum*, mon bourdon était un éléphant ailé, mes moucherons étaient des aigles, ma cuvette d'eau était un lac, et ces trois touffes d'herbes hautes étaient une forêt vierge. — Vous me reconnaissez là, n'est-ce pas, ami ?

(*Rh.*, XXXV, 383, Zurich, septembre 1839,
souvenir de Fribourg-en-Brisgau.)

De jolis petits colimaçons jaunes se promènent voluptueusement sous cette rosée sur le bord du balcon.

(*Rh.*, XXXIX, 399, Laufen, septembre 1839.)

Regardant sans les voir de vagues scarabées,
Des rameaux indistincts, des formes, des couleurs,
Là, j'ai dans l'ombre, assis sur les pierres tombées,
Des éblouissements de rayons et de fleurs.

(*R. O.*, XIV, 13 mars 1840.)

... un ruisseau d'eau vive grossi par les pluies, tombant de pierre en pierre, prenait des airs de torrent, dévastait les pâquerettes, épouvantait les moucherons et faisait de petites cascades tapageuses dans les cailloux... (1).

Vous dire ce que j'ai fait là, ou plutôt ce que la solitude m'y a fait ; comment les guêpes bourdonnaient autour des clochettes violettes ; comment les nécrophores cuivrés et les féronies bleues se réfugiaient dans les petits antres microscopiques que les pluies leur creusent sous les racines des bruyères, comment les ailes froissaient les feuilles ; ce qui tressaillait sourdement dans les mousses, ou qui jasait dans les nids ; le bruit doux et indistinct des végétations, des minéralisations et des fécondations mystérieuses ; la richesse des scarabées, l'activité des abeilles, la gaîté des libellules, la patience des araignées ; les aromes, les reflets, les épanouissements, les plaintes ; les cris lointains ; les luttes d'insecte à insecte, les catastrophes de fourmilières, les petits drames de l'herbe ; les haleines qui s'exhalaient des roches comme des soupirs, les rayons qui venaient du ciel à travers les arbres comme des regards, les gouttes d'eau qui tombaient des fleurs comme des larmes ; les demi-révélations qui sortaient de tout ; le travail calme, harmonieux, lent et continu de tous ces êtres et de toutes ces choses qui vivent en apparence plus près de Dieu que l'homme ; vous dire tout cela, mon ami, ce serait vous exprimer l'ineffable, vous montrer l'invisible, vous peindre l'infini (2).

(*Rh.*, XX, 166, de Lorch à Bingen, septembre 1840.)

---

(1) Un court étalage de connaissances de botanique interrompt ici la spontanéité de ces impressions : ce sont des noms rares de plantes comme « l'hélichryson, le glaïeul aux lancéoles cannelées, la flambe aux neuf feuilles perses » qui lui viennent de Rocoles (cf. *la Fantaisie de Victor Hugo*, t. I, p. 278).

(2) Par l'abondance et la variété des notations (insectes, mais aussi oiseaux, végétaux, minéraux, etc.), ce passage reproduit l'impression d'ensemble qui est à l'origine des *vere novo*. Cf. BAUDELAIRE, *Petits poèmes en prose*, XLV, *le Tir et le Cimetière*, publié dans la *Revue Nationale* (12 octobre 1867) : « Un immense bruissement de vie remplissait l'air, la vie des infiniment petits... »

... un beau scarabée enterreur cuirassé d'or violet, qui est tombé par malheur sur le dos, qui se débat et que je retourne en passant avec le bout de mon pied.

(Rh., XXVIII, 309, Heidelberg, octobre 1840.)

Je m'assieds dans ces excellents fauteuils revêtus de mousse, c'est-à-dire de velours vert, que l'antique Palès creuse au pied de tous les vieux chênes pour le voyageur fatigué ; je mets en liberté, pour ma bienvenue, comme un souverain débonnaire, toutes les mouches et tous les papillons que je trouve pris dans les filets autour de moi ; petite amnistie obscure, qui, comme toutes les amnisties, ne fâche que les araignées.

(Rh., XXVIII, 313, Heidelberg, octobre 1840.)

... une énorme pierre verdissante sous laquelle se prolongeaient des cryptes pour les cloportes, les nécrophores et les mille-pieds.
... Je m'assis sur cette pierre et je me penchai sur cette herbe.
Ô mon Dieu! il y avait là la plus jolie petite marguerite du monde, autour de laquelle allait et venait coquettement une charmante mouche microscopique.

(Ch. v., I, 67, 29 mai 1841.)

Une vie obscure et charmante animait le flanc ténébreux des montagnes ; on y distinguait l'herbe, les fleurs, les pierres, les bruyères, dans une sorte de fourmillement doux et joyeux.

(V., II, 414, Cauterets, août 1843.)

(*Les gaves dans la plaine.*)
... ils glissent dans les roseaux et sous les saules comme des couleuvres d'argent, ils sont doux, harmonieux, limpides, transparents, les étoiles tremblent dans les plis de leur eau qui dort, la fourmi y navigue sur un brin d'herbe, les fleurs s'y mirent, les oiseaux y boivent.

(Oc., Tas, 469 [Pyrénées, 1843 ?].)

... je suis resté quelques minutes arrêté devant un liseron dans lequel allait et venait une fourmi et (que) dans ma rêverie ce spectacle se traduisait en cette pensée : — Une fourmi dans un liseron. Le travail et le parfum. Deux grands mystères, deux grands conseils.

(V., II, 333, Pasages, août 1843.)

Il est remarquable que l'infiniment petit est peuplé d'une prodigieuse quantité d'êtres animés et que l'infiniment grand ne l'est pas... Il est certain... que nous ne voyons pas glisser entre deux montagnes des serpents dont un seul emplit une vallée, que nous ne voyons pas passer le soir, parmi les entassements sombres du couchant, des éléphants ailés gros comme des cathédrales... Les fourmis voient ces choses chimériques ; c'est le réel pour elles ; les scarabées leur sont éléphants et elles sont éléphants aux infusoires.

(W. S., P. S. V., R. 592 [1845-1847 ?].)

Le réfectoire, grande pièce oblongue et carrée qui ne recevait de jour que par un cloître à archivoltes de plain-pied avec le jardin, était obscur et humide et, comme disent les enfants, plein de bêtes. Tous les lieux circonvoisins y fournissaient leur contingent d'insectes. Chacun des quatre coins en avait reçu, dans le langage des pensionnaires, un nom particulier et expressif. Il y avait le coin des Araignées, le coin des Chenilles, le coin des Cloportes et le coin des Cricris... Toute élève était de l'une de ces quatre nations selon le coin du réfectoire où elle s'asseyait aux heures des repas. Un jour, M. l'archevêque, faisant la visite pastorale, vit entrer dans la classe où il passait une jolie petite fille vermeille avec d'admirables cheveux blonds, il demanda à une autre pensionnaire, charmante brune aux joues fraîches qui était près de lui : « Qu'est-ce que celle-ci? — C'est une araignée, monseigneur. »

(Mis., II, IV, 7, 197, 1847.)

Où finit le télescope, le microscope commence. Lequel des deux a la vue la plus grande? Choisissez. Une moisissure est une pléiade de fleurs ; une nébuleuse est une fourmilière d'étoiles...

(Mis., IV, III, 3, 66, La nature au microscope, 1847-1848.)

... elle en remuait toutes les touffes et toutes les pierres, elle y cherchait « des bêtes » ; elle y jouait, en attendant qu'elle y rêvât ; elle aimait ce jardin pour les insectes qu'elle y trouvait sous ses pieds à travers l'herbe, en attendant qu'elle l'aimât pour les étoiles qu'elle y verrait dans les branches au-dessus de sa tête.

(Mis., IV, III, 4, 68, 1847-1848.)

Un rayon de soleil! une bête à bon Dieu!

(D. G., XIX [1852?].)

La moisissure rose aux écailles d'argent
Fait sur l'obscur bourbier luire ses mosaïques.

(Ch., VII, IV, 30 avril 1853.)

On eût dit un coquillage ;
Dos rose et taché de noir...

(C., I, XV, 10 octobre 1854.)

Une petite mare est là, ridant sa face,
Prenant des airs de flot pour la fourmi qui passe.

(C., V, XXIII, 17 décembre 1854.)

L'étang luit sous le vol des vertes demoiselles.

(C., I, XXIX, 17 avril 1855.)

Hé, prends ton microscope, imbécile! et frémis...
L'infiniment petit contient les mêmes mondes
Que l'infiniment grand...
La fourmi sous sa patte a des sphères aussi ;
L'intervalle que font les ailes d'une mouche
Contient tout un azur où se lève et se couche
Un soleil invisible, éblouissant au loin
De profonds univers qui n'ont pas de témoin...

(D. G., CXVI [1857-1859?].)

(Dans l'église de la nature...)
Au fond s'ouvrait une chapelle
Qu'on évitait avec horreur ;
C'est là qu'habite avec sa pelle
Le noir scarabée enterreur.

(C. R. B., II, I, 2, 1er juin 1859.)

L'insecte est au bout du brin d'herbe
Comme un matelot au grand mât.

(C. R. B., I, v, 2 [1859?].)

Votre oreille à présent jamais ne se régale
De ce que le grillon raconte à la cigale
Et de ce que redit la cigale au grillon.

(D. G., XX [1861?].)

La mouche, comme prise au piège,
Est immobile à mon plafond...

(D. G., V, Carnet 1861.)

Enfin, il a sa faune à lui, qu'il observe studieusement dans des coins : la bête à bon Dieu, le puceron tête-de-mort, le faucheux, le « diable », insecte noir qui menace en tordant sa queue armée de deux cornes...

(*Mis.*, III, I, 2 [1860-1862?].)

... grâce à la pluie, il n'y avait pas un grain de cendre. Les bouquets venaient de se laver ; tous les velours, tous les satins, tous les vernis, tous les ors, qui sortent de la terre sous forme de fleurs, étaient irréprochables. Cette magnificence était propre. Le grand silence de la nature heureuse emplissait le jardin... les lilas finissaient, les jasmins commençaient ; quelques fleurs étaient attardées, quelques insectes en avance ; l'avant-garde des papillons rouges de juin fraternisait avec l'arrière-garde des papillons blancs de mai...

(*Mis.*, V, I, 16, 1861-1862.)

Qui n'a vu dans les hautes herbes du printemps un drame horrible ? Le hanneton de mai, pauvre larve informe, a volé, voleté, bourdonné ; il a fait des rencontres, il s'est heurté aux murs, aux arbres, aux hommes, il a brouté à toutes les branches où il a trouvé de la verdure, il a cogné à toutes les vitres où il a vu de la lumière... Un beau soir, il tombe, il a huit jours, il est centenaire. Il se traînait dans l'air, il se traîne à terre ; il rampe épuisé dans les touffes et dans les mousses, les cailloux l'arrêtent, un grain de sable l'empêtre, le moindre épillet de graminée lui fait obstacle. Tout à coup, au détour d'un brin d'herbe, un monstre fond sur lui. C'est une bête qui était là embusquée, un nécrophore, la jardinière, un scarabée splendide et agile, vert, pourpre, flamme et or, une pierrerie armée qui court et qui a des griffes. C'est un insecte de guerre casqué, cuirassé, éperonné, caparaçonné : le chevalier brigand de l'herbe. Rien n'est formidable comme de le voir sortir de l'ombre, brusque, inattendu, extraordinaire. Il se précipite sur ce passant. Ce vieillard n'a plus de force, ses ailes sont mortes, il ne peut échapper. Alors c'est terrible. Le scarabée féroce lui ouvre le ventre, y plonge sa tête, puis son corselet de cuivre, fouille et creuse, disparaît plus qu'à mi-corps dans ce misérable être, et le dévore sur place, vivant. La proie s'agite, se débat, s'efforce avec désespoir, s'accroche aux herbes, tire, tâche de fuir, et traîne le monstre qui la mange.

(*W. S., R.*, 310, *Prom. Somn.* [1863?].)

L'herbe à Guernesey, c'est l'herbe de partout, un peu plus riche pourtant... Vous y trouvez des fétuques et des paturins..., le vulpin dont l'épi semble une petite massue, etc..., etc...
Maintenant faites courir là dedans et faites voler là-dessus mille insectes, les uns hideux, les autres charmants ; sous l'herbe, les longicornes, les longinases, les calandres, les fourmis occupées à traire les pucerons leurs vaches, les sauterelles baveuses, la coccinelle, bête du bon Dieu et le taupin, bête du diable ; sur l'herbe, dans l'air, la libellule, l'ichneumon, la guêpe, les cétoines d'or, les uardons de velours, les hémérobes de dentelle, les chrysis au ventre rouge, les volucelles tapageuses, et vous aurez quelque idée du spectacle plein de rêverie qu'en juin, à midi, la croupe de Jerbourg ou de Fermain-Bay offre à un entomologiste un peu songeur, et à un poëte un peu naturaliste.

(*T. M.*, *l'Archipel de la Manche*, IV [1864-1865?].)

Il regardait vaguement les gros bourdons noirs à croupes jaunes et à ailes courtes qui s'enfoncent avec bruit dans les trous des murailles.

(*T. M.*, I, IV, 3, 1864-1865.)

... une plante magnifique et singulière se rattachait comme une bordure à la tenture de varech... Cette plante, fibreuse, touffue, inextricablement coudée et presque noire, offrait au regard de larges nappes brouillées et obscures, partout piquées d'innombrables petites fleurs couleur lapis-lazuli. Dans l'eau, ces fleurs semblaient s'allumer, et l'on croyait voir des braises bleues... En d'autres endroits, la roche était démasquinée comme un bouclier sarrasin ou niellée comme une vasque florentine. Elle avait des pan-

neaux qui paraissaient de bronze de Corinthe, puis des arabesques comme une
porte de mosquée... Des plantes à ramuscules torses et à vrilles, s'entre-
croisant sur les dorures du lichen, la couvraient de filigranes. Cet antre se
compliquait d'un Alhambra... Ce qui dominait, c'était l'enchantement. La
végétation fantasque et la stratification informe s'accordaient et dégageaient
une harmonie.

(T. M., II, 1, 13, 282, 1864-1865.)

... Le beau et le joli faisaient bon voisinage ; le superbe se complétait par
le gracieux ; le grand ne gênait pas le petit ; aucune note du concert ne se
perdait ; les *magnificences microscopiques* étaient à leur plan dans la vaste
beauté universelle, on distinguait tout comme dans une eau limpide... Dans
l'herbe, primevères, pervenches, achillées, marguerites, amaryllis, jacinthes,
et les violettes, et les véroniques. Les bourraches bleues, les iris jaunes, pul-
lulaient, avec ces belles petites étoiles roses qui fleurissent toujours en troupe
et qu'on appelle pour cela « les compagnons ». Des bêtes toutes dorées couraient entre les pierres. Les joubarbes en floraison empourpraient les toits
de chaume. Les travailleurs des ruches étaient dehors. L'abeille était à la
besogne...

(T. M., III, III, 5, 1864-1865.)

Alors je lui montrai dans l'herbe une fourmi...

(A. G. P., III, 1, 12 avril [1870-1877 ?].)

Les deux aînés... étaient absorbés par autre chose ; un cloporte était en
train de traverser la bibliothèque.

. . . .

Puis une abeille entra...
Celle-ci fit grand bruit en entrant, elle bourdonnait à voix haute, et elle
avait l'air de dire : J'arrive, je viens de voir les roses, maintenant je viens
voir les enfants. Qu'est-ce qui se passe ici ?

(Q. V. T., III, III, 2 et 3 [1873 ?].)

APPENDICE

Victor Hugo est à ce point dressé à ces visions d'infiniment petits que, à ses yeux, des spectacles réduits par la perspective de l'éloignement ou de l'altitude prennent parfois l'aspect de « magnificences microscopiques ». C'est le procédé retourné, dont voici quelques exemples extraits des *Voyages* : au lieu que des fourmis lui paraissent occupées à traire des pucerons, ce sont les troupeaux de bœufs qui prennent de loin l'aspect de pucerons.

... sur la mer, dispersés à tous les bouts de l'horizon, une vingtaine de bateaux pêcheurs pareils à des points noirs qui commencent à avoir une forme en courant silencieusement sur ce miroir livide comme de gros moucherons.

(*V.*, II, 137, Dieppe, 8 septembre 1837, 9 h. du soir.)

... des pucerons roux et blancs, qui étaient un troupeau de bœufs, mugissaient dans une prairie à droite ; d'autres pucerons bleus et rouges, qui étaient des canonniers, faisaient l'exercice à feu dans le polygone à gauche ; un scarabée noir, qui était une diligence, courait sur la route de Metz ; et au nord, sur la croupe d'une colline, le château du grand-duc de Bade brillait dans une flaque de lumière comme une pierre précieuse.

(*Rh.*, XXX, 358, Strasbourg, septembre 1839.)

... Au jour, au soleil, le lac est bleu, les voiles sont blanches, et elles donnent à la barque la figure d'une mouche qui courrait sur l'eau, les ailes dressées. La nuit, l'eau est grise et la mouche est noire. Je regardais donc cette gigantesque mouche, qui marchait lentement vers Meillerie, découpant sur la clarté de la lune ses ailes membraneuses et transparentes.

(*Rh.*, XXXIX, 405, Vevey, 21 septembre 1839.)

... un petit cheval courageux remorquant à lui seul une grosse barque pontée, comme une fourmi qui traîne un scarabée mort.

(*Rh.*, XXV, 269, octobre 1840.)

Elle (la petite rade) est peuplée de nacelles de pêcheurs à quatre rames qui courent sur l'eau. De la hauteur où je suis, la rade pleine de ces nacelles figure une mare couverte d'araignées d'eau.

(*V.*, II, 357, Pasages, 3 août 1843, 3 h. après-midi.)

I. — LA COMÉDIE DANS L'HERBE :
LES INSECTES ET LES FLEURS

INSECTE ET FLEUR

> Tous les petits enfants viennent autour de moi...
> C'est qu'ils savent que j'ai leurs goûts ; ils se souviennent
> Que j'aime comme eux l'air, les fleurs, les papillons...
> (*C.*, I, VI, *La vie aux champs.*)

Ce motif découle des *Magnificences microscopiques* et du *Vere novo*, dont il est une illustration combinée. Il reste, pendant les dix premières années, d'une valeur indécise sur le plan lyrique : des évolutions de l'insecte, papillon, bourdon ou frelon, autour de la fleur, le poète ne retient d'abord que les arabesques décoratives, se bornant à noter le groupe qu'ils font ensemble. Puis, vers 1840, par deux fois le motif se rencontre avec celui de *fleurs et ruines* (la giroflée de *Spectacle rassurant* et la pâquerette du Carrousel) et semble y prendre une nuance nouvelle : le jeu se charge de coquetterie, l'insecte folâtre. Après 1854, Eros s'en mêle et préside à la cour en règle que le frelon ou le bourdon font à la rose. Le motif est développé alors à de fréquentes reprises, sans grand changement, dans les *Chansons des rues et des bois* et dans les scènes de *la Forêt mouillée*, en une série de variations très similaires, allant de la mignardise à un érotisme accentué (les *roses nues* de 1874-1875, au temps de Blanche ?).

Ce motif est loin d'être personnel à Victor Hugo. On a pu faire des rapprochements avec Th. Gautier (cf. ci-dessous *Toilette des fleurs*), et il est possible que telle lecture lui ait remis en mémoire un motif qu'il avait autrefois esquissé sans en épuiser les aspects. Mais je trouve pour ma part infiniment plus instructive, et, le dirai-je, décisive, la réminiscence d'un geste d'enfant, pendant son voyage de 1840, un jour que dans le *Bois d'Andernach*, il rêvait en regardant probablement quelque abeille tourner autour d'une fleur.

Lèvres de la rose
Où l'abeille pose
Sa bouche de miel!
(*F. A.*, XXXVII, VII, éd. juin 1830.)

La fleur s'ouvre, rose et vermeille;
La brise y suspend une abeille,
La rosée une goutte d'eau!
(*F. A.*, XXXIV, éd. 8 juillet 1831.)

La pauvre fleur disait au papillon céleste...
... Roses et papillons, la tombe nous rassemble...
... Papillon rayonnant, corolle à demi-pleine,
Aile ou fleur!
(*C. C.*, XXVII, 7 décembre 1834.)

. . . .
L'abeille qui tout bas chante et parle à la rose,
Parmi tous ces objets dont l'être se compose,
Que de fois j'ai rêvé, triste et parfois heureux,
Tâchant de m'expliquer ce qu'ils disaient entre eux!
(*T. L.*, V, IV [1830-1834?].)

Chemin faisant, j'ai rencontré un champ de navette en fleur avec des coquelicots et des papillons et un beau rayon de soleil. J'y suis resté. La grande cave se passera de ma visite.
(*Rh.*, II, 23, Epernay, juillet 1838.)

(*Le jardin...*)
Semé de fleurs s'ouvrant ainsi que des paupières,
Et d'insectes vermeils qui couraient sur les pierres;
(*R. O.*, XIX, 31 mai 1839.)

Tout est lumière, tout est joie.
L'araignée au pied diligent
Attache aux tulipes de soie
Ses rondes dentelles d'argent.
. . . .
La giroflée avec l'abeille.
Folâtre en baisant un vieux mur;
Le chaud sillon gaîment s'éveille,
Remué par le germe obscur.
(*R. O.*, XVII, 1er juin 1839.)

Dans tous les coins du jardinet, des gerbes étoilées de soleils, de roses trémières et de reines marguerites, éclataient comme les bouquets d'un feu d'artifice. Autour de ces touffes flottait sans cesse une neige vivante de papillons blancs auxquels se mêlaient des plumes échappées d'un colombier voisin. Chaque fleur et chaque grappe avait en outre sa nuée de mouches de toutes couleurs qui resplendissaient au soleil.
(*Rh.*, XVIII, 145, Bacharach, septembre 1840.)

Lorsque j'étais enfant...
Et que je m'amusais, errant près des chaumières,
A prendre des bourdons dans les roses trémières
En fermant brusquement la fleur avec mes doigts...
(*T. L.*, V, v, Bois d'Andernach-sur-le-Rhin,
12 septembre 1840.)

O mon Dieu! il y avait là la plus jolie petite marguerite du monde, autour de laquelle allait et venait coquettement une charmante mouche microscopique...

(Ch. v., I, 67, 29 mai 1841.)

... Je suis resté quelques minutes arrêté devant un liseron dans lequel allait et venait une fourmi...

(V., II, 333, Pasages, août 1843.)

> Chastes buveuses de rosée,
> Qui, pareilles à l'épousée,
> Visitez le lys du coteau,
> O sœurs des corolles vermeilles,
> Filles de la lumière, abeilles...
>
> Nous volons, dans l'azur écloses,
> Sur la bouche ouverte des roses...

(Ch., V, III [juin 1853?].)

UN PAPILLON, *à une violette.*

    ... Rose!

LA VIOLETTE

Flatteur!

LE PAPILLON

 Un baiser.

LA VIOLETTE

 Prends.

LE PAPILLON, *au lys.*

  Je t'aime, ô lys!

LE LYS

    Coureur!...

(Th. Lib., F. M., sc. I, mai 1854.)

LE MOINEAU

(*A un papillon blanc qui tourne autour d'une rose épanouie.*)
  ... L'enfant, laisse là cette vieille.
Elle est d'hier matin.

(Le papillon s'en va.)

LA ROSE

 Que cet âge est grossier!

(Th. Lib., F. M., sc. II, mai 1854.)

Pervenches, lys, muguets, jonquilles, pâquerettes,
Dont le seul papillon touche les collerettes.

(Th. Lib., F. M., sc. III, mai 1854.)

> Les petites ailes blanches
> Sur les eaux et les sillons
> S'abattent en avalanches;
> Il neige des papillons...

(C., I, XIV, 10 octobre 1854.)

Ce n'est dans les jasmins, ce n'est dans les pervenches
Qu'un éblouissement de folles ailes blanches.

(C., I, XII, 14 octobre 1854.)

Et, sans s'apercevoir que je suis là, les roses
Font avec les bourdons toutes sortes de choses ; ...
Et le frais papillon, libertin de l'azur,
Qui chiffonne gaîment une fleur demi-nue...

      (*C.*, I, XXVII, 15 octobre 1854.)

  Les papillons aiment les roses,
  Les hiboux ne les aiment pas.

     (*A. G. P.*, X, IV, 3 janvier 1855.)

Dressez procès-verbal contre les pâquerettes
Qui laissent les bourdons froisser leurs collerettes...

      (*C.*, III, X, 5 mars 1855.)

Dans les champs de luzerne et dans les champs de fèves,
Les vagues papillons errent pareils aux rêves...
Et les abeilles d'or courent à la pervenche,
Au thym, au liseron, qui tend son urne blanche
  A ces buveuses de parfum...

Le bourdon galonné fait aux roses coquettes
  Des propositions tout bas.

    (*C.*, III, XXII, 24 mai [1854 ou 1855 ?].)

Sur les eaux, les pistils, les fleurs et les sillons,
Volent tous ces baisers qu'on nomme papillons.

      (*A.*, 351 [1857 ?].)

  C'est que, toute mutilée,
  Voletant dans le tombeau,
  La pauvre mouche brûlée
  Chante un hymne au noir flambeau.

    (*C. R. B.*, R. 320, 18 janvier 1859.)

  Les abeilles dans l'anémone,
  Mendiaient, essaim diligent ;
  . . . .
  Une rose riait sous cape
  Avec un frelon, son amant.
  . . . .
  Les mouches aux ailes de crêpes
  Admiraient près de sa Phryné
  Ce frelon, officier des guêpes,
  Coiffé d'un képi galonné...

    (*C. R. B.*, II, I, 2, Serk, 1er juin 1859.)

  J'ai pour joie et pour merveille
  De voir, dans ton pré d'Honfleur,
  Trembler au poids d'une abeille
  Un brin de lavande en fleur.

    (*C. R. B.*, II, IV, 3, 1er juillet [1859 ?].)

  Le hallier sauvage est bien aise
  Sous l'œil serein de Jéhovah,
  Quand un papillon déniaise
  Une violette, et s'en va.

    (*C. R. B.*, I, II, 7, 11 juillet 1859.)

C'est la vieille histoire éternelle;
Faune et Flore; on pourrait, hélas!
Presque dire : A quoi bon la belle?
Si la bête n'existait pas.

(*C. R. B.*, I, ii, 5, 5 octobre 1859.)

L'abeille errait, l'aube était large,
L'oiseau jetait de petits cris,
Les moucherons sonnaient la charge
A l'assaut des rosiers fleuris.

(*T. L.*, VI, xvi, 4 novembre [1859?].)

Aux chenilles de velours
Le jasmin tend ses aiguières.

(*C. R. B.*, II, iii, 3 [1859?].)

. . . .
Un bourdon de velours jaune et noir se roulait
Dans les fleurs, enjôlant l'anémone et l'œillet,
Chiffonnant le fichu du lys et des jonquilles,
Comme un gros financier parmi de belles filles.

(*C. R. B.*, R. 357 [1859?].)

. . . .
J'ai dans mon jardin un cytise
Que j'ai sauvé du jardinier;
Un gros bourdon qui le courtise
M'en a su gré l'été dernier.

(*C. R. B.*, R. 360 [1859?].)

On voit rôder l'abeille à jeun,
La guêpe court, le frelon guette;
A tous ces buveurs de parfum
Le printemps ouvre sa guinguette.

Le bourdon, aux excès enclin,
Entre en chiffonnant sa chemise;
Un œillet est un verre plein,
Un lys est une nappe mise.

La mouche boit le vermillon
Et l'or dans les fleurs demi-closes,
Et l'ivrogne est le papillon,
Et les cabarets sont les roses.

(*A. G. P.*, I, viii [1859-1865?].)

J'erre; un vent tiède émeut les bois, je vois les scènes
Que font les pauvres fleurs aux papillons obscènes;
Le lys vers le bourdon se penche, et, l'écoutant,
A l'air de s'écrier : Ah! vous m'en direz tant!

(*L. S., D. S.*, XIII, iii [1860?].)

Tout autour des bancs de tulipes tourbillonnaient les abeilles, étincelles de ces fleurs flammes.

(*Mis.*, V, 1, 16, 57, 1860-1862.)

Peu à peu, en même temps que les massifs se remplissaient de papillons et de roses, immobile et muet des heures entières, caché derrière ce mur, vu de personne, retenant son haleine, il s'habitua à voir Déruchette aller et venir dans le jardin.

(*T. M.*, I, iv, 2, 126, 1864-1865.)

Les premiers papillons se posaient sur les premières roses.

> (*T. M.*, III, III, 5, 447, 1864-1865.)

DON SANCHE

On croit voir des baisers errer, cherchant des bouches.

DONA ROSE

Ils en trouvent. Ce sont les fleurs...
Comme aux pieds de leur dame ils viennent se poser!
Bon! les voilà partis, les petits infidèles!

> (*Torq.*, a. I, sc. 5, 1869.)

C'était le matin, l'heure où le bois se fait beau...
Les papillons volaient du cytise au myrtil.

> (*Q. V. E.*, I, XVI [entre juillet et septembre 1870]) (1).

Les fleurs prendront des airs penchés dans les ravines...
Les papillons feront tout ce qui leur plaira...

> (*T. L.*, II, XXIX, 8 mai [1872-1874?].)

La rose est une fille; et ce qu'un papillon
Fait à la plante est fait au grain par le sillon.

> (*T. L.*, III, III, 8 avril 1874.)

Le papillon souhaite un calice et le trouve,
La rose est nue, et l'herbe est tendre, et le lys prouve
Qu'on montre sa blancheur sans perdre sa vertu...

> (*T. L.*, VI, LV [1874-1875?].)

Les papillons, lâchés dans le bois ingénu,
Font avec le premier bouton de fleur venu
Des infidélités aux roses, leurs amantes.

> (*T. L.*, VI, XVIII, 1820, 10 avril 1875.)

La rose au papillon se livre toute nue.

> (*A. F.*, XLVIII, 27 juin 1875.)

Les fleurs écoutent la promesse
Du papillon; la tiendra-t-il?...
Et l'abeille ira tout de même
Cajoler la fleur du pêcher.

> (*T. L.*, VII, XXIII, 16, 9 octobre [1877-1880?].)

---

(1) Cette pièce fait allusion à l'Infaillibilité pontificale : elle se place donc après le 18 juillet 1870. Mais il y est question de l'empereur : elle a donc été écrite avant sa chute, c'est-à-dire avant le 4 septembre.

ANNEXE

A propos de papillons, je cite ici des exemples de deux associations poétiques sans rapport direct, je l'avoue, avec le motif ci-dessus : d'après la forme et la couleur, elles assimilent les papillons à des flocons de neige ou encore à de petits morceaux de papier. J. Vianey trouve (*Les Contemplations*, t. I, p. 111) deux exemples de la première chez Théophile Gautier. Le fait vaut la peine d'être rapporté, car il me paraît présenter de manière typique les rapports possibles d'influence et le cheminement des images de l'un à l'autre.

Les deux exemples appartiennent à des pièces publiées en 1838, antérieurement donc à l'apparition de l'image en voyage (1840), *Pantoum* et *Chant du grillon* :

> Les papillons couleur de neige
> Volent par essaims sur la mer.

> Il neige des fleurs.

Mais Vianey ajoute que Gautier s'était peut-être lui-même souvenu du vers de l'*Orientale* XLI : « Il neige des feuilles », le « Pantoum » lui ayant été sans doute inspiré par la traduction d'un « pantoum malais » donnée par Hugo d'après Fouinet dans les notes de ce recueil.

Il peut sembler que Hugo retrouve chez Gautier une image déjà exploitée par lui et qu'il porte d'ailleurs en général par la suite à un degré rarement atteint par Gautier.

NEIGE ET PAPILLONS

Autour de ces touffes flottait sans cesse une neige vivante de papillons blancs...

(*Rh.*, XVIII, 145, Bacharach, septembre 1840.)

... A voir tomber tous ces flocons de neige, on dirait qu'il y a au ciel une peste de papillons blancs (1).

(*Mis.*, III, VIII, 15, 489, 1847.)

---

(1) L'association se fait, on le voit, dans les deux sens : plus rarement dans celui-ci, peut-être parce que Victor Hugo parle plus volontiers du printemps et des papillons que de l'hiver et de la neige.

A midi mille papillons blancs s'y réfugiaient, et c'était un spectacle divin de voir là tourbillonner en flocons dans l'ombre cette neige vivante de l'été.

(Mis., IV, III, 3, 65, 1847-1848.)

> Les petites ailes blanches
> Sur les eaux et les sillons
> S'abattent en avalanches;
> Il neige des papillons.

(C., I, XIV, 10 octobre 1854.)

> Mais, quand avril revient, la fleur naît, le jour croît;
> Alors la terre heureuse au ciel qui la protège
> Rend en papillons blancs tous ses flocons de neige.

(Torq., a. I, sc. 5, 1869.)

PAPILLONS ET PAPIERS

> On croit voir s'envoler, au gré du vent joyeux...
> Et courir à la fleur en sortant de la femme,
> Les petits morceaux blancs, chassés en tourbillons,
> De tous les billets doux, devenus papillons.

(C., I, XII, 14 octobre 1854.)

> . . . .
> Comme si ses soupirs et ses tendres missives
> Au mois de mai, qui rit dans les branches lascives,
> Et tous les billets doux de son amour bavard,
> Avaient laissé leur trace aux pages du buvard!

(C., II, I, 29 mars 1855.)

Georgette, pensive, regarda ces essaims de petits papiers blancs se disperser à tous les souffles de l'air, et dit : « Papillons. »

(Q. V. T., III, III, 242 [1873?].)

NOURRITURES CÉLESTES

Ce motif présente un autre aspect des relations de l'insecte avec la fleur : le nom même de « calice » fait de la fleur une « urne », un « ciboire », comme dit le poète, où l'abeille et l'oiseau viennent boire. Il naît d'une « contemplation » mariée à un jeu de mots étymologique. Si ce n'est de la fleur, c'est d'air ou de rosée que vivent ces « buveurs d'azur » : nourriture immatérielle seule convenable à des créatures ailées et qui les grise autant et mieux que feraient les « nourritures terrestres ».

> Lèvres de la rose
> Où l'abeille pose
> Sa bouche de miel !
>   (*F. A.*, XXXVII, 7, éd. juin 1830.)

> Jouissons ; l'amour nous réclame.
> Chacun, pour devenir meilleur,
> Cueille son miel, nourrit son âme,
> L'abeille aux lèvres de la fleur,
> Le sage aux lèvres de la femme !
>   (*Ch.*, II, II, 7 avril [1853 ?].)

> Chastes buveuses de rosée...
> Nous volons, dans l'azur écloses,
> Sur la bouche ouverte des roses...
>   (*Ch.*, V, III [juin 1853 ?].)

> ... Courbant leur tige, ouvrant leurs yeux, penchant leurs urnes,
> Les roses des étangs, ces coquettes nocturnes...
>   (*T. L.*, II, XL, 6 mars 1854.)

> Et les abeilles d'or courent à la pervenche,
> Au thym, au liseron, qui tend son urne blanche
> A ces buveuses de parfums.
>   (*C.*, III, XXII, 24 mai [1854 ou 1855 ?].)

> Les fauvettes, d'azur nourries,
> Prennent les songeurs pour époux.
>   (*C. R. B.*, R. 318, 7 septembre 1854.)

> Plus d'abeilles buvant la rosée et le thym...
>   (*C.*, V, XX, 11 juin 1855.)

Tous ces buveurs d'azur faits pour s'enivrer d'air,
Tous ces nageurs charmants de la lumière bleue,
Chardonneret, pinson, moineau franc, hochequeue...
(*L. S., D. S.*, XVII, I, 12 mai 1856.)

Nos bleus lotus penchés sont des urnes de miel...
(*L. S., N. S.*, X, II, [1855-1862?].)

La rose épanouie est toute grande ouverte,
Sortant du frais bouton comme d'une urne verte
(*L. S., P. S.*, IX, mai 1859.)

Un grimpereau, cherchant à boire,
Vit un arum, parmi le thym,
Qui dans sa feuille, blanc ciboire,
Cachait la perle du matin.
(*C. R. B.*, II, I, 2, Ier juin 1859.)

Il va, vient, boit l'encens, s'enivre
De rayons, de vie et d'azur.
(*C. R. B.*, R. 324, 17 juin 1859.)

L'abeille est ivre de rosée.
(*C. R. B.*, I, IV, I, 17 juillet 1859.)

Dans l'herbe humide et dans le thym,
Les grives boivent la rosée.
(*C. R. B.*, I, III, 3 [1859 ou 1865?].)

L'aurore aux pavots dormants
Verse sa coupe enchantée...
. . . .
Un encens sort de l'iris ;...
. . . .
Aux chenilles de velours
Le jasmin tend ses aiguières...
(*C. R. B.*, II, III, 3, s. d. [1859?].)

A tous ces buveurs de parfums
Le printemps ouvre sa guinguette.
(*A. G. P.*, I, VIII [1855-1865?].)

Les jardins et les prairies, ayant de l'eau dans leurs racines et du soleil
dans leurs fleurs, deviennent des cassolettes d'encens et fument de tous
leurs parfums à la fois...
(*Mis.*, V, I, 16, 1860-1862.)

Quand ils vont secouant de leurs crinières folles
Tant de rosée à tant d'amoureuses corolles,
Les chevaux du matin...
(*A.*, 350 [1857-1880?].)

Les liserons, ces vases de rosée.
(*Oc.*, 399, s. d.)

TOILETTE DES FLEURS

Les petites fleurs d'or, les petites fleurs bleues,
Prennent, pour l'accueillir agitant leurs bouquets,
De petits airs penchés ou de grands airs coquets,
Et, familièrement, car cela sied aux belles :
« Tiens ! c'est notre amoureux qui passe ! », disent-elles.
(C., I, II, Le poète s'en va dans les champs.)

Du moment que « la rose est une fille », il va de soi qu'elle s'habille et se pare de colifichets pour plaire. L'inépuisable variété des fleurs, la diversité de coloris et de forme de leurs corolles, la différence de maintien de leur tige font aussitôt penser de « collerettes », de robes et de petites mines. La poésie poursuit ce qu'avait commencé l'imagination populaire qui nomme telles d'entre elles « belles de nuit » et distribue la timidité à la violette et l'arrogance au lys. Hugo, l' « amoureux » des petites fleurs, les a beaucoup, longtemps et souvent observées, mais il n'y faut pas trop chercher finesse. Pour rendre leur vie perceptible, il recourt aux modes élémentaires de personnification qui le replacent à cet égard dans la tradition des gentils poètes de la nature, un rien précieux, à commencer par Charles d'Orléans.

L'araignée au pied diligent
Attache aux tulipes de soie
Ses rondes dentelles d'argent.
(R. O., XVII, 1er juin 1839.)

... de belles fleurs bleues à long corsage se mettaient aux fenêtres à travers les ronces...
(V., II, 196, Lucerne, septembre 1839.)

Tu fais dans le bois vert la toilette des roses...
(Ch., VII, XII, 23 mai 1853, Jersey.)

Et voici que partout, pêle-mêle, muettes,
S'éveillent, au milieu des joncs et des roseaux,
Regardant leur front pâle au bleu miroir des eaux,
Courbant leur tige, ouvrant leurs yeux, penchant leurs urnes,
Les roses des étangs, ces coquettes nocturnes.
(T. L., II, XL, 6 mars 1854.)

De la source, sa cuvette,
La fleur, faisant son miroir...
(*C.*, I, XIV, 10 octobre 1854.)

... la violette
La plus pudique fait devant moi sa toilette.
(*C.*, I, XXVII, 15 octobre 1854.)

Il est un peu tard pour faire la belle,
Reine-marguerite ;...
(*Q. V. E.*, III, XXX, 30 octobre 1854.)

Pervenches, lys, muguets, jonquilles, pâquerettes,
Dont le seul papillon touche les collerettes...
(*Th. Lib.*, *F. M.*, III, 1854.)

Dressez procès-verbal contre les pâquerettes
Qui laissent les bourdons froisser leurs collerettes... (1).
(*C.*, III, X, 5 mars 1855.)

Pas de lauriers dans des guérites ;
Mais parmi les prés et les blés,
Les paysannes marguerites,
Avec leurs bonnets étoilés... (2).
(*C. R. B.*, II, IV, 4, 8 juin 1859.)

Les ifs, que l'équerre hébète,
Semblaient porter des rabats ;
La fleur faisait la courbette,
L'arbre mettait chapeau bas.
(*C. R. B.*, I, V, 1, 2 juillet-2 août 1859.)

Étalant mille couleurs
Autour du chêne superbe
Toutes les petites fleurs
Font leur toilette dans l'herbe.
. . . .
Le lys met ses diamants ;
La rose est décolletée, etc...
(*C. R. B.*, II, III, 3 [1859 ?].)

---

(1) On trouve ce motif sous la même forme chez GAUTIER (*Paysages*, IV, *Le Sentier*, *O. C.*, I, p. 16, éd. Jasinski) :

... les frêles pâquerettes
Pour fêter le printemps ont mis leurs collerettes.

Ces vers ne figuraient pas dans la rédaction de 1830, ils ont été ajoutés en 1845. Gautier a repris le motif dans *Sourire du Printemps*, écrit en 1851, publié en 1852.

Pour les petites pâquerettes
Sournoisement lorsque tout dort
Il repasse des collerettes
Et cisèle des boutons d'or.

(2) Cf. *C.*, V, XXIII, 17 décembre 1854 :

Et la fauvette y met de travers son bonnet...

L'année ôte son vieil habit ;
La terre met sa belle robe.

. . . .

L'arbre est coquet ; parmi les fleurs
C'est à qui sera la plus belle ;
Toutes étalent leurs couleurs,
Et les plus laides ont du zèle.

. . . .

Juin rit de voir s'endimancher
Le petit peuple des fougères...

          (*A. G. P.*, I, viii [1855-1865 ?].)

Les bouquets venaient de se laver ; tous les velours, tous les étains, tous les vernis, tous les ors, qui sortent de la terre sous forme de fleurs, étaient irréprochables.

          (*Mis.*, V, 1, 16, 58, 1861-1862.)

Je dis aux fleurs bordant les berges :
Faites avec soin votre ourlet...

          (*A. G. P.*, X, ii, mai 1870.)

Un lac, où vous verrez vaguement fuir un cygne,
Servira de miroir, parmi l'herbe et le thym,
Aux fleurs se recoiffant dans l'ombre le matin.

          (*T. L.*, VII, xix [1869-1870 ?].)

Pour faire fête à l'aube, au bord des flots dormants,
Les ronces se couvraient d'un tas de diamants ;
Les brins d'herbe coquets mettaient toutes leurs perles...

          (*Q. V. E.*, I, xvi [entre juillet et septembre 1870].)

La rose se tient toute droite
Comme une fille à marier.

          (*T. L.*, VII, xxiii, 16, 9 octobre [1878-1880 ?].)

2. — « LA COMÉDIE DANS LES FEUILLES »
LES OISEAUX ET LES ARBRES

LE RAPPEL DES OISEAUX

> Comme dans les forêts mouillées
> A travers le bruit des feuillées
> On entend le bruit d'un oiseau...
> (*C. C.*, XXVI.)

Plus encore que les fleurs, pour le rêveur des chemins, les oiseaux animent la forêt : leur intarissable pépiement du matin ou du soir, leurs cris divers et reconnaissables, prêtent — et ont toujours prêté — à un degré plus poussé de personnification humaine, comme l'indique le titre de ce thème, emprunté à Rameau : « La conversation des feuilles et des nids » dit leur histoire, leurs querelles, leurs amours. Hugo a beaucoup aimé les oiseaux, comme il a aimé tous les êtres faibles, et par surcroît gracieux, de la nature. Leur nom figure dans le titre de deux *Contemplations*, qui leur sont intégralement consacrées (I, XVIII et II, IX), et leur présence est indispensable aux *vere novo*, où leur « fonction » est de semer la joie. Le poète l'avait laissé subtilement entendre dès 1837 :

> Un oiseau chante à sa fenêtre,
> La gaîté chante dans son cœur! (1)

Il l'affirme plus vigoureusement en 1854 :

> ... — Ces oiseaux sont dans leur fonction...
> Homme, ils sont la gaîté de la nature entière...
> Ils vont pillant la joie en l'univers immense (2).

Mais, cette joie, ils la rendent au centuple, invitant par leurs conseils et leur exemple les hommes à vivre pour aimer.

(1) *V. I.*, V, février 1837.
(2) *C.*, I, XVIII, 14 octobre 1854.

Il entend dans le chêne énorme
Rire les oiseaux querelleurs.
(*V. I.*, V, éd. février 1837.)

... la nature fait jaser les nids d'oiseaux...
(*Rh.*, XIV, 116, Saint-Goar, septembre 1840.)

... à ma droite s'ouvrait étroitement entre deux rochers un charmant ravin plein d'ombre ; un tas de petits oiseaux y babillaient à qui mieux mieux et se livraient à d'affreux commérages les uns sur les autres...
(*Rh.*, XX, 165, de Lorch à Bingen, Niederheimbach, septembre 1840.)

Au moment où Pécopin passait sous leur ombre, quatre oiseaux étaient perchés sur ces quatre arbres, un geai sur le frêne, un merle sur l'orme, une pie sur le sapin et un corbeau sur le chêne. Les quatre ramages de ces quatre bêtes emplumées se mêlaient d'une façon bizarre et semblaient par instants s'interroger et se répondre. On entendait en outre un pigeon, qu'on ne voyait pas parce qu'il était dans le bois et une poule, qu'on ne voyait pas parce qu'elle était dans la basse-cour de la ferme.
... Pour le jeune homme, le merle siffle, le geai garrule, la pie glapit, le corbeau croasse, le pigeon roucoule, la poule glousse ; pour le vieillard les oiseaux parlent.
(*Rh.*, XXI, III, 189, 1840.)

... les oiseaux babillent gaîment dans les lierres de la ruine...
(*Rh.*, XXII, 232, Bingen, septembre 1840.)

Un rossignol faisait visite à des chouettes
Si souvent qu'à la fin, notez ceci, poètes,
Les chouettes disaient : « Le vilain animal !
Comme il est ennuyeux et comme il chante mal ! »
(*D. G.*, R. 493, 28 avril 1847.)

Les herbes et les branchages,
Pleins de soupirs et d'abois,
Font de charmants rabâchages
Dans la profondeur des bois.

La grive et la tourterelle
Prolongent, dans les nids sourds,
La ravissante querelle
Des baisers et des amours.
(*C.*, I, XIV, 10 octobre 1854.)

(*Les oiseaux.*)

Et, lorsqu'ils sont bien pleins de jeux et de chansons,
D'églogues, de baisers, de tous les commérages
Que les nids en avril font sous les verts ombrages,
Ils accourent, joyeux, charmants, légers, bruyants,
Nous jeter tout cela dans nos trous effrayants ;...
(*C.*, I, XVIII, 14 octobre 1854.)

Là, l'ombre fait l'amour ; l'idylle naturelle
Rit ; le bouvreuil avec le verdier s'y querelle...
(*C.*, V, XXIII, 17 décembre 1854.)

Oiseaux, mêlez vos chants ; âmes, mêlez vos ailes ;
Gloire à Dieu !

UN MOINEAU FRANC

Dehors, tous !...

UN HOCHEQUEUE

Congé !

UNE ABEILLE

La clef des champs !

UN MOUCHERON

Baiserai-je, papa ? etc...
(*Th. Lib.*, *F. M.*, sc. II, 1854.)

. . . .
Et les rameaux fleuris
Sont pleins de petits cris.
(*Q. V. E.*, III, XIII, 1, 9 janvier 1855.)

Tout regorge de sève et de vie et de bruit...
Et de petits oiseaux qui se cherchent querelle.
(*C.*, I, IV, 19 mars 1855.)

Un pinson jasait avec une aigrette ;
Je fixais mes yeux au fond du hallier
Sur cette lorette
Et cet écolier.
. . . .
— Est-elle serine !
Cria le pinson.
(*C. R. B.*, *R.* 319, 15 avril 1855.)

Oh ! quand donc aurez-vous fini, petits oiseaux,
De jaser au milieu des branches et des eaux ?...
(*C.*, II, IX, 10 juin 1855.)

L'oiseau se perche sur l'ange ;
L'apôtre rit sous l'arceau.
« Bonjour, saint ! » dit la mésange.
Le saint dit : « Bonjour, oiseau ! »
(*C.*, II, XXVII, 17 juin 1855.)

O libres oiseaux, fiers, charmants, purs, sans ennuis,
Vous dites à l'aurore, aux fleurs, à l'astre, aux nuits :
— Est-ce qu'on ne peut pas aimer quand on est homme ?
(*L. S.*, *D. S.*, XIII, 1 [1855 ?].)

Or voici poindre avril. Les bons petits oiseaux
Font un charivari tout joyeux dans mon arbre...
(*Oc.*, XXXIV [1856 ?].)

Le jour s'éteint ; les nids chuchotent, querelleurs...
(*L. S.*, *P. S.*, IX, mai 1859.)

Les fauvettes sont des drôlesses
Qui chantent des chansons d'amour.
(*C. R. B.*, I, IV, 7, 27 septembre [1859 ?].)

Les chanteuses sont ainsi faites
Qu'on est parfois, sous le rideau,
Dévalisé par les fauvettes,
Dans la forêt de Calzado.

              (*C. R. B.*, I, ii, 9, septembre 1865.)

La feuille cause avec l'aile...
. . . .
Les geais, les pinsons, les huppes
Médisaient au fond des bois (1).

            (*C. R. B.*, R. 359-363 [1859-1865?].)

L'oiseau vole,
Et console
Le désert et la maison,
Et les plaines
Et les chênes
Écoutent, quand sa chanson
Va de buisson en buisson.

         (*T. L.*, VII, xxiii, 4, 5 septembre 1861,
                                Guernesey.)

Il y avait dans les sycomores un tintamarre de fauvettes, les passereaux triomphaient, les pique-bois grimpaient le long des marronniers en donnnant de petits coups de bec dans les trous de l'écorce.

                    (*Mis.*, V, 1, 16, 57, 1861.)

La rivière arrivait à ses pieds avec le bruit d'un baiser. On entendait le dialogue aérien des nids qui se disaient bonsoir dans les ormes des Champs-Élysées.

                 (*Mis.*, V, iii, 9, 141, 1861.)

. . . .
Une ramière aime un ramier.

Leur histoire emplit les charmilles...
. . . .
Que de fureur sur cette églogue!
L'essaim volant aux mille voix
Parle, et mêle à son dialogue
Toutes les épines des bois.

L'ara blanc, la mésange bleue,
Jettent des car, des si, des mais,
Où les gestes des hoche-queue
Semblent semer des guillemets.
. . . .
Le geai dit : Leurs baisers blasphèment.
Le pinson chante : Ça ira.
La linotte fredonne : Ils s'aiment.
La pie ajoute : Et cætera...

                (*T. L.*, VII, v, 9 août 1865.)

C'était un doux parlage de tous à la fois, huppes, mésanges, piquebois, chardonnerets, bouvreuils, moines, et miss.

            (*T. M.*, III, iii, 5, 448, 1864-1865.)

(1) Pour mémoire, citons ici la *Chanson des Oiseaux*, F. S., III, i, 3 (1860), véritable déclaration de la gent ailée, dont de nombreuses espèces y sont représentées :

Vivons! Chantons! Tout est pur.
Dans l'azur...

Oui, le gazouillement, musique molle et vague...
Est tout un verbe, toute une langue, un échange
De l'aube avec l'étoile et de l'âme avec l'ange,
Idiome des nids, truchement des berceaux,
Pris aux petits enfants par les petits oiseaux.
> (*L. S., N. S.*, XVIII, *L'idylle du vieillard*, 16 octobre 1870.)

Les nids échangeront tout bas et sous les branches
De libres questions et des réponses franches.
> (*T. L.*, II, XXIX, 8 mai [1872-1874?].)

Les nids dialoguaient tout bas, et...
> (*T. L.*, VI, XVIII, 1817, 10 septembre 1873.)

Je ne laisserai pas se faner les pervenches
Sans aller écouter ce qu'on dit sous les branches,
Et sans guetter, parmi les rameaux infinis,
La conversation des feuilles et des nids;...
Je me supposerai convive de la fête
Que le pinson chanteur donne au pluvier doré...
Là jasent les oiseaux, se cherchant, s'évitant...
> (*T. L.*, VI, XVIII, 1840, 6 mai [1874-1875?].)

. . . .
Et les petits oiseaux tout bas se disent tu.
> (*T. L.*, VI, LV [1874-1875?].)

Avec l'oiselle l'oiseau cause,
     Et s'interrompt
Pour la quereller d'un bec rose,
     Aux baisers prompt.
> (*T. L.*, VII, XXIII, 14, 24 novembre 1876.)

. . . les rameaux
Où le nid et le vent jasent à demi-mots.
> (*T. L.*, VI, L [1876-1878?].)

L'oiseau regarde ému l'oiselle intimidée,
Et dit : Si je faisais un nid? c'est une idée!
> (*D. G.*, VII, 21 janvier 1877.)

On a le doux bonheur d'être avec les oiseaux,
Et de voir, sous l'abri des branches printanières,
Ces messieurs faire avec ces dames des manières.
> (*T. L.*, V, XLIX, 26 juin 1878.)

Le bec pique, mais il est rose;
La querelle est sœur du baiser...

On s'injurie à perdre haleine,
Puis on passe aux roucoulements...

On piaille, on crie, on se bécote.
La tourterelle dit : voyou!
Le moineau réplique : cocotte!
Puis on murmure : *I love you*!
> (*Oc.*, LVII, 15 mai [1880-1883?].)

Le passereau, la huppe et la bergeronnette
Discutaient ; entre oiseaux on jase, on est honnête,
Mais on est susceptible, et quelquefois les becs
Font comme les troyens ennuyés par les grecs ;
On se chamaille ; ainsi les bons rapports s'altèrent ;
Les trois oiseaux ayant discuté, disputèrent...

(*Oc.*, *Tas*, 546, s. d.)

ANNEXES

Voici trois séries de détails de la vie des oiseaux, qui ont tous pour origine des choses vues ou entendues. Ce sont de rapides croquis d'attitudes, dans lesquelles Hugo aime à les saisir.

I. *Oiseaux pillards.* — Les oiseaux pillent, Hugo le sait autant que jardinier ou paysan, autre chose que la joie. Aussi sont-ils pour lui les « gueux », les « bohémiens » de la nature, qui vont grappillant leur subsistance en chemin, où ils la trouvent, et conservent ainsi l'insouciance et la liberté légendaire du vagabond.

II. *Oiseaux moqueurs.* — La même liberté justifierait l'indépendance de leur jugement, que prête à supposer la vivacité de leur bavardage. Le moineau franc, c'est pour le poète le gamin de Paris, effronté et prompt à la réplique. Le merle railleur, « oiseau leste et braque », bonimenteur éperdu, a toujours paru destiné à tenir la chronique satirique. Hugo est là-dessus intarissable comme leur chant même, qui ne cesse pas, et cependant il trouve encore le moyen de ne pas trop se répéter.

III. « *La nichée sous le portail* ». — C'est le titre d'une pièce des *Contemplations* (II, XXVII) et c'est surtout une « chose vue ». Le spectacle d'un nid est pour Hugo une occasion d'admirer la prévoyance de la nature et les miracles de l'instinct qui supplée à la technique de l'homme. Que ce soit à Cologne ou à Reims, le contraste de l'architecture naturelle avec la « sévère architecture » des cathédrales le plonge dans une rêverie fertile en rapprochements et en oppositions. A quoi il faut ajouter, bien sûr, des souvenirs d'école buissonnière, renouvelés par le spectacle des enfants qui jouent sous ses yeux :

J'admire les crayons, l'album, les nids de merles (1).

(1) *C.*, I, VI, *La vie aux champs.*

ANNEXE I

OISEAUX PILLARDS

Le piquebois, son petit ventre blanc collé contre l'écorce, épluche l'un après l'autre tous les arbres des vergers.
(V, II, p. 474, Forêt Noire, Album 1840, 23 octobre matin.)

Buissons que les oiseaux pillent, joyeux convives!
(C., III, XXIV, juin 1843.)

On voyait courir dans les seigles
Les moineaux, partageux du ciel,
Ils pillaient nos champs, ces espiègles,
Tout comme s'ils étaient des aigles.
(Ch., VII, XIII, 13 avril 1853.)

(<i>Les oiseaux</i>)
Ils vont pillant la joie en l'univers immense.
(C. I, XVIII, 14 octobre 1854.)

O rossignol de l'ombre, alouette du jour,
Vous, gais pillards des blés, des seigles et des orges,
Moineaux, vous, amoureux de l'azur, rouges-gorges...
(L. S., D. S., XIII, 1 [1855?].)

... les lourds rochers, stupides et ravis,
Se penchent, les laissant piller le chènevis...
(C., II, IX, 10 juin 1855.)

Villages, verts buissons pillés des moineaux francs...
(Oc., L [1857-1859?].)

Oh! les charmants oiseaux joyeux!
Comme ils maraudent! comme ils pillent!
Où va ce tas de petits gueux... (1).
(C. R. B., II, II, 1, 16 août 1859.)

---

(1) Un peu plus loin, *ibid.* : « les gais bohémiens du vent... ». Cf. *C. R. B.*, I, III, 7, 15 octobre 1859 : « le moineau bohémien... ».

Les oiseaux, qui n'ont point à payer de loyer,
Changent d'alcôve autant de fois que bon leur semble...
... copions les oiseaux ingénus ;
Ah ! les petits pillards, et comme ils font leurs orges !

(*L. S.*, *N. S.*, XVIII, Id. xxi, 17 mai [1860 ?].)

... Oh ! les oiseaux ! les oiseaux ! quel chef-d'œuvre. C'est ça qui est toujours en rupture de ban.

(*M. F. R.*, a. I, sc. I, 215, 1866.)

Passereaux et rouges-gorges,
Venez des airs et des eaux,
Venez tous faire vos orges,
Messieurs les petits oiseaux,
Chez Monsieur le Petit Georges.

(*A. G. P.*, *R.* 583, « Pendant qu'on me juge
et me condamne à Paris, 1870. »)

... Et que je ne fais rien que ce que font enfin
Les gais oiseaux du ciel sous l'orme et sous l'érable...
Je conquiers des liards, tu voles des provinces.

(*L. S.*, *D. S.*, XVII, iv, 3 août 1874.)

ANNEXE II

OISEAUX MOQUEURS
(MOINEAU FRANC, MERLE RAILLEUR, etc...)

Mais il a fallu me résigner à ne rien voir et à ne rien entendre que le sifflement chronique d'un merle des rochers perché je ne sais où (1).

(*Rh.*, XV, 128, Saint-Goar, septembre 1840.)

... un corbeau railleur perché sur la porte de la ville dit au sire diable : « Mon ami, tu as au milieu du visage une chose très grosse que tu ne pourrais voir dans la meilleure glace, c'est-à-dire un pied de nez. »

(*Rh.*, XVII, 138, Saint-Goar, septembre 1840.)

(M. Percier) inventa et ajusta ce péristyle à l'extrémité d'une ravissante allée d'acacias mêlés d'églantiers et de lierres où les fauvettes chantent au mois de mai. J'ai quelquefois écouté chanter là les fauvettes ; je suis convaincu qu'elles se moquent du péristyle de M. Percier.

(*Oc.*, 232 [1845-1846?].)

Paris a un enfant et la forêt a un oiseau ; l'oiseau s'appelle le moineau ; l'enfant s'appelle le gamin...

(*Mis.*, III, 1, 1, 287, 1847.)

> Parmi l'herbe éparse,
> Je vis d'un air farce
> Venir un moineau.
>
> Ce gamin des arbres
> Sautait sur les marbres
> Et riait beaucoup
> De ce que Philippe
> Avait pris la grippe
> La veille à Saint-Cloud.

(*C. R. B.*, R. 313, 1847.)

---

(1) Le merle était signalé dans le *Guide du Rhin* de Schreiber, p. 412, que lut Victor Hugo. Cf. *la Fantaisie de V. Hugo*, t. I, p. 276.

J'entends les gais pinsons et les merles siffleurs...
(*Ch.*, VI, xiv, 28 mai 1853.)

Voici juin. Le moineau raille
Dans les champs les amoureux...
(*C.*, I, xiv, 10 octobre 1854.)

... Autour de moi nombreux,
Gais, sans avoir souci de mon front ténébreux,
Dans ce champ, lit fatal de la sieste dernière,
Des moineaux francs faisaient l'école buissonnière...
Ils allaient et venaient, chantant, volant, sautant,
Égratignant la mort de leurs griffes pointues...
Je pris ces tapageurs ailés au sérieux ;
Je criai : « Paix aux morts ! vous êtes des harpies.
— Nous sommes des moineaux, me dirent ces impies... »
Un d'eux resta derrière, et, pour toute musique,
Dressa la queue, ét dit : « Quel est ce vieux classique ? »
(*C.*, I, xviii, 14 octobre 1854.)

Un bouvreuil qui faisait le feuilleton du bois
M'a dit : « Il faut marcher à terre quelquefois.
La nature est un peu moqueuse autour des hommes...
Les bois ont des soupirs, mais ils ont des sifflets. »
(*C.*, I, v, 14 octobre 1854.)

LE PAON
Qu'es-tu ?

LE MOINEAU
Je suis gamin ; autrefois j'étais page.
Je m'ébats, cher seigneur. Si je n'étais voyou,
Je voudrais être rose et dire : *I love you.*
Je suis l'oiseau gaîté, rapin de l'astre joie.
A nous deux nous faisons le printemps. L'aigle et l'oie
Sont mes deux ennemis, l'un en haut, l'autre en bas...
(*Th. Lib.*, *F. M.*, sc. II, 1854.)

« Qu'a donc l'homme noir ? — Je l'ignore,
Répond le moineau, gai bandit...
(*A. G. P.*, X, iv, 3 janvier 1855.)

J'allais ; j'écoutais les merles,
Et Rose les rossignols.
. . . .
Les rossignols chantaient Rose
Et les merles me sifflaient.
(*C.*, I, xix, 18 janvier 1855.)

LA BRANCHE DE HOUX
Jeanne disait : toujours je te serai fidèle,
Et je t'adorerai toute une éternité.
UN MOINEAU FRANC
Éternité !
(*Oc.*, LXI, 24 janvier 1855.)

Les vieux antres pensifs, dont rit le geai moqueur...
(*C.*, II, i, 29 mars 1855.)

8

Quand notre être, tout bas, s'exhale en chants profonds,
Vous, attentifs, parmi les bois inaccessibles,
Vous saisissez au vol ces strophes invisibles,
Et vous les répétez tout haut, comme de vous...
« Divin! » dit le hibou ; le moineau dit : « Tu trouves ? »

(*C.*, II, IX, 10 juin 1855.)

Le moineau d'un coup d'aile, ainsi qu'un fol esprit,
Vient taquiner le flot monstrueux qui sourit...

(*C.*, VI, X, 4 juillet 1855.)

« Viens, le soir brunit les chênes ;
Le moineau rit ; ce moqueur
Entend le doux bruit des chaînes
Que tu m'as mises au cœur. »

(*L. S.*, *P. S.*, V, II, 11, janvier 1859.)

... sous la ramée,
Où chante un pinson, gai marmot (1).

(*C. R. B.*, II, IV, 4, 8 juin 1859.)

Et le moineau, sous les arbres,
Quoique franc, sera poli...

(*A. F.*, XXVIII, 25 juin 1859.)

Un moineau franc, que rien ne gêne,
A son grenier, tout grand ouvert,
Au cinquième étage d'un chêne
Qu'avril vient de repeindre en vert.
. . . .
Tout en visitant sa coquine
Dans le nid par l'aube doré,
L'oiseau rit du saule, et taquine
Ce bon vieux lakiste éploré.

Il crie à toutes les oiselles
Qu'il voit dans les feuilles sautant :
« Venez donc voir, mesdemoiselles!
Ce saule a pleuré cet étang. »

Il s'abat dans son tintamarre
Sur le lac qu'il ose insulter!
« Est-elle bête, cette mare!
Elle ne sait que répéter », etc...

... et la mère nature
Sourit dans l'ombre aux quolibets

Que jette, à travers les vieux marbres,
Les quinconces, les buis, les eaux,
A cet Héraclite des arbres,
Ce Démocrite des oiseaux.

(*C. R. B.*, II, II, 3, 18 juin 1859.)

(*La haie.*)
Écoutait du bord des coulisses
Le rire des bouvreuils siffleurs.

(*C. R. B.*, II, III, 7, 26 juin 1859.)

---

(1) Dans la même pièce, Voltaire est surnommé « le moineau-franc » du temple
d'avril. Inversement, cette métaphore donne le ton moqueur du moineau.

Être deux, c'est la loi. Les merles, ces moqueurs,
L'observent aussi bien que le ramier fidèle.

> (*L. S., D. S.*, XIII, III [1860 ?].)

Pendant que des marquis en manteaux espagnols
Leur lisaient des sonnets sifflés des rossignols.

> (*T. L.*, II, XXVII [1863 ?].)

Le merle, oiseau leste et braque,
Bavard jamais enrhumé,
Est pitre dans la baraque
Toute en fleurs du mois de mai.

. . . .
Il contait au pot aux roses
Un effronté boniment.

. . . .
Sur une patte, et l'air farce,
Et comme on vide un panier,
Il jetait sa verve éparse
De son toit à mon grenier.

Gare au mauvais goût des merles !
J'omets ses propos hardis...

> (*C. R. B.*, I, IV, 8, 24 juillet 1865.)

Le moineau-franc, gai, taquin,
Dans le houx qui se pavoise,
D'un refrain républicain
Orne sa chanson grivoise.

> (*C. R. B.*, II, III, 3 [1859-1865 ?].)

GLAPIEU

— Comme c'est drôle, les oiseaux ! ça se moque de tout... Voler, quel
bête de mot ! il a deux sens. L'un signifie liberté, l'autre signifie prison...

> (*M. F. R.*, a. I, sc. I, février-mars 1866.)

Le jeune mois de mai, c'est toujours le vieux temple
Où, doucement raillés par les merles siffleurs,
Les gens qui s'aiment vont s'adorer dans les fleurs...

> (*T. L.*, II, III, Carnet 1874.)

... Laissons dire
Les oiseaux, et laissons les ruisseaux murmurer.
Ce sont des envieux. Belle, il faut s'adorer.

> (*L. S., N. S.*, XVIII, Id. XXII, 2 juillet [1874 ?].)

Comme ils riraient de moi, les gais merles siffleurs,
Si je n'abusais pas un peu des solitudes !

> (*T. L.*, VI, LV [1874-1875 ?].)

L'innocente nature épanouit son cœur
Simple, immense, insulté par le merle moqueur.

> (*T. L.*, VI, XVIII, 10 avril 1875.)

Un burg ne sachant plus le nom dont il s'appelle,
N'ayant plus pour baron que le merle siffleur... (1).

> (*T. L.*, VI, XVIII, 26 mai [1874-1875 ?].)

---

(1) Cf. premier extrait de 1840 et note 1.

Les moineaux aisément sont d'Horace moqueurs
Lorsqu'il a près de lui Barine émue et rose
Et qu'il passe son temps à parler d'autre chose...
Belle, ne me rends pas ridicule aux fauvettes...

(*T. L.*, VI, L [1876-1878?].)

... et la feuillée,
Par le rire moqueur des oiseaux réveillée,
Assiste à la rencontre ardente des amants.

(*L. S., N. S.*, XVIII, Id. IV, 1ᵉʳ février 1877.)

Et les filles, riant dans l'ombre à demi-voix,
S'en vont avec Lycas ou Gros-Jean dans les bois,
Sans trop s'inquiéter de ce que diront d'elles
Les merles, les pinsons, les geais, les hirondelles.

(*L. S., N. S.*, XVIII, Id. xx, *R.* 463, 4 février 1877 (1).)

. . . .
La tourterelle dit : voyou!
Le moineau réplique : cocotte!

. . . .
Gloire aux bois que les dieux habitent!...
Où les petits oiseaux débitent
Tout leur catéchisme poissard!

(*Oc.*, LVII 15 mai [1880-1883?].)

(1) Cité aussi par Berret, *L. S.*, t. IV, p. 838. Cf. dans la version définitive :

La Sorbonne n'a rien à voir dans tout cela ;
Madame de Genlis peut faire *Paméla*
Sans gêner les oiseaux des bois ; et les mésanges,
Les pinsons, les moineaux, bêtes qui sont des anges,
Ne s'inquiètent point d'Arnauld ni de Pascal...

ANNEXE III

« *LA NICHÉE SOUS LE PORTAIL* »

Je crois voir rire un toit gothique
Quand le temps dans sa frise antique
Ôte une pierre et met un nid !
. . . .
(c'est...)
Lui qui remplit d'oiseaux les sculptures farouches,
Met la vie en leurs flancs, et de leurs mornes bouches
Fait sortir mille cris charmants !

(V. I., IV, éd. février 1837.)

(*La cathédrale de Cologne.*)
... La douce maçonnerie des nids d'hirondelle se mêle de toutes parts
comme un correctif charmant à cette sévère architecture.

(Rh., X, 84, Cologne, août 1840.)

Aux grands temples où l'on prie,
Le martinet, frais et pur,
Suspend la maçonnerie
Qui contient le plus d'azur.

La couvée est dans la mousse
Du portail qui s'attendrit ;
Elle sent la chaleur douce
Des ailes de Jésus-Christ...
. . . .
L'oiseau se penche sur l'ange ;
L'apôtre rit sous l'arceau.
« Bonjour, saint ! » dit la mésange
Le saint dit : « Bonjour, oiseau ! »

(C., II, XXVII, 17 juin 1855.)

. . . .
De la mousse, un coin étroit ;
C'est un grenier dans un arbre,
C'est un bouquet sur un toit.

. . . .
C'est l'effort le plus superbe,
C'est le travail le plus beau,

De faire tordre un brin d'herbe
Au bec d'un petit oiseau.

Ce nid où l'amour se pose,
Voilà le but du ciel bleu...

(C. R. B., I, VI, 11, 19 janvier 1859.)

Hirondelle, fais ton nid.
           Le granit
T'offre son ombre et ses lierres ;
Aux palais pour tes amours,
           Prends des tours,
Et de la paille aux chaumières.

(F. S., III, 1, 3, Bruxelles, sur la Tour Victoria,
11-15 avril 1860.)

(*La cathédrale de Reims.*)
Toute la façade se dérobait à pic sous moi. J'aperçus dans cette profondeur... une sorte de cuvette ronde. L'eau des pluies s'y était amassée et faisait un étroit miroir au fond, une touffe d'herbes mêlée de fleurs y avait poussé et remuait au vent, une hirondelle s'y était nichée. C'était, dans moins de deux pieds de diamètre, un lac, un jardin et une habitation ; un paradis d'oiseaux.
Au moment où je regardais, l'hirondelle faisait boire sa couvée. La cuvette avait, tout autour de son bord supérieur, des espèces de créneaux entre lesquels l'hirondelle avait fait son nid... Ce petit monde heureux était la couronne de pierre d'un vieux roi.

(W. S., R. 253, Souvenir du voyage à Reims de 1825 [1863 ?].)

Le doux passant ailé que le printemps bénit,
Sans peur de la mâchoire affreusement levée,
Entre ces dents d'airain avait mis sa couvée ;
Et l'oiseau gazouillait dans le lion pensif.

(A. T., Juillet, III, Bruxelles, 5 mai 1871.)

LES MURMURES DE LA FORÊT
OU
AUTRES DIALOGUES DE LA NATURE

Aux arbres Victor Hugo a, comme aux oiseaux, consacré une pièce des *Contemplations* (III, xxiv). Ce sont eux qui sont les principaux interlocuteurs des « mumures de la forêt ». Je ne retiens pas ce titre par goût d'une simple symétrie musicale, mais parce que, à la grâce moqueuse du « rappel des oiseaux », les « murmures de la forêt » répondent par un frémissement nuancé d'une gravité et d'une sérénité pour ainsi dire religieuses. « Arbres religieux » écrit le poète, dans la pièce citée ci-dessus. L'association est en effet fréquente, comme on le verra plus loin sous cette rubrique particulière : est-elle due à une fantaisie de l'œil fondée sur leur couleur brune et leur stature, ou à leur vie de solitaires ou de communautés silvestres au silence éloquent? Mais cet animisme ne se restreint pas aux arbres : le brin d'herbe aussi bien a la parole, et, si le murmure de ses frondaisons — car c'est bien là l'origine — vaut à l'arbre de se confesser à l'oiseau, directeur mal choisi, lorsqu'il se tourne vers la fleur, c'est pour lui débiter une galanterie laconique :

Car les choses et l'être ont un grand dialogue (1).

Que de fois épiant la rumeur des chaumières,
Le brin d'herbe moqueur qui siffle entre deux pierres,
Le cri plaintif du soc, gémissant et traîné,
Le nid qui jase au fond du cloître ruiné
D'où l'ombre se répand sur les tombes des moines,
Le champ doré par l'aube où causent les avoines
Qui pour vous voir passer, comme un peuple ravi,
Au bord du chemin creux se penchent à l'envi,
L'abeille qui tout bas chante et parle à la rose,
Parmi tous ces objets dont l'être se compose,
Que de fois j'ai rêvé, triste et parfois heureux,
Tâchant de m'expliquer ce qu'ils disaient entre eux!

(T. L., V, iv, [1830-1834?].)

L'aurore dit : Je suis le jour!
L'oiseau dit : Je suis l'harmonie!

(C. C., XXIII, éd. février 18.. [1834-1835?].)

(1) *C.*, VI, xxvi.

Il semble que tout rit, et que les arbres verts
Sont joyeux d'être ensemble et se disent des vers.

(*T. L.*, II, xxvi [1836-1838 ?].)

La tombe dit à la rose...
La rose dit à la tombe...

(*V. I.*, XXXI, éd. juin 1837.)

Un grillon chantait dans un champ voisin, les arbres du chemin jasaient tout bas et tressaillaient au dernier vent du soir avant de s'assoupir...

(*Rh.*, IV, 37, Givet, 29 août 1840.)

L'imagination de l'homme, pas plus que la nature, n'accepte le vide. Où se tait le bruit humain, la nature fait jaser les nids d'oiseaux, chuchoter les feuilles d'arbres et murmurer les mille voix de la solitude.

(*Rh.*, XIV, 116, Saint-Goar, 17 septembre 1840.)

... Les ébéniers qu'avril charge de falbalas...
Joignaient aux violons leur murmure joyeux.

(*C.*, I, xxii, 16 février 1843.)

(Les ormes) ... se penchent les uns vers les autres et se disent tout bas dans leur vastes oreilles de feuillages des paroles dont vous entendez en passant je ne sais quelles syllabes bizarres.

(*V.*, II, 353, Pasages, août 1843.)

Une humble marguerite, éclose au bord d'un champ...
Regardait fixement, dans l'éternel azur,
Le grand astre épanchant sa lumière immortelle.
« Et, moi, j'ai des rayons aussi! » lui disait-elle.

(*C.*, I, xxv, juillet 1853.)

... un frais vallon plein d'ombre et d'innocence...
Là deux arbres, un frêne, un orme à l'air vivant,
Se querellent et font des gestes dans le vent
Comme deux avocats qui parlent pour et contre.

(*Q. V. E.*, III, xxxiv, 1853.)

L'herbe s'éveille et parle aux sépulcres dormants.
Que dit-il, le brin d'herbe ? et que répond la tombe ?

(*C.*, II, xxvi, février 1854.)

. . . .
La fleur...
Dit : « Bonjour », à la fauvette,
Et dit au hibou : « Bonsoir ».

. . . .
Les parfums, qu'on croit muets,
Content les peines secrètes
Des liserons aux bleuets.

(*C.*, I, xiv, 10 octobre 1854.)

Car les choses et l'être ont un grand dialogue.
Tout parle ; l'air qui passe et l'alcyon qui vogue,
Le brin d'herbe, la fleur, le germe, l'élément...
Crois-tu que Dieu, par qui la forme sort du nombre,
Aurait fait à jamais sonner la forêt sombre...
La mouche, le buisson, la ronce où croît la mûre,
Et qu'il n'aurait rien mis dans l'éternel murmure ?...
Dieu n'a pas fait un bruit sans y mêler le Verbe.

(*C.*, VI, xxvi, 13 octobre 1854.)

Le moindre arbrisseau parle, et l'herbe est en extase ;
Le saule pleureur chante en achevant sa phrase ;
Ils confessent les ifs, devenus babillards... (1).

> (*C.*, I, XVIII, 14 octobre 1854.)

Tout cela me connaît, voyez-vous. J'ai souvent,
En mai, quand de parfums les branches sont gonflées,
Des conversations avec les giroflées...

> (*C.*, I, XXVII, 15 octobre 1854.)

L'âne bougonne un thème au bœuf son camarade ;
Le vent fait sa tartine, et l'arbre sa tirade...

> (*C.*, I, XVI, 18 octobre 1854.)

Les arbres se disaient tout bas de douces choses.

> (*C.*, III, X, 5 mars 1855.)

L'oiseau parle au parfum ; la fleur parle au rayon...

> (*C.*, I, IV, 19 mars 1855.)

. . . .
Et que le noir sapin murmure aux vieux tilleuls :
« Sont-ils charmants d'avoir trouvé cela tout seuls (2) ! »

> (*C.*, II, IX, 10 juin 1855.)

. . . .
L'arbre à la fleur disait : Nini ;
Le mouton disait : Notre Père,
Que votre sainroin soit béni !

> (*C. R. B.*, II, 1, 2, Serk, 1er juin 1859.)

Si l'on est baisé par la rose,
Par l'épine on est tutoyé.

> (*C. R. B.*, II, IV, 4, Serk, 8 juin 1859.)

L'abeille va, vient, fouille, quête,
Travaille comme un moissonneur,
Et par moment lève sa tête
Et dit au nuage : flâneur !

. . . .
La feuille cause avec l'aile,
La fleur avec le rayon
Chuchote, et le vent se mêle
De la conversation.

> (*C. R. B.*, R. 359 [1859 ?].)

Les bêtes, cela parle...
Les animaux naïfs dialoguent entre eux.
Et toujours, que ce soit le hibou ténébreux,
L'ours qu'on entend gronder, l'âne qu'on entend braire,
Ou l'oie apostrophant le dindon, son grand frère,
Ou la guêpe insultant l'abeille sur l'Hybla,
Leur bêtise à l'esprit de l'homme ressembla.

> (*A. G. P.*, IV, II, 30 juillet 1868.)

... Et l'on entend tout bas
Parler la folle avoine et le pied-d'alouette.

> (*T. L.*, II, XXIII [1860-1862 ?].)

---

(1) *Ils :* les oiseaux.
(2) *Idem.*

Vous entendrez...
A demi-voix, au bord du manteau d'arlequin,
Jaser la folle avoine avec le brin de vigne.

(*T. L.*, VII, xix [1869-1870?].)

(Ma voix...)
Pareille aux nids qui, sous les voiles
De la nuit et des bois touffus,
Échangent avec les étoiles
Un grand dialogue confus.

(*L. S.*, *N. S.*, XVIII, Id. xvi, 20 décembre 1875.)

ANNEXES I ET II

ARBRES ET ROCHERS FANTASQUES

Ces deux motifs ne se séparent pas dans l'esprit du poète. Il l'a dit à propos d'un exemple particulier, d'un des arbres, l'orme, et d'une des pierres, le grès, qu'il aime le plus et qui reviennent le plus souvent dans ses œuvres : « Il est parmi les rochers ce que l'orme est parmi les arbres. » Ces deux matériaux de la nature sont en effet ceux qui se prêtent le mieux par leur usure et leur déformation à la caricature anthropomorphique, dont les deux motifs procèdent.

C'est en voyage surtout que Victor Hugo s'est amusé à croquer des silhouettes d'arbres : toutes les essences défilent, peupliers, tilleuls, érables, ifs, sapins, chênes — « les lions des arbres » — mais la prédilection du dessinateur va aux plus tourmentés, le saule, l'olivier, l'orme surtout qui, à la nuit tombante, semble se livrer à de saisissantes contorsions (1). Par la suite, d'un trait, en un vers ou deux, le poète retrouve dans *les Contemplations* ou *les Chansons des rues et des bois*, guère au delà, les perruques des pommiers, le balancement oriental des chênes, et les mimes de l'orme.

Il en est de même des rochers, mais, au lieu de *silhouettes*, ils suggèrent plus souvent encore des *masques* (2). Tous semblent avoir quelque chose de commun avec le « masque vague et hideux » du Sphinx de Gizeh. Suivant le point de vue, ils se modifient : on croit voir successivement un mufle de bête, un crapaud, un moine, un monstre et le poète constate avec Hamlet, qui aimait fort ce jeu : « Rien ne change de forme, comme les nuages, si ce n'est les rochers (3). »

---

(1) Cf. *la Fantaisie de Victor Hugo*, t. I, pp. 203-208.
(2) Cf. *ibid.*, pp. 208-210.
(3) Cf. *T. M.*, *Archipel*, VI, p. 13 : « La désagrégation fait sur la roche les mêmes effets que sur la nuée... L'informe y domine. Jamais un contour n'y est correct. Grand, oui ; pur, non. Examinez les nuages ; toutes sortes de visages s'y dessinent, toutes sortes de ressemblances s'y montrent, toutes sortes de figures s'y esquissent ; cherchez-y un profil grec. Vous y trouverez Caliban, non Vénus, etc... »

ARBRES FANTASQUES

Là, des ormeaux, brodés de cent vignes grimpantes...
Là, des saules pensifs qui pleurent sur la rive,
Et, comme une baigneuse indolente et naïve,
Laissent tremper dans l'eau le bout de leurs cheveux.

(F. A., XXXIV, éd. 8 juillet 1831.)

Le vieil arbre que l'âge ploie...

(Ibid.)

Tout, l'écueil aux hanches énormes,
Et les vieux troncs d'arbre difformes
Qui se penchent sur les chemins,

Me parlaient cette langue austère,
Langue de l'ombre et du mystère...

(C. C., XXVI, éd. 1er mars 1835.)

Dans la brune clairière où l'arbre au tronc noueux
Prend le soir un profil humain et monstrueux...

(V. I., VII, juin 1835.)

Voici maintenant que nous voyons venir la Normandie et que nous la reconnaissons aux tignasses vertes des pommiers qui nous entourent de toutes parts.

(V., II, 47, Alençon, 19 juin 1836.)

Souvent, dans un de ces beaux paysages de bruyères, sous des ormes qui se renversent lascivement, sous de grands chênes qui portent leurs immenses feuillages à bras tendu...

(V., II, 52, Saint-Malo, 25 juin 1836.)

Quand je suis arrivé à Barneville, le soleil était tout à fait couché, de beaux arbres d'encre se découpaient sur le ciel d'argent du crépuscule, la mer imitait à l'horizon le bruit des carrosses de Paris...

(V., II, 61, Barneville, 1er juillet 1836.)

... les ormes de la route, qui ont des profils si étranges la nuit, se détachaient sur un ciel crépusculaire...

(V., II, 68, Courseulles, 7 juillet 1836.)

Là se penchent rêveurs les vieux pins, les grands ormes
Dont les rameaux tordus font cent coudes difformes,
Et dans ce groupe sombre agité par le vent,
Rien n'est tout à fait mort ni tour à fait vivant.

(V. I., X, 20 avril 1837.)

(*Le trajet de Menin à Ypres...*)

Et puis le chemin traverse un bois, et il est bordé çà et là de longues colonnades de ces beaux peupliers d'Italie dont l'écorce vous regarde passer avec
de grands yeux (1).

(V., II, 107, Courtrai, 27 août 1837.)

Des arbres l'entouraient, fouettés d'un vent de glace,
Et comme lui vieillis à cette même place ;
Des marronniers géants, sans feuilles, sans oiseaux...
D'autres arbres plus loin croisaient leurs sombres fûts ;
Plus loin d'autres encore, estompés par l'espace,
Poussaient dans le ciel gris où le vent du soir passe
Mille petits rameaux noirs, tordus et mêlés,
Et se posaient partout, l'un par l'autre voilés,
Sur l'horizon, perdu dans les vapeurs informes,
Comme un grand troupeau roux de hérissons énormes.

(R. O., XXXVI, 19 mars 1837.)

J'ai toujours aimé ces voyages à l'heure crépusculaire. C'est le moment
où la nature se déforme et devient fantastique. Les maisons ont des yeux
lumineux, les ormes ont des profils sinistres ou se renversent en éclatant
de rire...

(V., II, 142, Dieppe, 8 septembre 1837.)

(*La route d'Épernay.*)

Il y a là seize grands ormes les plus amusants du monde, qui penchent
sur la route leurs profils rechignés et leurs perruques ébouriffées. Les ormes
sont une de mes joies en voyage. Chaque orme vaut la peine d'être regardé
à part. Tous les autres arbres sont bêtes et se ressemblent ; les ormes seuls
ont de la fantaisie et se moquent de leur voisin, se renversant lorsqu'il se
penche, maigres lorsqu'il est touffu, et faisant toutes sortes de grimaces le
soir aux passants. Les jeunes ormes ont un feuillage qui jaillit dans tous les
sens, comme une pièce d'artifice qui éclate. Depuis la Ferté jusqu'à l'endroit
où l'on trouve ces seize ormes, la route n'est bordée que de peupliers, de
trembles ou de noyers çà et là, ce qui me donnait quelque humeur.

(Rh., II, 21, Épernay, 21 juillet 1838.)

Tout a un aspect difforme, surtout s'il pleut, comme il faisait l'autre nuit.
Le ciel est noir, ou plutôt il n'y a pas de ciel, il semble qu'on aille éperdû-
ment à travers un gouffre ; les lanternes de la voiture jettent une lueur bla-
farde qui rend monstrueuse la croupe des chevaux ; par intervalles, de
farouches tignasses d'ormeaux apparaissent brusquement dans la clarté,
et s'évanouissent ; les flaques d'eau pétillent et frémissent sous la pluie comme
une friture dans la poêle ; les buissons prennent des airs accroupis et hostiles ;
les tas de pierres ont des tournures de cadavres gisants ; on regarde vaguement ; les arbres de la plaine ne sont plus des arbres, ce sont des géants
hideux qu'on croit voir s'avancer lentement vers le bord de la route...

(Rh., XXIX, 348, Strasbourg, août 1839.)

... l'olivier est un arbre magnifique. Là on l'abandonne à lui-même. Il
pousse en haute futaie ; il a un tronc énorme, un branchage bizarre et irrité,
un feuillage fin et soyeux qui, à distance, vu en touffes, ressemble à une
fourrure de chinchilla. Il se pose dramatiquement sur la hanche comme le

---

(1) Dessin de Victor Hugo à l'appui.

châtaignier, porte ses rameaux et ses fruits à bras tendus, et offre, comme le cèdre et le chêne, ce mélange de grâce et de majesté propre à tous les arbres qui ont le tronc léger et la feuille petite.

(V., II, 249, Fréjus, 10 octobre 1839.)

> Les vrais arbres du parc, les sorbiers, les lilas,
> Les ébéniers qu'avril charge de falbalas...
> Et, pour nous voir, ouvrant leurs fleurs comme des yeux,
> Joignaient aux violons leur murmure joyeux.

(C., I, XXII, 16 février 1840.)

(*La plaine de Soissons le soir.*)

Un grillon chantait dans un champ voisin, les arbres du chemin jasaient tout bas et tressaillaient au dernier vent du soir avant de s'assoupir...

(Rh., IV, 37, Givet, 29 août 1840.)

(*La route d'Aix-la-Chapelle à Cologne.*)

C'est un pur et simple paysage picard ou tourangeau, une plaine verte ou blonde avec un orme tortu de temps en temps et quelque pâle rideau de peupliers au fond. Je ne hais pas ce genre paisible, mais j'en jouis sans cris d'enthousiasme.

(Rh., X, 84, Andernach, 11 septembre 1840.)

. . . .
> On croit tout bas dans l'ombre ouïr souffler des lèvres...
> Car un esprit caché vit dans les rameaux noirs.

(Oc., XXXII [1840-1842?].)

Le peuplier est le seul arbre qui soit bête. Il masque tous les horizons de la Loire... Il y a pour mon esprit je ne sais quel rapport intime, je ne sais quelle ineffable ressemblance entre un paysage composé de peupliers et une tragédie écrite en vers alexandrins. Le peuplier est, comme l'alexandrin, une des formes classiques de l'ennui (1).

(V., II, 280, Tours, de Bordeaux, 20 juillet 1843.)

Une plaine semée d'ormes n'est jamais ennuyeuse... C'est le soir surtout, à l'heure inquiétante du crépuscule, que commence à prendre forme cette partie de la création qui se fait fantôme. Sombre et mystérieuse transfiguration !

Avez-vous remarqué, à la tombée de la nuit, sur nos grandes routes des environs de Paris, les profils monstrueux et surnaturels de tous les ormes que le galop de la voiture fait successivement paraître et disparaître devant vous ? Les uns bâillent, les autres se tordent vers le ciel et ouvrent une gueule qui hurle affreusement ; il y en a qui rient d'un rire farouche et hideux, propre aux ténèbres ; le vent les agite ; ils se renversent en arrière avec des contorsions de damnés, ou se penchent les uns vers les autres et se disent tout bas dans leurs vastes oreilles de feuillages des paroles dont vous entendez en passant je ne sais quelles syllabes bizarres. Il y en a qui ont des sourcils démesurés, des nez ridicules, des coiffures ébouriffées, des perruques formidables ; cela n'ôte rien à ce qu'a de redoutable et de lugubre leur réalité fantastique ; ce sont des caricatures, mais ce sont des spectres...

(V., II, 353, Pasages, août 1843.)

---

(1) Pour la curiosité, cette défense du peuplier par Charles Du Bos, qui me paraît pertinente (*Journal*, Paris, Corrêa, 1949, t. III, p. 81, juillet 1926, entre Aix et Annecy) : « ... surpris du plaisir que m'apporte le peuplier contre lequel, dans le paysage français, je témoigne à l'ordinaire d'une aversion excessive... C'est que le peuplier ne prend sa beauté propre que dans un paysage vallonné : il a besoin qu'il y ait des plans : dans le paysage de plaine, et surtout au bord de quelque interminable grande route, il apparaît grêle, pauvre, quelque peu misérable en son élancement. »

(*Les montagnes.*)

Celles de l'orient découpaient à leur sommet sur le plus vif de l'aube leurs
sapins qui ressemblaient à ces feuilles dont les pucerons ne laissent que les
fibres et font une dentelle.

(*V.*, II, 414, Cauterets, août 1843.)

Et, pleins de jour et d'ombre et de confuses voix,
Les grands arbres profonds qui vivent dans les bois,
Tous ces vieillards, les ifs, les tilleuls, les érables,
Les saules tout ridés, les chênes vénérables,
L'orme au branchage noir, de mousse appesanti,
Comme les ulémas quand paraît le muphti,
Lui font de grands saluts et courbent jusqu'à terre
Leurs têtes de feuillée et leurs barbes de lierre...

(*C.*, I, II, 31 octobre [1843 ou 1853?].)

En floréal, cet énorme buisson... secouant au vent sa prodigieuse chevelure verte...

(*Mis.*, IV, III, 3 [1847?].)

Et les chevelures des arbres
Frissonneront sous le ciel noir.

(*Ch.*, I, I, mars 1853.)

... quand le pommier se poudre
Pour le printemps ainsi qu'un marquis pour le bal... (1).

(*Ch.*, VI, XIV, 28 mai 1853.)

Un fagot sur une vieille
Passe en agitant les bras.

Passants hideux, clartés blanches ;
Il semble, en ces noirs chemins,
Que les hommes ont des branches,
Que les arbres ont des mains.

(*Q. V. E.*, III, XXI, 19 novembre 1853.)

L'élégant peuplier vers le saule difforme
S'incline ; le buisson caresse l'antre ; l'orme
Au sarment frissonnant tend ses bras convulsifs.

(*T. L.*, II, XL, 6 mars 1854.)

Un houx noir qui songeait près d'une tombe, un sage,
M'arrêta brusquement par la manche au passage...

(*C.*, I, XVIII, 14 octobre 1854.)

Sous la protection d'un grand chêne attentif
Qui battait la mesure avec sa tête énorme,
Poussait le coude au frêne et faisait signe à l'orme...

(*T. L.*, II, XXI, 15 octobre 1854.)

Rameaux dont le ciel clair perce le réseau noir,
L'arabesque des bois sur les cuivres du soir...

(*C.*, III, VIII, 24 janvier 1855.)

Les pins sur les étangs dressent leur verte ombrelle...

(*C.*, I, IV, 19 mars 1855.)

(1) Cf. *la Fantaisie de Victor Hugo*, t. I, p. 410-411.

Un ruisseau court dans l'herbe, entre deux hauts talus,
Sous l'agitation des saules chevelus ;
Un orme, un hêtre, anciens du vallon, arbres frères
Qui se donnent la main des deux rives contraires,
Semblent, sous le ciel bleu, dire : A la bonne foi !
(C., I, XXIX, 17 avril 1855.)

. . . .
Si bien qu'on vous admire, écouteurs infidèles,
Et que le noir sapin murmure aux vieux tilleuls...
Et que le dur tronc d'arbre a des airs attendris...
(C., II, IX, 10 juin 1855.)

... Au fond du crépuscule,
Dans son manteau de lierre un orme gesticule,
Seul, sinistre, au miroir du lac se regardant,
Comme un acteur qui dit son rôle en attendant.
(Oc., XXXIII [1856 ?].)

Grands arbres du bois profond,
Serai-je aimé de Fanny ?...
J'ai deux ormeaux dans ma cour ;
L'un dit : non, l'autre dit : si !
(T. L., VI, XLVII, Guernesey, 17 juin 1857.)

Ce saule ruisselant se penche ;
Un petit lac est à ses pieds,
Où tous ses rameaux, branche à branche,
Sont correctement copiés.

. . . .
L'oiseau rit du saule, et taquine
Ce bon vieux lakiste éploré.

. . . .
Le saule à la morne posture,
Noir comme le bois des gibets,
Se tait...
(C. R. B., II, II, 3, 18 juin 1859.)

. . . .
Entendre, sous les caresses
Des grands vieux chênes boudeurs...
(C. R. B., I, IV, 6, 30 juillet 1859.)

Comme grand seigneur et chêne...
Qu'un arbre qui se respecte
Tient à distance les prés.
(C. R. B., I, V, 1, 2 août 1859.)

(<i>Le chêne du</i> 14 <i>juillet.</i>)
Il est le vieillard des bois...

Il me salue en passant,
L'arbre auguste et centenaire.
(C. R. B., II, III, 3, s. d. [1859 ?.])

. . . .
Et le bon vieux plain-chant classique
Des chênes aux capuchons bruns.
(C. R. B., I, II, 9, septembre 1865.)

Est-ce qu'en son labeur le chêne haletant,
Las d'ajouter sans fin des branches à des branches,
S'est arrêté, disant : Ramiers, colombes blanches,
Bouvreuils, allez-vous en, je ne veux plus de vous,
J'ai fini! Quel est donc, sous le ciel calme et doux,
Le lilas qui s'abstient, le hêtre qui retire
Son murmure à Virgile et son ombre à Tityre?
Quel frêne a pris parti pour vous? Quel peuplier
S'est dispensé de vivre et de multiplier?...
Quelle branche de saule ou d'ormeau s'est fâchée?
Quel marronnier, sachant que l'on ne doit pas voir
Les nids tremblants, renonce à faire son devoir,
Et refuse aux oiseaux d'épaissir son feuillage?

(A. F., XLVII, 1869.)

Les grands chênes chassent le jour;
Que voulez-vous que les bois fassent
Si ce n'est de cacher l'amour?

(T. L., VII, XXIII, XVI, 9 octobre [1877-1880?].)

Les chênes chevelus sont les lions des arbres (1).

(Oc., Tas, 400, s. d.)

(1) Cette forme très particulière du motif :

... la route éclatante de soleil, sur laquelle l'ombre des rangées d'arbres dessinait en noir la figure d'un grand peigne auquel il manquerait plusieurs dents.

(Rh., I, 17, de Paris à la Ferté-sous-Jouarre, juillet 1838.)

Dans les pays, en juin, quand les arbres des routes
S'agitent et se font mille signes de loin,
Joyeux d'avoir peigné les charrettes de foin.

(R. R., 208.)

Les charrettes de foin, dans les chemins roulant,
Laissent leurs cheveux verts et flottants, à poignées,
Aux branches qui les ont au passage peignées.

(D. G., Tas., 489 [1857-1859?].)

ROCHERS FANTASQUES

Les terres, les neiges, les forêts, en se précipitant dans les vallées envi-
ronnantes, ont mis à découvert ce qu'on pourrait appeler le squelette du
mont. Ces blocs de marbre noir veiné de blanc sont ses pieds monstrueux,
encore à demi-cachés par des masses pyramidales de terres éboulées ; voilà
ses ossements de silex, ses bras de granit qui se dressent encore ; et, là-haut,
au-dessus des nuages, cette large zone de roche calcaire, qui montre à nu
ses couches horizontales, c'est le front ridé du géant.

(V., II, 7-8, Alpes, 1825.)

Tout, l'écueil aux hanches énormes,
Et les vieux troncs d'arbres difformes...
Me parlaient cette langue austère...

(C. C., XXVI, éd. 1er mars 1835.)

... le soleil faisait saillir l'ostéologie colossale des Alpes ; les granits ridés
se plissaient dans les lointains comme des fronts soucieux.

(V., II, 197, le Rigi, 17 septembre 1839.)

... il semble voir sortir de l'eau pleine de rage la tête hideuse et impas-
sible d'une idole hindoue, à trompe d'éléphant. Des arbres et des broussailles qui s'entremêlent à son sommet lui font des cheveux hérissés et horribles... un grand rocher disparaît et reparaît sous l'écume comme le crâne
d'un géant englouti.

(Rh., XXXVIII, 398, Laufen, septembre 1839.)

... les rochers surgissent pêle-mêle au milieu des courants avec des formes
de crocodiles et de grenouilles géantes qui viennent respirer le soir à fleur
d'eau.

(Rh., XXVIII, 323, Heidelberg, octobre 1840.)

Le grès est la pierre la plus amusante et la plus étrangement pétrie qu'il
y ait. Il est parmi les rochers ce que l'orme est parmi les arbres. Pas d'apparence qu'il ne prenne ; pas de caprice qu'il n'ait ; pas de rêve qu'il ne réalise ;
il a toutes les figures, il fait toutes les grimaces...
Dans le grand drame du paysage, il joue le rôle fantasque ; quelquefois
grand et sévère, quelquefois bouffon ; il se penche comme un lutteur, il se
pelotonne comme un clown ; il est éponge, pudding, tente, cabane, souche
d'arbre ; il apparaît dans un champ parmi l'herbe à fleur du sol par petites
bosses fauves et floconneuses, et il imite un troupeau de moutons endormi ;
il a des visages qui rient, des yeux qui regardent, des mâchoires qui semblent
mordre et brouter la fougère ; il saisit les broussailles comme un poing de
géant qui sort de terre brusquement...

... la montagne... est peuplée par le grès d'une foule d'habitants de pierre, muets, immobiles, éternels, presque effrayants. C'est un ermite encapuchonné, assis à l'entrée de la baie, au sommet d'un roc inaccessible, les bras étendus, qui, selon que le ciel est bleu ou orageux, semble bénir la mer ou avertir les matelots. Ce sont des nains à becs d'oiseau, des monstres à forme humaine et à deux têtes dont l'une rit et l'autre pleure, tout près du ciel, sur un plateau désert, dans la nuée, là où rien ne fait rire et où rien ne fait pleurer...

C'est une idole ventrue, à mufle de bœuf avec des colliers au cou et deux paires de gros bras courts, derrière laquelle de grandes broussailles s'agitent comme des chasse-mouches. C'est un crapaud gigantesque accroupi au sommet d'une haute colline, marbré par les lichens de taches jaunes et livides, qui ouvre une bouche horrible et semble souffler la tempête sur l'océan.

(*V.*, II, 352, Pasages, août 1843.)

Rochers décharnés comme des têtes de mort... L'un des rochers devant moi a un profil. Je le dessine (1). La joue semble avoir été dévorée, ainsi que l'œil et l'oreille, et l'on croirait voir à nu l'intérieur du pavillon de la trompe.

Devant ce rocher, un autre représente un chien. On dirait qu'il aboie à la haute mer.

(*V.*, II, 358, Pasages, 4 août 1843, 3 heures, sur la pente du précipice.)

Les rochers qui sortent des bruyères sur la pente escarpée de la montagne figurent presque tous des têtes gigantesques ; il y a des têtes de mort, des profils égyptiens, des silènes barbus qui rient dans l'herbe, de mornes chevaliers au masque sévère. Tout y est jusqu'à Orry, qui ricane sous une perruque de broussailles.

(*Ibid.*, 363, août 1843.)

> Le torrent veut, crie, écume,
> Et le rocher ne veut pas.
>
> (*Q. V. E.*, III, XXI, 19 novembre 1853.)

> Les rocs semblent frappés d'attitudes rêveuses...
> Le dolmen monstrueux songe sur les collines ;
> L'obscure nuit l'ébauche en spectre ; et dans le bloc
> La lune blême fait apparaître Moloch...
> Et Vénus éblouit les vieux rochers pensifs.
>
> (*Q. V. E.*, III, XIV, 8 octobre 1854.)

> Derrière l'horizon les rocs montraient leurs têtes.
>
> (*Oc.*, XXXVII [1854?].)

> De noirs granits bourrus, puis des mousses riantes...
> Et, là-bas, devant moi, le vieux gardien pensif
> De l'écume, du flot, de l'algue, du récif,
> Et des vagues sans trêve et sans fin remuées,
> Le pâtre promontoire au chapeau des nuées,
> S'accoude et rêve au bruit de tous les infinis...
>
> (*C.*, V, XXIII, 17 décembre 1854.)

(1) Le dessin figure dans l'édition de l'I. N. Sur les « têtes de mort », cf. la description du Sphinx de Gizeh dans *la Vie aux champs* (*C.*, I, VI) :

> La pierre mutilée a gardé quelque forme
> De statue ou de spectre et rappelle d'abord
> Les plis que fait un drap sur la face d'un mort.

(ce sont ces plagiats...)
Qui font que les grands bois courbent leurs fronts farouches,
Et que les lourds rochers, stupides et ravis,
Se penchent...

(*C.*, II, IX, 10 juin 1855.)

Des spectres de rochers, d'effrayants groupes d'îles
Allongeant leurs cous noirs comme des crocodiles...
Les récifs, les brisants, ces monstres de granit...

(*Oc.*, XXXVI [1859-1860?].)

Où les illusions vont-elles se nicher? Dans le granit. Rien de plus étrange. D'énormes crapauds de pierre sont là, sortis de l'eau sans doute pour respirer; des nonnes géantes se hâtent, penchées sur l'horizon; les plis pétrifiés de leur voile ont la forme de la fuite du vent; des rois à couronnes plutoniennes méditent sur de massifs trônes à qui l'écume n'est pas épargnée; des êtres quelconques enfouis dans la roche dressent leurs bras dehors; on voit les doigts des mains ouvertes... Ce bloc est un trépied, puis c'est un lion, puis c'est un ange, et il ouvre les ailes; puis c'est une figure assise qui lit dans un livre. Rien ne change de forme comme les nuages, si ce n'est les rochers.

(*T. M.*, *Archipel*, VI, 1864-1865.)

(Créez des monstres...)
Abîmes, condensez en eux toutes vos gloires,
Donnez-leur vos rochers pour dents et pour mâchoires...

(*A. G. P.*, IV, VII, 5 septembre 1875.)

ANNEXE III

« *LA RÉPUBLIQUE DES BÊTES* »
(HISTOIRES NATURELLES)

La république des bêtes
Chantait...
(*T. L.*, VII, xii, 8 février 1855.)

Il est encore plus facile de faire parler les bêtes que les plantes, et
Victor Hugo ne s'en prive pas. Bien avant de prêter des missions de confiance au cheval de Nuño ou à « l'aigle d'airain », Hugo a récolté en voyage
des croquis empruntés à la vie des animaux qui annoncent les caricatures
de Jules Renard intitulées *Histoires Naturelles*. Aussi bien, c'était assez
la mode autour de 1840. Musset avec sa merlette, Balzac avec sa chatte
anglaise, George Sand pour le moineau franc, et bien d'autres ont col-
laboré à ces *Scènes de la vie privée et publique des animaux*, publication
dirigée par Stahl (Hetzel), qui offraient une histoire de chacun des animaux traitée par un écrivain différent. Les illustrations très anthropo-
morphiques de Grandville ont dû être connues de Victor Hugo et ont
pu l'inciter à mêler l'humour à ses croquis de bêtes, comme l'avait fait
le célèbre dessinateur, et comme on fait au vrai depuis au moins le
Roman de Renart. On ne peut dire que ce thème ait été largement exploité
par Hugo dans ses poésies, à l'exception du *Poème du Jardin des Plantes*,
dans *l'Art d'être grand-père*, mais il est représenté par une série d'his-
toriettes ou de pochades, qui font pour les animaux un répertoire semblable aux *Magnificences microscopiques* pour les insectes, sans en avoir
toutefois l'ampleur. On admirera en particulier la vivacité et l'humour
avec lesquels Hugo campe d'un trait ou deux, dans l'Album de 1840, la
société de la basse-cour : le coq aux « allures de capitan », la pintade
aux « façons pincées de créole », etc. Autant ses lions sont dépourvus
d'intérêt, autant il saisit et rend, comme il faisait des arbres, la psycho-
logie des animaux qu'il peut observer. Ainsi se forme cette « république
des bêtes », où il y a des humbles et des superbes, comme dans la société

des fleurs et plus facilement encore, et qui amorce une caricature de la société humaine.

> Il me faudra chercher quelques vieux nids de mousses,
> A des lézards troublés livrer de grands combats...
>
>   (*B.*, II, 1823.)

... j'ai vu tout à coup passer un grand épervier qui chassait aux alouettes. J'y aurais fait peu d'attention, si un peu plus loin je n'avais vu sur une haie un charmant petit bouvreuil, tout jeune et gros comme le poing, qui se donnait des airs d'épervier avec les mouches.

>   (*V.*, II, 58, Granville, de Saint-Jean-de-Day, 30 juin 1836.)

(*Sur la route de Lier à Turnhout.*)

... les grives et les alouettes traversaient familièrement la route. Une jolie bergeronnette a suivi la voiture pendant un quart d'heure, sautant d'arbre en arbre, vive et joyeuse, et s'arrêtant de temps en temps pour piquer une mouche au pied de quelque jeune chêne.

>   (*V.*, II, 94, Anvers, 22 août 1837.)

(*Les cormorans...*)

A chaque fois ils rapportent un petit poisson d'argent qui reluit au soleil. Je les voyais distinctement et de très près. Ils sont charmants quand ils ressortent de l'eau, avec cette étincelle au bec.

>   (*V.*, II, 138, Tréport, septembre 1837.)

Puis la voiture passa près d'un troupeau d'oies qui bavardaient joyeusement.

>   (*Rh.*, III, 29, route de Sainte-Menehould, juillet 1838.)

>   ... Le lézard
> Courant au clair de lune au fond du vieux puisard.
>
>   (*R. O.*, XIX, éd. 31 mai 1839.)

... les caquets assourdissants d'une populace de poules...

>   (*Rh.*, VII, 57, Liége, 4 septembre 1840.)

Sous ma fenêtre jasent en parfaite intelligence des poules, des enfants et des canards.

>   (*Rh.*, XIII, 105, Andernach, septembre 1840.)

Un grand lézard d'une forme extraordinaire, d'environ neuf pouces de long, à gros ventre, à queue courte, à tête plate et triangulaire comme une vipère, noir comme l'encre et traversé de la tête à la queue par deux raies d'un jaune d'or, posait ses quatre pattes noires à coudes saillants sur les herbes humides et rampait lentement vers une crevasse basse du vieux mur. C'était l'habitant mystérieux et solitaire de cette ruine, la bête-génie, l'animal à la fois réel et fabuleux — une salamandre — qui me regardait avec douceur en rentrant dans son trou (1).

>   (*Rh.*, XV, 130, Velmich, septembre 1840.)

... un lièvre effaré traverse la route, les oreilles dressées, et s'enfonce dans la campagne où bientôt on ne sait plus si c'est un lièvre qui court ou un oiseau qui vole.

>   (*Rh.*, R. 490, vallée du Neckar, octobre 1840.)

(1) Cf. *T. L.*, I, xx, le souvenir de Velmich est peut-être à l'origine de ces vers :

> La bête regarda l'homme venir vers elle.
> Ses quatre pieds, sa croupe âpre et surnaturelle,
> Et son ventre hideux couvraient plus d'un arpent, etc...
> Elle rugit.
>   — Bonjour lézard, dit le héros.

... Le chat est un philosophe distingué, un poète, un penseur, un fabuliste. Il vit parmi les animaux... Le dogue, qui a veillé toute la nuit, dort tout le jour dans sa niche. Le pourceau grogne dans sa souille. Le lapin est bête, le dindon est sot, l'oie est stupide. Les uns cancannent, les autres caquettent. Tous bavardent au hasard sans écouter leur voisin. La poule, cette commère, jalouse la pintade qui prend des façons pincées de créole et d'étrangère. Le canard, ce porc de la gent volatile, se goberge hideusement dans la mare. Le coq, cet hidalgo, fait le bravache, promène et varie ses allures de capitan et s'épuise en dévouement, en désintéressement et en galanterie pour son sérail comme un chevalier arabe.

Le chat, lui, est dans son coin, dans sa fourrure, il a chaud, il est bien, il est seul ; il a la meilleure place au soleil, il ne dit rien, etc...

(*V.*, II, 481, Album 1840, Forêt Noire, octobre.)

(*Les lièvres des Landes.*)

Un lièvre... regarda hardiment la diligence... ils savent que ce sont eux qui ont donné leur nom à la maison d'Albret. La fierté les a pris, et ils se comportent, le cas échéant, en lièvres gentilshommes.

(*V.*, II, 292, Bayonne, 23 juillet 1843.)

... sur la terrasse et l'escalier, des constellations de crabes exécutent avec une lenteur solennelle toutes les danses mystérieuses que rêvait Platon (1).

(*V.*, II, 341, Pasages, août 1843.)

Le papillon ne s'enfuit pas ; la sauterelle se laisse prendre ; le lézard, qui est aux pierres ce que l'oiseau est aux feuilles, sort de son trou et vous regarde passer.

(*V.*, II, 352, Pasages, août 1843.)

Un magnifique papillon chassé par la pluie vient se réfugier derrière moi, sur une pierre. Il a moins peur de moi que de l'orage. Il a raison ; je le laisse en paix. Je redescends au hasard.

(*V.*, II, 357, Pasages, 3 août 1843.)

Je prends une grosse sauterelle verte qui se laisse faire. Puis je la pose sur le rocher, elle reste à la place où je l'ai mise. Un lézard sort d'une fente. La sauterelle et le lézard se regardent. Le lézard s'approche. La sauterelle s'envole comme un oiseau et va tomber au loin dans les grandes herbes.

(*V.*, II, 416, Cauterets, 18 août 1843.)

J'y vais causer un peu tous les jours, j'y rencontre
Mon ami le lézard, mon ami le moineau...

(*Q. V. E.*, III, XXXIV, 1853.)

L'âne bougonne un thème au bœuf son camarade.

(*C.*, I, XVI, 18 octobre 1854.)

Un âne descendait au galop la science.
« Quel est ton nom ? dit Kant. — Mon nom est Patience. »

(*A.*, I, 303 [1857 ?].)

Seul, sous une pierre, un cloporte
Songeait, comme Jean à Pathmos...

(*C. R. B.*, II, I, 2, 1er juin 1859.)

(1) Cf. *ibid.*, 364 : « ... les maquereaux, les lubines et les sardines brillent au soleil dans le fond des barques comme des tas d'étoiles. »

(*Le lapin...*)
Il fait toutes sortes de mines
A la prairie, à l'aube en feu,
Aux corolles, aux étamines,
    A Dieu.
                    (*C. R. B.*, R. 325, 17 juin 1859.)

Et les mouches triomphantes
Qui soufflent dans leurs clairons.
                    (*C. R. B.*, I, III, 5, 25 juin 1859.)

Et l'heureux hymen est bâclé
Quand un maire a mis le coq d'Inde
Avec la fauvette sous clé.
                    (*C. R. B.*, I, II, 5, 5 octobre 1859.)

Dans les bois rôde Isengrin.
Le magister endoctrine
Un moineau pillant le grain...
Broutant l'herbe brin à brin,
Le lièvre a dans la narine
L'appétit du romarin.
                    (*A. G. P.*, VI, VII, Bruxelles, 5 août 1865.)

Un pigeon aime une pigeonne.
Grand scandale dans le hallier...
. . . .
« — J'en sais long sur la paresseuse,
Dit un corbeau, juge à mortier.
— Moi, je connais sa blanchisseuse.
— Et moi, je connais son portier. »
. . . .
On lit que vers elle il se glisse
Le soir, avec de petits cris,
Dans le rapport à la police
Fait par une chauve-souris.

Le peuple ailé s'indigne, tance,
Fulmine un verdict, lance un bill...
                    (*T. L.*, VII, v, 9 août 1865.)

Les lézards, accoutumés à lui (Gilliatt), se chauffaient dans les mêmes pierres au soleil.
                    (*T. M.*, I, IV, 3, 1864-1865.)

Li-Hou est une petite île tout à côté, déserte, accessible à mer basse. Elle est pleine de broussailles et de terriers. Les lapins de Li-Hou savent les heures. Ils ne sortent de leur trou qu'à marée haute. Ils narguent l'homme. Leur ami l'océan les isole. Ces grandes fraternités, c'est toute la nature.
                    (*T. M.*, *Archipel*, III, 7 [1865?].)

Un âne, qui ressemble à Monsieur Nisard, brait,
Et s'achève en hibou dans l'obscure forêt ;
L'encrier sur lui coule, et, la tête inondée
De cette pluie, il tient dans sa patte un spondée...
Un rond couvre une page. Est-ce un dôme ? est-ce un œuf ?
Une belette en sort qui peut-être est un bœuf...
                    (*A. G. P.*, VIII, 12 septembre [1868-1872?].)

Les vieux ours qui, dit-on, poussent l'humeur maligne
Jusqu'à manger parfois des soldats de la ligne.

(A. G. P., IV, VII, 5 septembre 1875.)

Certes, le casoar est un bon sénateur,
L'oie a l'air d'un évêque et plaît par sa hauteur,
Dieu quand il fit le singe a rêvé Scaramouche,
Le Colibri m'enchante et j'aime l'oiseau mouche... (1).

(A. G. P., IV, VII, 5 septembre 1875.)

Ceci c'est un docteur peut-être, ou bien un âne ;
Il dit la messe, à moins qu'il ne dise hi-han.

(A. G. P., VI, VIII, 4 avril [1871-1872 ?].)

Toute la plaine en fleur a l'air d'un paradis ;
Le lézard court au pied des vieux saules, tandis
Qu'au bout des branches vient chanter le rouge-gorge.

(A. G. P., I, XII [1870-1877 ?].)

Les vagues biches qui s'enfuient
Font tressaillir les lévriers...
Le chevreuil couché sur la mousse
Fait des songes dans les forêts.

(L. S., D. S., XI, Paris, 28 juin [1870-1876 ?].)

... ce bon petit chevreau qui saute
Joyeux, libre, et qui broute, et boit aux étangs verts,
Si content qu'il en met l'oreille de travers...

(L. S., N. S., XVIII, Id. XVIII, 10 février 1877.)

---

(1) Toute la IVe section de *l'Art d'être grand-père*, intitulée le *Poème du Jardin des Plantes*, est naturellement pleine d'animaux dessinés pour amuser les petits-enfants du poète : nous n'en avons cité que quelques exemples.

3. — TROIS THÈMES
(PRÉLUDE)

Je ne les ai pas réunis arbitrairement : ces trois thèmes, qui se détachent des autres parce qu'ils sont poussés dans le détail, composent un prélude à l'humanisation définitive, presque puérile, de la nature.

« Cathédrale des fleurs. »

La nature est une église : « Une araignée en fit la rosace ». Il s'agit de la « cathédrale des fleurs », c'est-à-dire de l'église de la nature. Le titre de ce thème est de Victor Hugo et appartient au Reliquat des *Chansons des rues et des bois*. Mais ce thème, sous une forme ou une autre, remonte bien au delà de 1859.

Depuis que Chateaubriand, dans une page célèbre du *Génie du Christianisme*, a cru découvrir l'origine de la cathédrale gothique dans la forêt, dont les arbres deviennent les colonnes et les murmures forment l'orgue, la nature s'est trouvée investie d'un caractère sacré, que tous les poètes ont à vrai dire connu et senti. Le départ est aussi artificiel et extérieur chez Hugo. J. Vianey rappelle à ce sujet (*Contemplations*, I, XIV, note v. 80, t. I, p. 111) des impressions du voyage de 1825 aux Alpes, où le Mont-Blanc a « une tiare de glace », et du Rhin en 1840, où « sur de certains points le paysage a tant de majesté qu'il semble pontifical » (*T. M., Archipel*, IV, p. 8), Au début, en effet, le thème part d'une coïncidence pittoresque, d'une image de la nature qui évoque par la couleur ou par la forme un aspect d'une église. Mais il s'y mêle vite cette vague nuance religieuse qui sacre vers 1830, comme l'amour, la nature. Il rejoint bientôt les croyances panthéistiques du poète et devient l'expression d'une méditation. Autour de 1859, où il est fréquent, il oscille entre les deux. L'intention n'est pas douteuse, nul besoin d'église, il y a celle de la nature : « Le ciel, c'est l'éternelle messe. » Et pourquoi faire des prêtres « quand vous en avez parmi vous » ? Mais le poète s'attarde aux détails, aux coïncidences, aux jeux de mots qui lui permettent d'illustrer cette pensée, bien plus qu'à la pensée elle-même ; il les fignole, et c'est en définitive cette imagerie pour enfants qui l'amuse. Il est probant de considérer à l'appui de ce que je dis les deux exemples du 10 octobre 1854, dont l'un appartient au lyrisme philosophique, quand l'autre reste une notation de surface, pittoresque et humoristique. L'astre *hostie* se retrouve d'ailleurs dans *la Sainte chapelle* (*C. R. B.*, II, IV, 4, div. I), qui est pure fantaisie.

« *Grand théâtre du bon Dieu.* »

C'est une autre incarnation, si je puis dire, de la nature, dont le titre est encore emprunté, comme on verra, aux *Chansons des rues et des bois* (II, III, 7). Pourtant, là encore, on voit apparaître ce thème avant 1859, mais il ne se rencontre guère avant 1842. Il se greffe d'abord sur le thème philosophique, déjà cultivé des Grecs, que le monde est un théâtre dont nous sommes les figurants. Mais c'est à un gueux imaginaire, à quelque Maglia, qu'est confié ce monologue : l'acteur est Satan et l'auteur Dieu. C'est là-dessus que se greffent des variations, assez peu nombreuses, mais assez diverses, et alimentées par des « choses vues » : tel orme qui « gesticule » est un vieil acteur professionnel, l'actrice devient « Rachel », et l'églantier, pure fantaisie, débite le récit de Théramène. L'auteur, en revanche, demeure toujours Dieu.

« *Grand concert sacré.* »

L'assimilation est infiniment plus aisée encore. Les oiseaux chantent plus encore qu'ils ne parlent, ils vocalisent. « Cette musique, la nature aussi l'a en elle », disait déjà le poète dans la préface des *Voix intérieures*. La nature a tous les éléments d'un orchestre : les oiseaux font les petites flûtes, cependant que les arbres assurent la basse. Pour soliste s'offre un ténor rossignol, dont les triolets, s'ils se renouvellent peu, charment toujours l'auditeur. « Orchestre divin », puisqu'il est naturel, qui donne aux amateurs prédestinés un « grand concert sacré » (*C.*, I, XXVII).

Ces trois thèmes ont donc ceci en commun qu'ils procèdent tous trois d'un même mode de transposition anthropomorphique, qui, prenant prétexte d'une image ou d'une idée, fait de la nature une église, un théâtre ou un orchestre ; et, d'autre part, cette fantaisie est, dans les trois cas, marquée d'une nuance sacrée — rappelée dans chacun des trois titres — qui tient au fait que le poète sent mieux à travers ces délires légers de l'imagination la présence du démiurge, Dieu, prêtre de l'église, auteur de l'opéra, et chef de l'orchestre.

« *CATHÉDRALE DES FLEURS* »

O myrrhe! ô cinname!
Nard cher aux époux!
Baume! éther! dictame!
De l'eau, de la flamme,
Parfums les plus doux!

Prés que l'onde arrose!
Vapeurs de l'autel!...

Jasmin! asphodèle!
Encensoirs flottants!...

Fleurs dont la chapelle
Se fait un trésor! etc...
(*F. A.*, XXXVII, éd. juin 1830.)

Dans ce jardin antique où les grandes allées
Passent sous les tilleuls si chastes, si voilées
Que toute fleur qui s'ouvre y semble un encensoir...
(*V. I.*, XXI, 20 février 1837.)

Je regardais les collines du bout de la plaine, qu'une immense bruyère violette recouvrait à moitié comme un camail d'évêque.
(*Rh.*, III, 28, en allant à Sainte-Menehould, 25 juillet 1838.)

Là, je m'enfonce, je me perds, je marche devant moi, je prends le chemin qui se présente; je regarde, chapiteau par chapiteau, les arbres, ces piliers de la grande cathédrale mystérieuse; et, plongé dans la lecture de la nature, comme les vieux puritains dans la méditation de la bible, je cherche Dieu (1).
(*Rh.*, XXVIII, 312, Heidelberg, octobre 1840.)

Dans les jardins, pleins de dahlias, d'œillets et de roses, on voit s'élancer du milieu des sorbiers plus rouges que verts une colonne isolée surmontée

---

(1) On trouve cette même correspondance dans le sens inverse :
Une cathédrale est pour moi comme une forêt; les piliers sont les larges troncs au faîte desquels les gerbes des nervures se croisent ainsi que des branchages chargés de ténèbres; les chapelles de la Renaissance s'épanouissent dans l'ombre des grandes arches comme des buissons en fleurs au pied des chênes. ... L'orgue passe comme le vent; les clochetons noirs et inextricables se hérissent sur les tombes comme des cyprès; les verrières étincellent au fond des absides comme des étoiles dans des feuillages...
(*V.*, II, 275, Sens, 24 octobre 1839.)

d'un pigeonnier. Des colombes et des pigeons se perchent dans ce chapiteau. C'est de l'art roman fait par la nature.

(*Rh.*, *R.* 490, vallée du Neckar, octobre 1840.)

> La bruyère violette
> Met au vieux mont un camail ;
>
> Afin qu'il puisse, à l'abîme
> Qu'il contient et qu'il bénit,
> Dire sa messe sublime
> Sous sa mitre de granit.
> (*C.*, I, xiv, 10 octobre 1854.)

Et je lui dis : « Je prie. » Hermann dit : « Dans quel temple ?
— L'église, c'est l'azur, lui dis-je ; et quant au prêtre... »
En ce moment le ciel blanchit.

La lune à l'horizon montait, hostie énorme...
Je lui dis : « Courbe-toi. Dieu lui-même officie,
Et voici l'élévation (1). »
(*C.*, VI, xx, 10 octobre 1854.)

> Aux grands temples où l'on prie,
> Le martinet, frais et pur,
> Suspend la maçonnerie
> Qui contient le plus d'azur.
>
> La couvée est dans la mousse
> Du portail qui s'attendrit...
> . . . .
> Les cathédrales sont belles
> Et hautes sous le ciel bleu ;
> Mais le nid des hirondelles
> Est l'édifice de Dieu.
> (*C.*, II, xxvii, 17 juin 1855.)

Vois ces deux amoureux qui cherchent la chapelle
De l'azur, des taillis profonds, des bruits d'oiseaux...
(*T. L.*, III, lxix [1855-1857 ?].)

Le ciel, c'est l'éternelle messe.

Cathédrale des fleurs
Une araignée en fit la rosace.
(*C. R. B.*, *R.* 358 et 364, 1859.)

J'arrivai tout près d'une église,
De la verte église au bon Dieu...

C'était l'église en fleurs, bâtie
Sans pierre, au fond du bois mouvant,
Par l'aubépine et par l'ortie
Avec des feuilles et du vent.

(1) Cet exemple, qui n'a rien de fantaisiste, présente la forme lyrique et philosophique de ce thème, appuyée sur une association visuelle. Cf. *A. T.*, *Juillet*, XII, [1870-71 ?] :

Oh! si le mal devait demeurer seul debout...
Tout se révolterait! Oh! ce n'est plus un temple
Qu'aurait sous les yeux l'homme en ce ciel qu'il contemple!

. . . .
Une haute rose trémière
Dressait sur le toit de chardons
Ses cloches pleines de lumière
Où carillonnaient les bourdons.

. . . .
Un lys s'ouvrait près de la porte
Et tenait les fonts baptismaux.

. . . .
L'eau bénite était en rosée,
Et l'encens était en parfum...

. . . .
« Ami, me dit une araignée,
La grande rosace est de moi. »

. . . .
Un beau papillon dans sa chape
Officiait superbement...

. . . .
Les joncs, que coudoyait sans morgue
La violette, humble prélat,
Attendaient, pour jouer de l'orgue,
Qu'un bouc ou qu'un moine bêlât, etc., etc.

(C. R. B., II, 1, 2, l'Église, Serk, 1er juin 1859) (1).

Tu sais? tu connais ma chapelle,
C'est la maison des passereaux.
L'abeille aux offices m'appelle
En bourdonnant dans les sureaux.

. . . .
Et la rosée est mon baptême...

. . . .
Et si je demande un minime,
L'infusoire me dit : Présent.

. . . .
Là resplendit l'eucharistie
Qu'on appelle aussi le soleil.

. . . .
Un moine, assis dans les coulisses,
Aux papillons, grands et petits,
Tâchait de vendre des calices
Que l'églantier donnait gratis, etc., etc... (2).

(C. R. B., II, IV, 4, la Sainte chapelle,
Serk, 8 juin 1859.)

Le soir, sous les vignes vierges,
Vous verrez Dieu qui nous luit
Allumer les mille cierges
De sa messe de minuit.

(A. F., XXVIII, 25 juin 1859.)

— Mais où donc est le presbytère?
— Quel est le prêtre de ces fleurs?
. . . .
— Le curé de Meudon? lui dis-je.
— L'arbre me dit : — C'est Rabelais.

(C. R. B., I, II, 7, 11 juillet 1859.)

(1) Toute la pièce développe ce thème.
(2) Toute la pièce également : notamment la division I, intitulée la Sainte chapelle,
et la division V, Ce jour-là, trouvaille de l'église.

Il veut parer la terre ainsi qu'une chapelle,
Et mettre une guirlande autour du genre humain.

(*L. S.*, *D. S.*, XIII, III [1860?].)

Est-ce une orgie, est-ce une messe
Que ce radieux mois d'avril?

(*T. L.*, VII, XXIII, 16, 9 octobre [1877-1880?].)

Gloire aux bois que les dieux habitent!...
Où les petits oiseaux débitent
Tout leur catéchisme poissard!

(*Oc.*, LVII, 15 mai [1880-1883?].)

ANNEXE

« *ARBRES RELIGIEUX* »

Aussi, taillis sacrés où Dieu même apparaît,
Arbres religieux, chênes, mousses, forêt... (1).
(C., III, xxiv, juin 1843.)

Interroges-tu l'onde? et, quand tu vois des arbres,
Parles-tu quelquefois à ces religieux?
(C., VI, xxvi, 13 octobre 1853.)

(*Les oiseaux.*)
Ils confessent les ifs, devenus babillards.
(C., I, xviii, 14 octobre 1854.)

L'hosanna des forêts, des fleuves et des plaines,
S'élève gravement vers Dieu, père du jour...
(C., I, iv, 19 mars 1855.)

J'aime...
Et le bon vieux plain-chant classique
Des chênes aux capuchons bruns...
(C. R. B., I, ii, 9, septembre 1865.)

---

(1) Cf. *Rochers, V.*, II, 357 : « ... un ermite encapuchonné ».

« *GRAND THÉATRE DU BON DIEU* »

C'est beau! Figure-toi la pièce, si tu peux ;
Elle a le cœur humain pour scène, et pour parterre
Elle a le genre humain.
                         A la fin du mystère,
Le rideau tombe. On siffle. — Absurde! tout est mal!
On demande l'auteur et l'acteur principal.
Le riche veut ravoir son argent. Cris, tapage.
— L'auteur! l'auteur! nommez l'auteur! à bas l'ouvrage!...
Alors, apparaissant devant la rampe en feu,
Satan fait trois saluts, et dit : « L'auteur, c'est Dieu. »
                         (*Th. lib.*, 195, *dicté le* 2 *décembre* 1842.)

        Les ébéniers qu'avril charge de falbalas...
        Semblaient se divertir à faire les coulisses.
                         (*C.*, I, xxii, 16 février 1843.)

Il y a pour mon esprit je ne sais quel rapport intime, je ne sais quelle ineffable ressemblance entre un paysage composé de peupliers et une tragédie écrite en vers alexandrins...
                         (*V.*, II, 280, Bordeaux, juillet 1843.)
(*L'orme.*)
Dans le grand drame du paysage, il joue le rôle fantasque ; quelquefois grand et sévère, quelquefois bouffon...
                         (*V.*, II, 352, Pasages, août 1843.)
(*Marius.*)
... Il va aux spectacles gratis que Dieu donne ; il regarde le ciel, l'espace, les astres, les fleurs, les enfants, l'humanité...
                         (*Mis.*, III, v, 3, 398, 1847.)
(*Gavroche dans l'éléphant.*)
— Voilà du beau tonnerre, à la bonne heure! Ce n'est pas de la gnognotte d'éclair. Bravo le bon Dieu! nom d'unch! c'est presque aussi bien qu'à l'Ambigu.
                         (*Mis.*, IV, vi, 2, 140 [1847-1848 ?].)

. . . .
Au fond du hallier sombre, où, dans l'arbre entr'ouvert,
La fée, à des coussins de mousse en velours vert,
S'accoude, — une linotte, encor toute petite,
Débutait. Dans le lierre et dans la clématite,
Une fauvette dit : Pas mal! puis fredonna ;
Et, rêveur, j'écoutais cette prima donna.
                         (*T. L.*, II, xxi, *Dans ma stalle*, 15 octobre 1854.)

L'églantier verdissant, doux garçon qui grandit,
Déclame le récit de Théramène, et dit :
Son front large est armé de cornes menaçantes.

(C., I, XVI, 18 octobre 1854.)

Il disait : — Il pleut. Dieu change l'affiche ;
Et nous donne octobre en place de mai...

(C. R. B., R. 319, 15 avril 1855.)

... Au fond du crépuscule,
Dans son manteau de lierre un orme gesticule,
Seul, sinistre, au miroir du lac se regardant,
Comme un acteur qui dit son rôle en attendant,
Et qui, dès que Vesper aura levé la toile,
Va donner la réplique au nuage, à l'étoile,
A l'ombre, à l'épervier qui passe, au vent qui fuit,
Dans cette tragédie énorme de la nuit.

(Oc., XXXIII [1856?].)

Dans un grand jardin en cinq actes,
Conforme aux préceptes du goût,
Où les branches étaient exactes,
Où les fleurs se tenaient debout...

La rose sur les clématites
Fixait ce regard un peu sec
Que Rachel jette à ces petites
Qui font le chœur du drame grec.
. . . .
Ces fleurs...
Avaient des airs de confidentes
Autour de la reine d'avril.

La haie, où s'ouvraient leurs calices
Et d'où sortaient ces humbles fleurs,
Écoutait du bord des coulisses
Le rire des bouvreuils siffleurs.

Cette mère de figurantes...
Était un peu honteuse au fond.

(*aux clématites*)
. . . .
Non, vous n'êtes pas les comparses
Du grand théâtre du bon Dieu.
. . . .
La rose, en ce drame fécond,
Dit le premier vers, c'est possible,
Mais le bleuet dit le second, etc...

(C. R. B., II, III, 7, 26 juin 1859.)

Les jardins classiques de Lenôtre...
Tristes et déclamant leurs tirades de fleurs.

(C. R. B., R. 359, Fgts, s. d. [1859?].)

Ce monde est un immense opéra rococo...
En vain, le rossignol, infortuné ténor...
Interroge et poursuit d'un regard qui s'obstine
Ce triste Dieu caché dans le trou du souffleur.

(Q. V. E., I, XLII, novembre [1857-1860?].)

Le verger est terrible. Il est en trois parties, on pourrait presque dire en trois actes. La première partie est un jardin, la deuxième est le verger, la troisième est un bois...

(Mis., II, 1, 2, Hougomont, 1861.)

Ah! je profiterai, certes, de l'ouverture
Des portes, puisque avril nous livre la nature...
Mon programme est ceci : là-haut des voix divines ;
Les fleurs prendront des airs penchés dans les ravines...
Les cieux, les eaux, les prés où les églogues naissent,
Seront presque aussi beaux qu'un décor d'opéra...

(T. L., II, xxix, 8 mai [1872-1874?].)

Tout verdit ; la forêt est une enchanteresse ;
L'horizon change, ainsi qu'un décor d'opéra.

(A. G. P., X, iii, 31 mai 1874.)

« *LE GRAND CONCERT SACRÉ* »

> Cette musique, la nature l'a en elle.
> (Préface des *Voix intérieures*.)

Rêver, tandis que les rosées
Pleuvent d'un beau ciel espagnol,
Et que les notes embrasées
S'épanouissent en fusées
Dans la chanson du rossignol.
(*F. A.*, XXV, 12 septembre 1828.)

Quand il sort pour rêver, et qu'il erre incertain,
Soit dans les prés lustrés, au gazon de satin,
Soit dans un bois qu'emplit cette chanson sonore
Que le petit oiseau chante à la jeune aurore.
(*F. A.*, XXXVI, éd. novembre 1831.)

Vous savez cet adorable tumulte qui éclate dans une futaie, en avril, au soleil levant ; de chaque feuille jaillit une note, de chaque arbre une mélodie ; la fauvette gazouille, le ramier roucoule, le chardonneret fredonne, le moineau, ce joyeux fifre, siffle gaîment à travers le tutti. Le bois est un orchestre. Toutes ces voix qui ont des ailes chantent à la fois et répandent sur les collines et les prairies la symphonie mystérieuse du grand musicien invisible.
(*Rh.*, XXVIII, 322, Heidelberg, octobre 1840.)

Si bien qu'à ce concert gracieux et classique,
La nature mêlait un peu de sa musique.
(*C.*, I, XXII, 16 février 1840.)

Il fait un temps magnifique et le plus beau soleil du monde. J'entends mon matelot qui fredonne, des enfants qui rient, les batelières qui s'appellent, les laveuses qui frappent le linge sur des pierres selon la mode du pays, les chariots à bœufs qui grincent dans les ravins, les chèvres qui bêlent dans la montagne, les marteaux qui résonnent dans le chantier, les câbles qui se déroulent sur les cabestans, le vent qui souffle, la mer qui monte. Tout ce bruit est une musique, car la joie le remplit.
(*V.*, II, 341, Pasages, août 1843.)

Et je dis aux oiseaux : « petits oiseaux, vous n'êtes
Que des chardonnerets et des bergeronnettes...
Vous êtes, quoique beaux, très bêtes ; votre loi,

C'est d'errer ; vous chantez en l'air sans savoir quoi ;
Eh bien, vous m'inondez d'émotions sacrées ! »
(*Ch.*, VI, xiv, 28 mai 1853.)

Il n'est pas de lac ni d'île...
Qui n'improvise une idylle,
Ou qui ne chante un duo.
. . . .
Les vagues font la musique
Des vers que les arbres font.
(*C.*, I, xiv, 10 octobre 1854.)

Sous la protection d'un grand chêne attentif
Qui battait la mesure avec sa tête énorme...
    ... une linotte, encor toute petite,
Débutait. Dans le lierre et dans la clématite,
Une fauvette dit : Pas mal! puis fredonna ;
Et, rêveur, j'écoutais cette prima donna.
(*T. L.*, II, xxi, 15 octobre 1854.)

Avant de commencer le grand concert sacré,
Le moineau, le buisson, l'eau vive dans le pré,
La forêt, basse énorme, et l'aile et la corolle,
Tous ces doux instruments, m'adressent la parole ;
Je suis l'habitué de l'orchestre divin...
(*C.*, I, xxvii, 15 octobre 1854.)

                     Champs
Que l'orgue de l'azur emplit de ses plains-chants...
Tout chante un opéra mystérieux ici.
De partout, du rocher, des fleurs, du tronc noirci,
De ce qui se contemple et de ce qui se cueille,
Des prés, des gouttes d'eau tombant de feuille en feuille,
Des branches saluant quelqu'un dans l'infini,
De la mouche, du vent, du nid calme et béni,
Une oreille invisible entend sortir des gammes...
Et je savourerais, seul dans ma stalle verte,
Force partitions que m'exécuterait
Le vent musicien dans l'orchestre forêt.
Tapi dans l'ombre où l'hymne universel commence,
Je battais la mesure à la nature immense.
(*Th. lib.*, *F. M.*, sc. III, 1854.)

L'hosanna des forêts, des fleuves et des plaines...
(*C.*, I, iv, 19 mars 1855.)

Les oiseaux dans les bois, molles voix étouffées,
Chantent des triolets et des rondeaux aux fées.
(*C.*, II, i, 29 mars 1855.)

Oiseaux, je vous entends, je vous connais. Sachez
Que je ne suis pas dupe, ô doux ténors cachés,
De votre mélodie et de votre langage...
O rossignol dont l'hymne, exquis et gracieux,
Donne un frémissement à l'astre dans les cieux...
(*C.*, II, ix, 10 juin 1855.)

Ce monde est un immense opéra rococo,
Doré par le reflet et rythmé par l'écho ;
Un ange endiablerait dans sa philosophie
D'écouter le plain-chant que la forêt solfie...
Depuis des milliers d'ans, Dieu n'a point varié

La gamme du bouvreuil, du geai, de la linotte ;
Son vieux fou d'ouragan n'a qu'une seule note ;
Sa musique est toujours comme au temps d'Agénor ;
En vain le rossignol, infortuné ténor,
Dans l'espoir de changer sa vieille cavatine,
Interroge et poursuit d'un regard qui s'obstine
Ce triste Dieu caché dans le trou du souffleur.

(*Q. V. E.*, I, XLII [1857-1860 ?].)

Au lutrin chantaient, couple allègre,
Pour des auditeurs point ingrats,
Le cricri, ce poëte maigre,
Et l'ortolan, ce chantre gras.

. . . .

Le *Te Deum* des pâquerettes,
Et l'hosanna des boutons d'or.

(*C. R. B.*, II, I, 2, Serk, 1er juin 1859.)

Cet alleluia formidable,
L'éclat de rire du printemps.

(*C. R. B.*, II, IV, 4, Serk, 8 juin 1859.)

La comtesse Floriane
S'éveilla, comme les bois
Chantaient la vague diane
Des oiseaux, à demi-voix.

(*C. R. B.*, R. 326, 22 juin 1859.)

Si vous aimez la musique,
C'est ici qu'est son plein vol.
Mozart n'est qu'un vieux phtisique
A côté du rossignol.

Ici la fleur, le poëte,
Et le ciel font des trios.
O solos de l'alouette !
O tutti des loriots !

Chant du matin, fier, sonore !
L'oiseau vous le chantera.
Depuis six mille ans, l'aurore
Travaille à cet opéra.

(*A. F.*, XXVIII, 25 juin 1859.)

J'écoute en moi l'hymne suprême
De mille instruments triomphaux,
Qui tous répètent qu'elle m'aime,
Et dont pas un ne chante faux.

(*C. R. B.*, I, VI, 10, 12 août [1859 ?].)

Je lui parlais, et d'autres voix
Chantaient dans la forêt profonde.

(*C. R. B.*, I, VI, 6, 17 août [1859 ?].)

Les fauvettes sont des drôlesses
Qui chantent des chansons d'amour.

(*C. R. B.*, I, IV, 7, 27 septembre [1859 ?].)

La fauvette et la sirène
Chantent des chants alternés
Dans l'immense ombre sereine.

(*C. R. B.*, I, III, 7, 15 octobre 1859.)

(*Le passereau.*)
C'est lui qui fait le buisson
          De façon
Qu'on y chante et qu'on y dorme.

. . . .
Le bois où, dans la nuit brune,
Ta chanson, qui prend son vol,
          Rossignol,
Semble un rêve de la lune.
          (*F. S.*, III, 1, 3, sur la Tour Victoria à Bruxelles,
                    11-15 avril 1860.)

Le soleil était charmant ; les branches avaient ce doux frémissement de mai qui semble venir des nids plus encore que du vent. Un brave oiseau, probablement amoureux, vocalisait éperdument dans un grand arbre.
          (*Mis.*, II, 1, 1, Hougomont, mai 1861.)

Le grand silence de la nature heureuse emplissait le jardin. Silence céleste compatible avec mille musiques, roucoulements de nids, bourdonnements d'essaims, palpitations du vent. Toute l'harmonie de la saison s'accomplissait dans un gracieux ensemble...
          (*Mis.*, V, 1, 16, 1861-1862.)

La profonde chanson des arbres était chantée par des oiseaux nés d'hier... Des essais d'ailes bruissaient dans le tremblement des branches. Ils chantaient leur premier chant... aucune note du concert ne se perdait... Il y avait de l'hymne dans la fleur et du rayonnement dans le bruit. La grande harmonie diffuse s'épanouissait.
          (*T. M.*, III, III, 5 [1864-1865?].)

Le matin, toute la nature
Vocalise, fredonne, rit.
Je songe. L'aurore est si pure,
Et les oiseaux ont tant d'esprit !

Tout chante, geai, pinson, linotte,
Bouvreuil, alouette au zénith,
Et la source ajoute sa note,
Et le vent parle, et Dieu bénit.
          (*C. R. B.*, I, II, 9, septembre 1865.)

Je me supposerai convive de la fête
Que le pinson chanteur donne au pluvier doré...
La chanson des forêts est d'une douceur telle
Que, si Phœbus l'entend, quand, rêveur, il dételle
Ses chevaux las souvent au point de haleter,
Il s'arrête, et fait signe aux Muses d'écouter.
          (*T. L.*, VI, XVIII, 1840, 6 mai [1874?].)

Je ne demande pas autre chose aux forêts
Que de faire silence autour des antres frais
Et de ne pas troubler la chanson des fauvettes.
          (*D. G.*, XIV [1875-1877?].)

O gai chardonneret peint de mille couleurs,
Lissant de ton bec noir tes plumes tout en fleurs,
Chanteur, doux arlequin du carnaval des roses.
          (*Oc.*, *Tas*, 399, s. d.)

III

HUMANISATION DE LA NATURE

On trouvera réunies dans cette section des séries de motifs qui consacrent au maximum cette assimilation progressive de la nature à l'homme, cette intrusion de l'homme, et de l'homme social, par jeu, dans notre vision de la nature. C'est Pan et Eros mêlés, comme on l'avait pressenti, dès le début de cette *Deuxième Partie*, dans les *vere novo*. Ce qui a comencé dans l'observation s'achève dans le jeu. A la limite, nous arriverions aux contes pour enfants et aux albums de caricature, à *Alice aux pays des merveilles* de Lewis Carroll et à l'*Histoire de l'éléphant Babar* de Jean de Brunhof.

Par ordre, on verra d'abord l'inépuisable série des mois et saisons que j'appelle le *Calendrier fantasque*. C'est un thème assez commun à la féerie. Andersen avait déjà présenté de la sorte les douze voyageurs de la diligence, qui sont les douze mois de l'année. Mais, bien avant, on trouverait cela chez Charles d'Orléans, chez Ronsard et Baïf, et dans ce qu'on pourrait appeler la tradition précieuse de la nature. Mais c'est avant tout une réaction spontanée de l'homme, plus perceptible chez les poètes dont l'imagination est vagabonde. Les mois, plus encore que les saisons, y sont donc personnifiés selon l'action qu'ils ont sur les hommes. L'hiver est « phtisique » et mai est un bel adolescent. Entre 1854 et 1875, Hugo en est prodigue. Mais ce n'est proprement qu'un motif, ne dépassant guère un ou deux vers, au détour, souvent au seuil, d'un *vere novo* ou d'une *Idylle*.

C'est ici que commence réellement cette humanisation de la nature, qui prête à celle-ci nos usages et nos préjugés. Tout d'abord la *Domestication des éléments* consiste à faire comme si les éléments, c'est-à-dire, le soleil, les astres, la foudre, etc.., avaient été mis à notre disposition pour nous servir. C'est une forme de l'anthropocentrisme, et ce titre conviendrait aussi bien à toute cette section. « Notre suprême contentement, dit Hugo, est de regarder défiler toutes les variétés de la domestication. » Ce n'en est qu'une, mais la plus impudente, qui consiste à faire des puissances de la nature nos instruments et nos esclaves. Aussi ai-je réservé ce titre aux puissances de lumière, qui sont les plus exploitées par l'homme et aussi par Hugo. C'est, après le premier essai timide de *la Fête chez Thérèse*, le mot de Gavroche et de Gilliatt à l'éclair : « Tiens-moi la chandelle. »

Dès lors, tout suit. Nous avions vu Hugo admirant les merveilles d'un nid, habitat des oiseaux, et faisant de la nature un théâtre ou une église. La lumière ainsi conquise éclaire toute une parodie de l'habitation, ou de l'*Immeuble*, qu'on peut reconstituer par fragments. Le ciel est le plafond, les déchirures des nuages par où l'on voit les étoiles sont les fenêtres. Il y a des alcôves et des murs de feuillage, qu'Avril vient en son temps repeindre en vert.

De l'immeuble au *Mobilier*, la différence est faible. Le ciel est aussi bien une tente de drap bleu, l'herbe un tapis — c'est une de nos métaphores les plus usuelles — et les rochers ou les troncs d'arbres coupés forment les sièges. Le poète raffine, ajoutant ici une « console de velours vert », là une tapisserie de lierre et ailleurs des « canapés d'herbe ». C'est un jeu parfois lassant. Hugo en a, un jour, éclairé le principe, qui est une variété de l'équivalence :

> Nos rochers valent des marbres ;
> Le beau se fera joli.

Que faire en cette maison sinon d'y manger? Ce sera le *Banquet*, le « repas universel », « la table universelle ». *Aux petits des oiseaux Dieu donne leur pâture.* C'est un motif plus lâche que les *Nourritures célestes* et d'ailleurs infiniment moins répandu dans la fantaisie de Hugo.

Toute maison a son *Budget*. Hugo admire et raille l'économie de la nature. Dieu est cet économe infidèle, ce mauvais intendant qui dépense sans compter et donne plus qu'il ne retire. Mais qu'importe, lui n'a de compte à rendre qu'à lui-même.

Fort proche du mobilier est la question des *Vêtements*. Cette liberté fut l'occasion d'une de ses premières controverses avec le clan des prétendus « classiques » : le critique F.-B. Hoffmann lui reprocha en 1824 d'avoir dit dans une ode « le mystère pour vêtement ». Hugo fit remarquer que c'était en fait une très vieille métaphore — il aurait pu rappeler les lys de l'Évangile plus beaux que la robe du roi Salomon — et, citant un vers d'Horace qui représente Apollon ceint d'un nuage : « Or, dit-il, quand on est vêtu d'un *nuage*, ne porte-t-on pas une robe de vapeur (1) ? » Mais Hugo ne s'en tient pas à cette tradition pompeuse et renouvelle le thème par des « choses vues »; un contour, une forme, une certaine qualité tactile, des valeurs colorées, font pour lui d'une forêt une fourrure pour « l'épaule des coteaux frileux », ou d'une pelouse une robe. Mais jamais il n'est plus audacieux qu'en dehors de tout dessein poétique précis, lorsque, en voyage, il observe et s'amuse à caricaturer des aspects de la nature. Déjà en 1825, le mont Blanc lui avait paru coiffé d'une « tiare d'évêque ». Telle est la fantaisie de cette boutade surgie dans un jardin potager de Freudenstadt : « Le chou coiffé d'un immense chapeau caresse la betterave en jupon vert sombre et à bas rouges. » Par la suite, il est toujours plus libre, faisant des cloches à melons des

(1) Voir *O. B.*, Revue de la critique, p. 565.

« carricks » et des zébrures jaunes et noires de l'abdomen du frelon les galons d'un képi d'officier.

La garde-robe raffinée de la nature se complète inévitablement par les *Bijoux*. Quand *le poète s'en va dans les champs*, il remarque les fleurs

> Celles qui des rubis font pâlir les couleurs.

La spendeur incomparable de l'écrin vivant de la Nature conduit le poète très tôt à recourir aux images de l'arsenal précieux du merveilleux. C'est une source de·motifs familiers à la tradition poétique et il est très significatif que, malgré lui, Hugo se mette presque au rythme alexandrin pour exprimer une « chose vue » qui évoque des pierres précieuses ; par exemple, à la Chute du Rhin : « *... lorsque le soleil change ces perles en diamants — et que l'arc-en-ciel plonge dans l'écume éblouissante — son cou d'émeraude — comme un oiseau divin qui vient boire à l'abîme.* » Ce qui donne sans nouveau travail de création la chanson du nain Roulon sur le Rhin :

> Une fine émeraude est dans mon sable jaune ;
> Un pur saphir se cache en mon humide écrin, etc... (1).

Pour produire ces effets brillants qui sont sa parure, la Nature, ou Dieu, doit travailler et remplacer tous les corps de *Métiers* à la fois. Nous avions déjà vu Avril s'employer à *rajeunir* ou *repeindre* la décoration naturelle de la masure et *charger de falbalas* les ébéniers de *la Fête chez Thérèse*. Nous allons trouver des expressions plus réalistes encore : le renouveau du printemps suggère les travaux de ravalement, de recrépiment, de replâtrage ; un volcan est une cheminée, dont le nettoyage nécessite un fumiste « rude compagnon ». Avec peu de moyens — ici se retrouve le grand thème général du Prologue, *Unité et Variété* —, « du vert et du bleu », Dieu fait de grandes choses. Et au poète, il suffit d'un substantif ou d'un verbe pour exprimer cette prodigieuse activité de la Nature. Mais il ne faudrait pas croire de là que cet effort métaphorique du poète est à ce point voulu que la commodité de l'exposé le laisse entendre. Un bon exemple de cela me paraît se trouver dans l'une des *Chansons des rues et des bois*, où Hugo, cherchant à caractériser le battement de l'horloge du clocher, trouve le bruit d'un couteau qu'on *aiguise*, ce qui l'amène à faire de Dieu un sublime *rémouleur*.

Enfin, la dernière étape de cette humanisation est certainement celle qui consiste à prêter à la société de la nature les coutumes, les préjugés, les castes de la nôtre. Nous avons déjà vu des éléments de cette caricature sociale à plusieurs reprises, à propos de la *République des bêtes* et des trois thèmes, et il conviendrait de les ajouter à cette rubrique pour la compléter. La *Célébration du 14 juillet dans la forêt* (*C. R. B.*, II, III, 3) en est l'exemple le plus frappant et, même si une « chose vue » est peut-être à l'origine de ce développement —

> Il répand à *plis profonds*
> Sa grande ombre magnifique

----

(1) Voir ces deux extraits à cette rubrique. Citons à ce propos ce vers d'une des premières pièces de Rimbaud :

> Dans la feuillée, écrin vert taché de jaune...

— l'évocation d'un drapeau par le feuillage déployé du chêne reste un prétexte assez mince pour une association aussi développée dans le détail.

Au moment de parvenir au terme de cette exposition, il m'apparaît qu'il y manque, comme toujours, beaucoup de choses, et notamment la manifestation des sentiments, des plus passagers surtout qui remplissent notre vie quotidienne, de ces mouvements d'humeur auxquels les hommes se retiennent mal de céder. C'est ce repentir qui m'amène à ajouter encore un appendice, le dernier, qui, collectant çà et là des motifs déjà rencontrés, les groupe sous la rubrique *Humeurs*, qu'on pourrait appeler les « bourrus de la nature ». Là se retrouvent, d'après une association facile, tous les buissons d'épines, les houx piquants, les orties, toutes les plantes, les bêtes, ou les pierres — les rochers le sont souvent — qui évoquent par ce côté l'humeur revêche des hommes. Mais la *joie*, il m'est impossible d'en citer des exemples parce qu'elle gouverne tout ce recueil, que la fantaisie consiste à la saisir et qu'on n'aura qu'à la glaner où elle est, parmi les oiseaux qui la sèment et la colportent, les printemps qui la chantent, et les rêveurs d'idylles qui la cueillent, c'est-à-dire, si j'ai été fidèle à mon propos, un peu partout dans cette collection de thèmes et de motifs.

LE CALENDRIER FANTASQUE
MOIS ET SAISONS

Des boutons d'or qu'avril étale...
> (*F. A.*, XXV, 12 septembre 1828.)

Et roses par avril fardées...
> (*C. C.*, XXVI, 1ᵉʳ mars 1835.)

Puisque mai tout en fleurs dans les prés nous réclame...
> (*C. C.*, XXXI, 21 mai 1835.)

A chaque hoquet du printemps une chaumière fleurit (1).
> (*V.*, II, 57, Saint-Jean-de-Day, 30 juin 1836.)

Lorsqu'au soleil séchant sa robe
Mai tout mouillé rit dans les champs...
. . . .
Mais, hélas! juillet fait sa gerbe;
L'été, lentement effacé,
Tombe feuille à feuille dans l'herbe
Et jour à jour dans le passé.

Puis octobre perd sa dorure;
Et les bois dans les lointains bleus
Couvrent de leur rousse fourrure
L'épaule des coteaux frileux.

L'hiver des nuages sans nombre
Sort, et chasse l'été du ciel...
> (*V. I.*, V, 7-11 février 1837.)

Vous vivez! avril passe, et voici maintenant
Que mai, le mois d'amour, mai rose et rayonnant,
Mai dont la robe verte est chaque jour plus ample,
Comme un lévite enfant chargé d'orner le temple,
Suspend aux noirs rameaux, qu'il gonfle en les touchant,
Les fleurs d'où sort l'encens, les nids d'où sort le chant.
> (*R. O.*, VIII, éd. 9 juin 1839.)

Les ébéniers qu'avril charge de falbalas...
> (*C.*, I, XXII, 16 février 1840.)

---

1) Cf. à la page suivante, « l'hiver... phtisique » (*C.*, I, XIV) est du même esprit.

L'hiver est une bête ; il perd sa marchandise, il perd sa peine, il ne peut pas nous mouiller, et ça le fait bougonner, ce vieux porteur d'eau-là !

(*Mis.*, IV, VI, 2, 140, 1847-1848.)

L'hiver gronde et fait cent querelles,
O vieilles gens, ô vieilles gens,
Aux girouettes des tourelles...

(*T. L.*, VII, VIII, 27 novembre 1853.)

Proscrit, regarde les roses ;
Mai joyeux, de l'aube en fleurs,
Les reçoit toutes écloses...
Mai qui rit aux cieux si beaux...

(*Q. V. E.*, III, XXV, 18 mai 1854.)

L'hiver tousse, vieux phtisique (1),
Et s'en va...

(*C.*, I, XIV, 10 octobre 1854.)

Denise, ton mari, notre vieux pédagogue,
Se promène ; il s'en va troubler la fraîche églogue
Du bel adolescent Avril dans la forêt...

(*C.*, I, XVI, 18 octobre 1854.)

Dans l'aube, avril se mire...

(*Q. V. E.*, III, XIII, 1, 9 janvier 1855.)

. . . .
Comme si ses soupirs et ses tendres missives
Au mois de mai, qui rit dans les branches lascives...

(*C.*, II, I, 29 mars 1855.)

Mai, couché dans la mousse au fond des grottes vertes,
Fait aux amoureux les yeux doux.

(*C.*, III, XXII, 24 mai 1854 ou 1855.)

Il semble que sur moi, secouant son linceul,
Se soit soudain penché le noir vieillard Décembre.

(*C.*, II, VIII, 16 juin 1855.)

L'hiver fuit, saison d'alarmes,
Noir avril mystérieux...
. . . .
Et mai sourit dans nos âmes
Comme il sourit dans les cieux.

(*C.*, II, XXIII, 18 juin 1855.)

Avril, c'est la jeunesse...
. . . .
Mai dans les bois recèle
Les amours innocents...

(*T. L.*, VII, XXIII, 19,
27-28 mai 1857, Guernesey.)

Janvier doit grelotter près du vieillard qui tremble ;
Mai doit s'épanouir près de l'enfant qui rit.

(*Oc.*, XXVI [1856-1858 ?].)

(1) Cf. dans *Q. V. E.*, I, XLII, cité ci-dessous :

Vois ! l'azur est ridé, l'aube tousse et grelotte...

Mai porte à son chapeau toujours la même fleur...
Juillet caduc voudrait s'asseoir au coin du feu ;
Le bonhomme janvier geint, et sans verve épanche
La neige qui jaunit de l'ennui d'être blanche ;
Floréal est fané, passé, mangé des vers.

(Q. V. E., I, xlii [1857-1860 ?].)

Mai brode à mes rochers la passementerie...

(L. S., P. S., XII, v. 229, 6 février 1859.)

Et l'Hiver se tenait les côtes sur le pôle.

(L. S., P. S., VIII, v. 244, 17 mars 1859.)

Mai joyeux, juin frais et tendre
Arriveront à propos...

(A. F., XXVIII, 25 juin 1859.)

Avril dans les ronces se vautre.

(C. R. B., II, iii, 7, 26 juin 1859.)

Mai rit, dans les fleurs attablé.

(C. R. B., I, iv, 1, 17 juillet 1859.)

Il pleut ; la brume est épaissie ;
Voici novembre et ses rougeurs,
Et l'hiver, effroyable scie
Que Dieu nous fait, à nous songeurs.

(T. L., VI, xvi, 4 novembre [1859 ?].)

Avril ouvre à deux battants
    Le printemps ;
L'été le suit, et déploie
Sur la terre un beau tapis
    Fait d'épis,
D'herbe, de fleurs, et de joie.

(F. S., III, I, 3, écrit le 11 avril 1860
sur la tour Victoria à Bruxelles.)

Le petit enfant mai frappe dans ses deux mains (1).

(L. D., D. S., XIII, iii [1860 ?].)

Avril s'appelle Amour et juin s'appelle Hymen.

(Ibid.)

... l'hiver, qui n'est pas autre chose qu'une déchirure au zénith par où le vent souffle...

(Mis., IV, xii, 2, 1860-1862.)

---

(1) A propos de ce vers, P. Berret cite ces deux vers de Gautier, extraits de *Sourire du Printemps*, qui datent de 1851 au plus tard puisque la pièce parut dans *la Presse* du 7 avril 1851 :

Mars qui rit malgré les averses
Prépare en secret le printemps.

S'ils ont pu avoir quelque influence sur Hugo, c'est tout au plus celle de lui avoir remis sous les yeux un motif oublié de sa fantaisie, si tant est qu'il l'eût oublié, et c'est là tout : on voit par les exemples ci-dessus que Hugo n'avait attendu ni 1851, ni Théophile Gautier, pour exploiter ce motif.

Avril est de l'aurore un frère ressemblant ;
Il est éblouissant ainsi qu'elle est vermeille.
Il a l'air de quelqu'un qui rit et qui s'éveille.

(*A. G. P.*, X, VI, 27 avril 1864.)

Grand scandale dans le hallier
Que tous les ans mai badigeonne.

(*T. L.*, VII, V, 9 août 1865.)

L'enfant avril est le frère
De l'enfant amour...

. . . .
Ce sont les deux petits prêtres
Du supplice immense et doux...

. . . .
La mousse des prés exhale
Avril, qui chante drinn drinn, etc...

(*C. R. B.*, I, IV, 10, 18 août [1865 ?].)

Ah ! l'équinoxe cherche noise
Au solstice, et ce juin charmant
Nous offre une bise sournoise...

. . . .
Notre été chicane et querelle...

(*T. L.*, II, XVIII, août 1865.)

C'était un de ces jours printaniers où mai se dépense tout entier...

(*T. M.*, III, III, 5, 1864-1865.)

Je viens...
Voir si rien ne fait dévier
Toutes les mesures d'urgence
Que prend avril contre janvier...

. . . .
Quand mai fleuri met des panaches
Aux sombres donjons mécontents...

(*A. G. P.*, X, II, mai 1870.)

C'est, grâce aux frais glaïeuls, grâce aux purs liserons,
La vengeance que nous poëtes nous tirons
De cet affreux janvier, si laid ; c'est la revanche
Qu'avril contre l'hiver prend avec la pervenche.

(*A. G. P.*, X, III, 31 mai 1874.)

Le jeune mois de mai, c'est toujours le vieux temple
Où, doucement raillés par les merles siffleurs,
Les gens qui s'aiment vont s'adorer dans les fleurs...

(*T. L.*, II, III, 1874.)

Il n'est qu'un dieu, l'amour ; avril est son prophète...

(*T. L.*, VI, XVIII, 1840, Mai, 6 mai [1847-1875 ?].)

Mai dore le ravin...

(*T. L.*, II, XLIII, 27 mai 1875.)

Janvier part, floréal accourt ; le dialogue
De l'hiver qui bougonne avec la vive églogue
Tourne en querelle...

(*T. L.*, VI, L [1876-1878 ?].)

Le doux avril accourt avec un bruit de lyre...

(*Ibid.*)

Faites comme les nids, amants. Avril vainqueur
Sourit...

(*L. S., N. S.*, XVIII, Id. xx, 4 février 1877.)

Je suis par le printemps vaguement attendri.
Avril est un enfant, frêle, charmant, fleuri...

(*T. L.*, V, xlix, 26 juin 1868.)

Là-haut, dans le ciel bleu, fuit, roulant ses mêlées
De pluie et de rayons, d'aube et de giboulées,
    Mars, le mois querelleur.

(*Oc., Tas*, 399, s. d.)

DOMESTICATION DES ÉLÉMENTS
(LUMIÈRE)

> Notre suprême contentement est de
> regarder défiler toutes les variétés de la
> domestication.
>
> (*H. Q. R.*, I, I, p. 7.)

Le soleil tenait lieu de lustre...

(*C.*, I, XXII, 16 février 1840.)

(*Gavroche parle.*)

— Puisque le bon Dieu allume sa chandelle (un éclair), je peux souffler la mienne.

(*Mis.*, IV, VI, 2, 141, 1847-1848.)

(*Le soleil.*)

Tous les échantillons d'esprit et de stature
Sont égaux et pareils devant ce bec de gaz,
Depuis Petit Poucet jusqu'à Micromégas!

(*Q. V. E.*, I, *Deux voix dans le ciel*, 23 novembre 1854.)

Dans le grand palais de l'été
Les astres allument le lustre.

(*A. G. P.*, I, VIII [1855-1865?].)

Il n'entend pas les cieux dire : Éclairons! aimons!

(*A.*, VII, 348 [1857?].)

Certes, c'est une œuvre ardue
D'allumer le jour levant,
D'ouvrir assez l'étendue
Pour ne pas casser le vent,

. . . .
Tirer, quand la giboulée
Fouette le matin vermeil,
De l'écurie étoilée
L'attelage du soleil.

... pourvoir
Aux dépenses de lumière
Que fait l'astre chaque soir...

(*C. R. B.*, I, VI, II, 19 janvier 1859.)

18

Quand la lune, obscur candélabre,
S'allume en son écroulement.

(*C. R. B.*, II, ii, 3, 18 juin 1859.)

... le soleil éclairait à giorno.

(*Mis.*, V, i, 16 [1861-1862?].)

(*Les éclairs.*)

Ces clartés aidaient Gilliatt et le dirigeaient. Une fois il se tourna et dit à l'éclair : Tiens-moi la chandelle.

(*T. M.*, II, iii, 7, 357, 1864-1865.)

Il semblait que le soleil n'eût jamais servi.

(*T. M.* III, iii, 5, 447, 1864-1865.)

Le soleil est une cheminée qui fume quelquefois. Mon poêle aussi. Mon poêle ne vaut pas mieux que le soleil.

(*H. Q. R.*, I, iii, 5, 147, novembre 1866.)

Messeigneurs, nous aurons pour lustre la Grande Ourse...

(*T. L.*, VII, xix [1869-1870?].)

(Dieu)... ne veut pas qu'on touche
Aux étoiles, et c'est pour en être bien sûr
Qu'il les accroche aux clous les plus hauts de l'azur.

(*A. G. P.*, III, iii, 2 juin 1874.)

IMMEUBLE

Le soleil pour nous narguer nous regarde de temps en temps par la lucarne du nuage.

(V., II, 47, Alençon, 19 juin 1836.)

Quand le soleil écarte un nuage et vient rire à une lucarne du ciel, rien n'est plus ravissant que Bacharach.

(Rh., XVIII, 144, Lorch, 23 septembre 1840.)

Je serais un faquin camarade des astres,
Et j'irais me cogner la tête au plafond bleu.

(Th. J., Plans, 517, 1845-1855.)

L'andryade en sa grotte était dans une alcôve...
(<i>le satyre...</i>)
Quand il vit l'escalier céleste commençant...
... l'air pensif du sylvain, regardant
Les armures des dieux dans le bleu vestiaire...
Sur le grand pavé bleu de la céleste zone...

(L. S., P. S., VIII, 17 mars 1859.)

Sur l'aube nue et blanche, entr'ouvrant sa fenêtre...

(C., I, XXVI, 17 novembre 1854.)

Nous habitons chez les pervenches
Des chambres de fleurs, à crédit...
. . . .
Le poëte est propriétaire
Des rayons, des parfums, des voix...

(C. R. B., II, IV, 4, Serk, 8 juin 1859.)

Un moineau franc, que rien ne gêne
A son grenier, tout grand ouvert,
Au cinquième étage d'un chêne
Qu'avril vient de repeindre en vert.

Un saule pleureur se hasarde
A gémir sur le doux gazon,
A quelques pas de la mansarde
Où ricane ce polisson.

(C. R. B., II, II, 3, 18 juin 1859.)

Le ciel, cherché des yeux en pleurs,
Au bord de sa fenêtre ouverte
Met avril, ce vase de fleurs.
>   (*C. R. B.*, I, v, 2, 17 juillet [1859?].)

Ainsi qu'un vieux trumeau dépeint et décloué,
L'idylle aujourd'hui pend au grand plafond céleste.
>   (*L. S., N. S.*, XVIII, Id., xix [6 avril 1860?].)

Avril ouvre à deux battants
Le printemps.
>   (*F. S.*, III, 1, 3, *Chanson des oiseaux*,
>   Bruxelles, 11-15 avril 1860.)

... Voir une fêlure dans l'immense vitre bleue du firmament!
>   (*Mis.*, V, iv, 1, 160, mai 1861.)

La lune s'assoupit dans nos chambres de mousse.
>   (*L. S., N. S.*, X, ii [1855-1862?].)

. . . .
Les oiseaux, qui n'ont point à payer de loyer,
Changent d'alcôve autant de fois que bon leur semble.
>   (*L. S., N. S.*, XVIII, Id. xxi [1860?].)

. . . .
A ce petit ciel bas, plafond
De la volupté sans idée,
Les âmes se heurtent le front.
>   (*L. S., D. S.*, XIV, 9 novembre [1865?].)

Et, quand on ne sait quel flamboyant alcyon
Passe, astre formidable, à travers les étoiles,
N'allez pas mesurer le trou qu'il fait aux toiles
Du grand plafond céleste...
>   (*L. S., N. S.*, XVI, v, 30, 4 septembre 1874.)

(*Le lierre...*)
Il orne les vieux murs d'alcôves peu sévères.
>   (*T. L.*, VI, xviii, 1847, 26 mai [1874-1875?].)

Vénus rit toute nue à la vitre du soir.
>   (*Oc.*, CXXXIX [1876-1878?].)

La nature n'est qu'une alcôve...
>   (*T.L.*, VI, l [1876-1878?].)

La nature est l'immense alcôve...
>   (*T. L.*, VII, xxiii, 16, 9 octobre [1877-1880?].)

MOBILIER

Quand il sort pour rêver, et qu'il erre incertain,
Soit dans les prés lustrés, au gazon de satin...
(*F. A.*, XXXVI, novembre 1831.)

A midi, elle (la nature) changeait le souterrain en palais ; elle tendait toute
la voûte de cette splendide moire bleue dont je vous parlais tout à l'heure,
et le Léman plafonnait le cachot...
(*Rh.*, XXXIX, 409, Vevey, 21 septembre 1839.)

Le soleil tenait lieu de lustre ; la saison
Avait brodé de fleurs un immense gazon,
Vert tapis déroulé sous maint groupe folâtre...
(*C.*, I, XXII, 16 février 1840.)

(Leur fille)... endormie dans un lit de mousse, au fond d'un beau pavillon
tapissé de coraux, de coquilles et de cristaux.
(*Rh.*, XIV, 117, Saint-Goar, 17 août 1840.)

(*Dans la ruine.*)
... je n'aurais pas été surpris le moins du monde de voir sortir de dessous
les rideaux de lierre quelque forme surnaturelle portant des fleurs bizarres
dans son tablier.
(*Rh.*, XV, 127, Saint-Goar, septembre 1840.)

J'écris sur une petite console de velours vert que me prête le vieux mur.
(*Ibid.*, 129.)

... je distinguais vaguement le long de ce ruisseau, dans les douces ténèbres
que versaient les feuillages, un sentier que mille fleurs sauvages... cachaient
pour le profane et tapissaient pour le poëte.
(*Rh.*, XX, 166, de Lorch à Bingen, septembre 1840.)

Je m'assieds dans ces excellents fauteuils revêtus de mousse, c'est-à-dire
de velours vert, que l'antique Palès creuse au pied de tous les vieux chênes
pour le voyageur fatigué.
(*Rh.*, XXVIII, 312, Heidelberg, octobre 1840.)

(*Château des Barrières.*)
Le lierre tient lieu de tapisserie.
(*V.*, II, 431, Périgueux, 5 septembre 1843.)

... une belle herbe verte tapisse le pied de ce mur décrépit ;... la mousse couvre de velours vert le banc de pierre qui est à la porte.

(*Ch. v.*, I, 107, 1844.)

On apercevait... les longs rubans d'argent des limaces sur le froid et épais tapis des feuilles jaunes...

(*Mis.*, IV, III, 3 [1847 ?].)

Le roc m'offre sa chaise et la source son eau...

(*Q. V. E.*, III, xxxiv [1853 ?].)

La fée, à des coussins de mousse en velours vert,
S'accoude...

(*T. L.*, II, xxi, 15 octobre 1854.)

Une eau courait, fraîche et creuse
Sur les mousses de velours...

(*C.*, I, xix, 18 janvier 1855.)

Et le haut firmament, sombre pourpre des soirs,
Rideau des arcs-en-ciel...
Est une loque à pendre au clou chez le fripier.

(*Q. V. E.*, I, xlii [1857-1860 ?].)

Le bon faune crevait l'azur à chaque pas...

(*L. S.*, *P. S.*, VIII, v. 126, 17 mars 1859.)

Quand, sous un dais de fleurs sans nombre...

(*C. R. B.*, I, vi, 16, 8 juin 1859.)

Nos rochers valent des marbres ;
Le beau se fera joli...

(*A. F.*, XXVIII, 25 juin 1859.)

Nous fîmes des canapés d'herbes...

(*C. R. B.*, I, ii, 7, 11 juillet 1859.)

Un miroir de cristal bordé de velours vert...

(*D. G.*, XVIII [1859 ?].)

L'été le suit, et déploie
Sur la terre un beau tapis
Fait d'épis,
D'herbe, de fleurs et de joie.

(*F. S.*, III, i, 3, *Chanson des oiseaux*,
écrit le 11 avril sur la tour Victoria à Bruxelles, 1860.)

(*La grotte marine.*)

... une plante magnifique et singulière se rattachait comme une bordure à la tenture de varech... Les magnifiques moisissures de mer mettaient du velours sur les angles du granit. Les escarpements étaient festonnés de lianes grandiflores...

(*T. M.*, II, i, 13, 282, 1864-1865.)

L'arbre creux vous offre une chaise.

(*T. L.*, II, xviii [août 1865 ?].)

ZINEB

Sous ma tête une pierre, à mes pieds la broussaille.

AÏROLO, *à part, lui arrangeant sous elle le tas de ronces et de gravats.*
Bordons-la.

ZINEB

Couvre-moi d'un suaire de fleurs...

AÏROLO, *à part.*

... C'est vrai, mourir à même la forêt,
C'est agréable. On a son lit d'herbes tout prêt.
(*Th. Lib.*, *M. I.*, a. I, sc. VI, février-avril 1867.)

Nous appelons cela le dimanche. Il est sûr
Qu'il faut pour faire un ciel bien des rouleaux d'azur...
(*R. R.*, I, I, 200 [1870-1880?].)

Puisque la terre en fleurs semble un tapis de Perse...
(*T. L.*, VI, XVIII, 1833, 4 mai [1874-1875?].)

La feuille est un rideau, la source est un soupir;
Cupidon vient dans l'herbe agreste se tapir...
Les alcôves de pourpre et d'or sont laides, viles
Et pauvres à côté du lit profond des fleurs.
(*T. L.*, VI, LV [1874-1875?].)

Et le soir, quand la lune, éclairant dans leur bain
Le faune et la naïade indistincte, se lève,
Nous chercherons un lit pour finir notre rêve,
Une mousse cachée au fond du hallier noir.
(*L. S.*, *N. S.*, XVIII, Id. X, 30 janvier 1877.)

(*Le diable.*)
« Il coupa dans le ciel un morceau de drap bleu,
« Et, pour cacher le trou, mit dessus un nuage... »
— Je croyais que le ciel, dit-elle, était en soie.
(*D. G.*, CVI [1878-1880?].)

LE BANQUET

On voit rôder l'abeille à jeun,
La guêpe court, le frelon guette ;
A tous ces buveurs de parfum
Le printemps ouvre sa guinguette.

Le bourdon, aux excès enclin,
Entre en chiffonnant sa chemise ;
Un œillet est un verre plein,
Le lys est une nappe mise.

La mouche boit le vermillon
Et l'or dans les fleurs demi-closes,
Et l'ivrogne est le papillon,
Et les cabarets sont les roses...

Sur aucune fleur on ne lit :
Société de tempérance.
                    (*A. G. P.*, I, VIII [1855-1865 ?].)

Cachés par une primevère,
Une caille, un merle siffleur,
Buvaient tous deux au même verre
Dans une belladone en fleur.
                    (*C. R. B.*, II, I, 2, 1er juin 1859.)

(*Le rat...*)
L'aurore est encore en chemise
Que, lui, debout, il se nourrit ;
Sa nappe verte est toujours mise ;
        Il rit.
                    (*C. R. B.*, R. 325, 17 juin 1859.)

. . . .
L'oiseau mange en herbe le blé ;
L'abeille est ivre de rosée ;
Mai rit, dans les fleurs attablé.
                    (*C. R. B.*, I, IV, 1, 17 juillet 1859.)

Et la ronce aux rameaux flottants,
Toujours, sans être souhaitée,
S'invite au banquet du printemps.
                    (*C. R. B.*, R. 359, s. d. [1859 ?].)

Buvons, mangeons ; becquetons
Les festons
De la ronce et de la vigne ;
Le banquet dans la forêt
Est tout prêt ;
Chaque branche nous fait signe.

(F. S., III, 1, 3, Chanson des Oiseaux,
écrit le 11 avril 1860, sur la tour Victoria à Bruxelles.)

Toute la nature déjeunait ; la création était à table ; c'était l'heure ; la grande nappe bleue était mise au ciel et la grande nappe verte sur la terre ; le soleil éclairait à giorno. Dieu servait le repas universel. Chaque être avait sa pâture ou sa pâtée. Le ramier trouvait du chènevis, le pinson trouvait du millet, le chardonneret trouvait du mouron, le rouge-gorge trouvait des vers, l'abeille trouvait des fleurs, la mouche trouvait des infusoires, le verdier trouvait des mouches. On se mangeait bien un peu les uns les autres, ce qui est le mystère du mal mêlé au bien ; mais pas une bête n'avait l'estomac vide.

(Mis, V, 1, 16, 58, 1861-1862.)

(*Des miracles...*)

FRANÇOIS DE PAULE

J'en vois. Tous les matins l'aube argente les eaux,
L'énorme soleil vient pour les petits oiseaux.
La table universelle aux affamés servie
Se dresse dans les champs et les bois, et la vie
Emplit l'ombre, et la fleur s'ouvre, et le grand ciel bleu
Luit ; mais ce n'est pas moi qui fais cela, c'est Dieu.

(Torq., I, a. II, sc. 2, 1869.)

BUDGET

. . . .
Ce faste du prodige épars sur toute chose,
Ces dépenses d'un Dieu créant, semant, aimant,
Qui fait un moucheron avec un diamant,
Et qui n'attache une aile au ver qu'avec des boucles
De perles, de saphirs, d'onyx et d'escarboucles,
Ces fulgores ayant de la splendeur en eux,
Ces prodigalités de regards lumineux... (1).

(*A.*, VII, 350 [1857?].)

Gaver de vin vendémiaire,
D'épis messidor ; pourvoir
Aux dépenses de lumière
Que fait l'astre chaque soir...

(*C. R. B.*, I, VI, 11, 19 janvier 1859.)

Les prés généreux font des rentes
De rimes à nos pauvres vers.

(*C. R. B.*, II, IV, 4, 3, 8 juin 1859.)

... on sentait sous la création l'énormité de la source ; dans tous ces souffles pénétrés d'amour, dans ce va-et-vient de reverbérations et de reflets, dans cette prodigieuse dépense de rayons, dans ce versement infini d'or fluide, on sentait la prodigalité de l'inépuisable ; et, derrière cette splendeur comme derrière un rideau de flamme, on entrevoyait Dieu, ce millionnaire d'étoiles.

(*Mis.*, V, I, 16, 58 [1861-1862?].)

C'était un de ces jours printaniers où mai se dépense tout entier... Le printemps jetait tout son argent et tout son or dans l'immense panier percé des bois.

(*T. M.*, III, III, 5, 1864-1865.)

Gloire au ciel bleu qui peut, sans s'épuiser jamais,
Faire des dépenses d'aurore !

(*L. S.*, *N. S.*, I, 12 août 1873.)

---

(1) Cf. Nodier : « L'insecte est le roi du monde, et c'est au perfectionnement de cette race que tend l'œuvre de la création, si elle est intelligente. » (*Temps*, 26 février 1832, voir *la Fantaisie de Victor Hugo*, t. I, p. 188.)

Prêtres, le hêtre aux champs, l'aune, l'ormeau, l'érable,
Versent l'ombre pour rien ; Mai ne dit pas aux prés :
Les fleurs, c'est tant. Voyez mon tarif. Vous paierez
Tant pour la violette et tant pour la lavande !
Ah ! Dieu veut qu'on le donne et non pas qu'on le vende (1) !

    (*L. S.*, *N. S.*, **XXI**, *Les Vendeurs du temple*, 7 juillet 1874.)

(1) Le motif est utilisé ici à des fins satiriques évidentes.

VÊTEMENTS

Viens! on dirait, Madeleine,
Que le printemps...
A, cette nuit, pour te plaire,
Secoué sur la bruyère
Sa robe pleine de fleurs.

(*B.*, IX, 14 septembre 1825.)

... Plus bas, à l'extrémité d'un immense manteau bleuâtre que le mont
Blanc laisse traîner jusque dans la verdure de Chamonix...

(*V.*, II, 11, Alpes, 1825.)

(*Paris.*)
Ce brouillard, que son front porte comme un panache...

(*F. A.*, XXXV, III, août 1828.)

Cette montagne, au front de nuages couvert,
Qui dans un de ses plis porte un beau vallon vert,
Comme un enfant des fleurs dans un pan de sa robe.

(*C. C.*, XXVIII, 7 octobre 1834.)

Puis octobre perd sa dorure;
Et les bois dans les lointains bleus
Couvrent de leur rousse fourrure
L'épaule des coteaux frileux.

(*V. I.*, V, 2, 7-11 février 1837.)

(*Les fortifications de Mons.*)
Ce sont les anglais qui ont mis cette chemise à la ville pour le jour où nous
aurions le caprice de nous en vêtir.

(*V.*, II, 88, Bruxelles, 18 août 1837.)

J'admire, depuis que je suis en Flandre, la ténuité et la délicatesse des
meneaux de pierre auxquels s'attachent les verrières des fenêtres. Cette
cathédrale de Malines a une vraie chemise de dentelle.

(*V.*, II, 90, Lier, 19 août 1837.)

De temps en temps on rencontre un carré de sarrasin qui ressemble à une
grande fourrure de petit-gris étalée sur la plaine.

(*Rh.*, R. 487, sur la route de Varennes à Vouziers, juillet 1838.)

... des clochers dans la brume qui révèlent d'autres hameaux cachés dans
les plis de la vallée comme dans une robe de velours vert.

(*Rh.*, III, 31, entre Sainte-Menehould et Clermont, juillet 1838.)

(*L'horloge astronomique.*)
... On est en train de la restaurer, et elle est recouverte d'une chemise en planches.
(Rh., XXX, 356, Strasbourg, septembre 1839.)

... je regarde couler au-dessous de mon trône, dans le ravin, quelque admirable ruisseau semé de roches pointues où se fronce à mille plis la tunique d'argent de la naïade...
(Rh., XXVIII, 313, Heidelberg, octobre 1840.)

La végétation copie l'homme. Le chou coiffé de son immense chapeau caresse la betterave en jupon vert sombre et à bas rouges.
(V., II, 478, Album 1840, Freudenstadt, 24 octobre.)

(*La grande Jondrette parle.*)
(Paris)... laid quand il a mis une chemise blanche... (1).
(Mis., III, VIII, 16, 1847.)

Là-bas, la chute d'eau, de mille plis ridée,
Brille, comme dans l'ombre un manteau de satin.
(Ch., IV, x, Jersey, 28 avril 1853.)

Jersey, sur l'onde docile,
Se drape d'un beau ciel pur,
Et prend des airs de Sicile
Dans un grand haillon d'azur.
(C., I, xiv, 10 octobre 1854.)

Le pâtre promontoire au chapeau de nuées...
(C., V, xxiii, 17 décembre 1854.)

(*Les étoiles...*)
Clous de la semelle de Dieu!
(Oc., XCVI, 1854-1855.)

... Au fond du crépuscule,
Dans son manteau de lierre un orme gesticule...
(Oc., XXXIII [1856?].)

L'année ôte son vieil habit;
La terre met sa belle robe...
. . . .
Le bourdon, aux excès enclin,
Entre en chiffonnant sa chemise...
(A. G. P., I, VIII [1855-1865?].)

Mai porte à son chapeau toujours la même fleur.
(Q. V. E., I, XLII [1857-1860?].)

... Est-ce que mes vallons
N'ont pas les torrents blancs d'écume pour galons?
Mai brode à mes rochers la passementerie

_____

(1) La neige.

Des perles de rosée et des fleurs de prairie ;
Mes vieux monts pour dorure ont le soleil levant ;
Et chacun d'eux, brumeux, branle un panache au vent...
Ah ! vous raccommodez vos habits ! Venez voir,
Quand la saison commence à venter, à pleuvoir,
Comment l'altier Pelvoux, vieillard à tête blanche,
Sait, tout déguenillé de grêle et d'avalanche,
Mettre à ses cieux troués une pièce d'azur,
Et, croisant les genoux dans quelque gouffre obscur,
Tranquille, se servir de l'éclair pour recoudre
Sa robe de nuée et son manteau de foudre !

(*L. S.*, *P. S.*, XII, v. 228 sq., 6 février 1859.)

Les mouches aux ailes de crêpes...
Ce frelon, officier des guêpes,
Coiffé d'un képi galonné...

(*C. R. B.*, II, 1, 2, 1ᵉʳ juin 1859.)

L'aurore est encore en chemise...

(*C. R. B.*, R. 325, 17 juin 1859.)

Les ifs, que l'équerre hébète,
Semblaient porter des rabats ;
La fleur faisait la courbette,
L'arbre mettait chapeau bas.

(*C. R. B.*, I, v, 1, 2 août 1859.)

... (On dirait)
Que la terre, sous les voiles
Des grands bois mouillés de pleurs,
Pour recevoir les étoiles
Tend son tablier de fleurs (1).

(*C. R. B.*, I, III, 7, 15 octobre 1859.)

Fils, le soir n'est pas plus vermeil,
Sous son chapeau d'ombre et d'étoiles
A Blanduse qu'à Montfermeil.

(*C. R. B.*, I, 1, 4 [1859 ?].)

— Le soleil va se coucher.
— C'est bon, qu'il mette son bonnet de nuit.

(*Mis.*, II, VIII, 7, 267, 1860-1862.)

— Je me suis dit : la lune est claire, il va geler. Si je mettais à mes melons
leurs carricks ?

(*Mis.*, II, v, 9, 173, 1847-1861.)

... à voir tant de haillons dans la pourpre toute neuve du matin au sommet
des collines, à voir les gouttes de rosée, ces perles fausses, à voir le givre,
ce strass, à voir l'humanité décousue et les événements rapiécés, et tant de
taches au soleil, et tant de trous à la lune... je soupçonne que Dieu n'est pas
riche.

(*Mis.*, IV, XII, 2, 1860-1862.)

(1) Cf. la danseuse espagnole du carillon de Malines :

Elle vient, secouant sur les toits léthargiques
Son tablier d'argent plein de notes magiques.

(*R. O.*, XVIII, Malines-Louvain, 19 août 1837.)

Et *Rh.*, XV, 127, Saint-Goar, septembre 1840 : « ... quelque forme surnaturelle
portant des fleurs bizarres dans son tablier. »

— C'est ça, la vieille rue, fit Gavroche, mets ton bonnet de nuit...
                        (*Mis.*, IV, xv, 2, 1860-1862.)

Les statues sous les arbres, nues et blanches, avaient des robes d'ombre
trouées de lumière ; ces déesses étaient toutes déguenillées de soleil ; il leur
pendait des rayons de tous les côtés.
. . . .
C'était splendide. Un vétéran de la caserne voisine qui regardait à travers
la grille disait : « Voilà le printemps au port d'armes et en grande tenue. »
                        (*Mis.*, V, I, 16, 1860-1862.)

                            . . . Le ciel
            N'endosse pas son bleu de Prusse officiel...
                    ... Ils ont mis leur habit de gala,
            Tous ces buissons... (1).
                        (*Th. lib.*, G. M., III, 1865.)

            Quand mai fleuri met des panaches
            Aux sombres donjons mécontents...
                        (*A. G. P.*, X, II, mai 1870.)

(1 ? Cf. *Cr.*, a. III, sc. II, 208 : « le soleil en habit de gala ». Mais c'est d'après une
vieille gravure d'opéra, cf. *ibid.*, p. 445.

BIJOUX

Il fait bien des rêves.
Il voit par moments
Le sable des grèves
Plein de diamants...

(*F. A.*, XX, 10 novembre 1831.)

Dans les verts écrins de la mousse
Luit le scarabée, or vivant...
(*La lune...*)
Tendre, elle ouvre ses yeux d'opale...

(*R. O.*, XVII, 1er juin 1839.)

Rien n'est riche et merveilleux comme cette pluie de perles... que la cataracte répand au loin ; cela doit être pourtant plus admirable encore lorsque le soleil change ces perles en diamants et que l'arc-en-ciel plonge dans l'écume éblouissante son cou d'émeraude, comme un oiseau divin qui vient boire à l'abîme.

(*Rh.*, XXXVIII, 400, Laufen, septembre 1839.)

... Cette grosse roue noire inondée de pierreries qu'on appelle un moulin à eau (1).

(*Rh.*, VIII, 63, sur la Vesdre, Aix-la-Chapelle, septembre 1840.)

Une fine émeraude est dans mon sable jaune ;
Un pur saphir se cache en mon humide écrin.
Mon émeraude fond et devient le beau Rhin ;
Mon saphir se dissout, ruisselle et fait le Rhône.

(*Rh.*, XXI, IX, 204, Chanson du nain Roulon,
septembre 1840.)

(1) Cf. déjà dans *les Orientales*, XXI, 14 mai 1828, les habits du pacha
Tout ruisselants de pierreries.

Ce que Victor Hugo devait plus tard [1867-1869 ?] commenter ainsi : « *Ruisselant de pierreries*, cette métaphore que j'ai mise dans les *Orientales* a été immédiatement adoptée. Aujourd'hui elle fait partie du style courant et banal, à tel point que je suis tenté de l'effacer des *Orientales*. Je me rappelle l'effet qu'elle fit sur les peintres. Boulanger, à qui je lus *Lazzara*, en fit sur-le-champ un tableau » (*P. S. V.*, *Tas*, p. 513).
Il est évident que, même alors, cette « métaphore » avait pour origine, directe ou indirecte, une impression de la nature analogue à celle-ci.

Cette grotte... où l'on voyait un jet d'eau se dissoudre en brume de diamants...

(*Ch. v.*, II, 31, février 1849.)

Sur l'horizon lugubre apparaît le matin
Face rose qui rit avec des dents de perles.

(*Ch.*, IV, x, 28 avril 1853.)

Au retour des beaux jours, dans ce vert floréal...
Quand l'eau vive au soleil se change en pierreries...

(*Ch.*, VI, xiv 28 mai 1853.)

L'aube au sourire d'émail...

(*C.*, I, xiv, 10 octobre 1854.)

La rosée offrait ses perles...

(*C.*, I, xix, 18 janvier 1855.)

L'opale est une prunelle,
La turquoise est un regard;
La flamme tremble éternelle
Dans l'œil du rubis hagard.

L'émeraude en sa facette
Cache une ondine au front clair...

Le diamant sous son voile
Rêve des cieux éblouis;
Il regarde tant l'étoile
Que l'étoile entre dans lui...

(*T. L.*, VII, iii, 5 avril 1855.)

Le brouillard se dissout en perles sur les branches,
Et brille, diamant, au collier des pervenches.

(*C.*, I, xxix, 17 avril 1855.)

On a peur quand on voit, vague, à fleur d'horizon,
Montrant, dans l'étendue au crépuscule ouverte,
Son dos mystérieux d'or et de nacre verte,
Ramper le scarabée effroyable du soir.
. . . .
Cette création est toujours en travail;
L'astre refait son or, et l'aube son émail.

(*D.*, II, ii, 396-399 [1856?].)

Et rubis insolents, grenats, saphirs moqueurs,
Taillés en forme d'astre ou de lys ou de cœurs,
Chrysoprase ironique, émeraude narquoise,
Cymophane, topaze, améthyste, turquoise,
Aigue-marine, onyx, pyrite, diamant,
Raillaient en chuchotant entre eux confusément,
Avec leurs dents de perle et leur rire d'étoile,
Son jupon de futaine et sa coiffe de toile.

(*Oc.*, LX [1856-1857?].)

(Dieu...)
Qui fait un moucheron avec un diamant,
Et qui n'attache une aile au ver qu'avec des boucles
De perles, de saphirs, d'onyx et d'escarboucles.

(*A.*, 350 [1857-1880?].)

Là-bas, ô Kant, un pré plein d'herbes embaumées,
Tout brillant de l'écrin de l'aube répandu.

(*A.*, 385 [1857?].)

Mai brode à mes rochers la passementerie
Des perles de rosée et des fleurs de prairie.

(*L. S., P. S.*, XII, v. 230, février 1859.)

Autour de cette enfant l'herbe est splendide et semble
Pleine de vrais rubis et de diamants fins ;
Un jet de saphirs sort des bouches des dauphins.

(*L. S., P. S.*, IX, v. 14, mai 1859.)

Il achète un cri d'alouette,
Les diamants de l'arrosoir...

(*C. R. B.*, II, IV, 4, 8 juin 1859.)

Toute une bijouterie
Brille à terre au jour serein ;
L'herbe est une pierrerie,
Et l'ortie est un écrin.

Des rubis dans les nymphées,
Des perles dans les halliers ;
Et l'on dirait que les fées
Ont égrené leurs colliers.

(*C. R. B., R.* 326, 22 juin 1859.)

Partout des perles : dans le thym,
Dans les roses, et dans ta bouche.

(*C. R. B., R.* 333, 18 juillet 1859.)

Le lys met ses diamants.

(*C. R. B.*, II, III, 3, s. d. [1859?].)

L'aube et l'éblouissement
Vont semant
Partout des perles de flamme.

(*F. S.*, III, 1, 3, *Ch. Ois.*, 11-15
avril 1860, Bruxelles.)

... à voir les gouttes de rosée, ces perles fausses, à voir le givre, ce strass...
je soupçonne que Dieu n'est pas riche.

(*Mis.*, IV, XII, 2, 1860-1862.)

Pour faire fête à l'aube, au bord des flots dormants,
Les ronces se couvraient d'un tas de diamants ;
Les brins d'herbe coquets mettaient toutes leurs perles...

(*Q. V. E.*, I, XVI, entre juillet et septembre 1870.)

Le feu est une prodigalité ; les brasiers sont pleins d'écrins qu'ils sèment
au vent ; ce n'est pas pour rien que le charbon est identique au diamant. Il
s'était fait au mur du troisième étage des crevasses par où la braise versait
dans le ravin des cascades de pierreries ; les tas de paille et d'avoine qui
brûlaient dans le grenier commençaient à ruisseler par les fenêtres en ava-
lanches de poudre d'or, et les avoines devenaient des améthystes, et les
brins de paille devenaient des escarboucles.

(*Q. V. T.*, III, v, 3 [1873?].)

MÉTIERS

Toute la création... peut se réduire à deux choses : du vert et du bleu.
Oui, mais Dieu est le peintre. Avec ce vert il fait la terre ; avec ce bleu il fait
le ciel.

(V., II, 380, Pampelune, 12 août 1843.)

L'Être rêve. Il construit le lys dans le mystère ;
Son doigt aide la taupe à faire un trou sous terre ;
      Il peint les beaux rosiers vermeils ;
Et la création, sur son travail courbée,
Contemple ; il fait, avec l'aile d'un scarabée,
      L'admiration des soleils.

(Q. V. E., III, xxxv, 22 juillet 1854.)

Cieux où le jardinier éternel se promène
Versant les fleurs, la vie et la joie à la plaine
Des cribles du nuage, opulent arrosoir...

(Th. lib., F. M., III, 1854.)

Sait-il quel ouvrier peint en bleu le lotus ?

(A., II, 318 [1857-1880 ?].)

Ah çà, si nous disions un peu son fait à Dieu ?

Son œuvre n'a ni fin, ni tête, ni milieu.
L'imagination de ce faiseur s'épuise.
Sa meule tourne usant ce qu'on dit qu'elle aiguise.
Il se répète ; il est au bout de son rouleau...
Il recrépit Tibère, il replâtre Néron...
Dieu n'a qu'un seul patron sur lequel il fait l'homme ;
Il laisse de ses mains le monde informe choir ;
Il n'a pas le moyen de changer d'ébauchoir,
Et c'est toujours avec la même terre glaise
Qu'il fabrique une Juive ou qu'il crée une Anglaise...
Et le bien, et le mal, et le sort, noirs bahuts
Mal emboîtés, mal peints, mal cloués, mal fichus...

Il est temps que ce Dieu repeigne et revernisse
Le pré que six mille ans a brouté la génisse ;

Qu'il blanchisse le lys, et qu'il mette des freins
Aux anciens vents hurlant leurs antiques refrains...
Et qu'il redore au fond du ciel noir la lumière, etc...

(Q. V. E., I, xlii [1857-1860 ?].)

Quand l'Hékla brûle sa suie,
Quand flambe l'Etna grognon,
Le fumiste qui l'essuie
Est un rude compagnon...

. . . .

Ce sont les travaux suprêmes
Des dieux, ouvriers géants...

(*C. R. B.*, I, VI, 11, 19 janvier 1859.)

La voussure, tout en pervenches,
Était signée : Avril, maçon.

(*C. R. B.*, II, I, 2, 1ᵉʳ juin 1859.)

Au cinquième étage d'un chêne
Qu'avril vient de repeindre en vert.

(*C. R. B.*, II, II, 3, 18 juin 1859.)

J'ai pour jardinier la pluie,
L'ouragan pour émondeur.

(*C. R. B.*, I, V, 1, 2 juillet 1859.)

(*Dieu...*)
« Il fait l'aile de la mouche
Du doigt dont il façonna
L'immense taureau farouche
De la Sierra Morena.

. . . .

« Ce laboureur, la tempête,
N'a pas, dans les gouffres noirs,
Besoin que Grignon lui prête
Sa charrue à trois versoirs.

« Germinal, dans l'atmosphère,
Soufflant sur les prés fleuris,
Sait encor mieux son affaire
Qu'un maraîcher de Paris.

« Quand Dieu veut teindre de flamme
Le scarabée ou la fleur,
Je ne vois point qu'il réclame
La lampe de l'émailleur, etc..., etc...

(*C. R. B.*, II, III, 5, 31 août 1859.)

Aux buissons que le vent soulève,
Que juin et mai, frais barbouilleurs...
Couvrent d'une écume de fleurs...

(*C. R. B.*, I, IV, 7, 27 septembre 1859.)

L'été, vainqueur des tempêtes,
Doreur des cieux essuyés...

(*C. R. B.*, I, III, 7, 15 octobre 1859.)

J'écoute l'horloge marcher ;
On dirait que quelqu'un aiguise
Quelque chose dans le clocher.

. . . .
L'aube, l'astre, l'âme, la fleur,
Sont quatre étincelles que jette
La meule de ce rémouleur.

(*C. R. B.*, R. 341, 1859.)

Un sylphe bâtissait une maison sans pierre,
Il avait pour truelle une feuille de lierre,
Délayait des parfums mêlés à des couleurs,
Et maçonnait gaîment son mur avec des fleurs ;
Il en bouchait les trous avec de la lumière.

(*C. R. B.*, R. 359, Fgts s. d.)

Grand scandale dans le hallier
Que tous les ans mai badigeonne.

(*T. L.*, VII, v, 9 août 1865.)

Chez moi. Sous la première arche du pont d'Iéna. Le propriétaire est le
vent, la portière est la nuit.

(*M. F. R.*, a. III, sc. v, février-mars 1866.)

... Il est sûr
Qu'il faut pour faire un ciel bien des rouleaux d'azur,
Qu'un chêne à fabriquer n'est pas un mince arbuste,
Et qu'il faut une échelle étrangement robuste
Et que l'échafaudage ait été bien construit
Pour peindre l'aube à fresque au mur noir de la nuit.
Ainsi ce grand travail qu'on nomme la nature
Ne s'est point terminé sans quelque courbature !
Ainsi le Tout-Puissant a dit : Je n'en puis plus !
Et las, suant, soufflant, ankylosé, perclus,
Pris d'un vieux rhumatisme incurable à l'échine...
Dieu s'est laissé tomber dans son fauteuil Voltaire !

(*R. R.*, I, 1, 200 [1870-1880 ?].)

Tant qu'avril, ce brodeur, avec l'herbe et les roses (1)
Et les feuilles, créera toutes sortes de choses
Charmantes, et que Dieu, des monts, des airs, des eaux,
Fera de grands palais pour les petits oiseaux...

(*T. L.*, VI, XVIII, 1833, 4 mai [1874 ?].)

... Il est un arbuste gourmand
Dont la feuille est d'un tour si frais et si charmant
Qu'on en faisait jadis une couronne aux verres ;
Il orne les vieux murs d'alcôves peu sévères ;
C'est par lui qu'un logis qui s'écroule est complet ;
Belle, ce tapissier des masures me plaît.

(*T. L.*, VI, XVIII, 1847, 26 mai [1874-1875 ?].)

Je veux entendre aller et venir les navettes
De Pan, noir tisserand que nous entrevoyons
Et qui file, en tordant l'eau, le vent, les rayons,
Ce grand réseau, la vie, immense et sombre toile
Où brille et tremble en bas la fleur, en haut l'étoile.

(*D. G.*, XIV [1875-1877 ?].)

(1) Cf. *L. S.*, *P. S.*, XII, v. 229 :

Mai brode à mes rochers la passementerie
Des perles de rosée et des fleurs de prairie.

(*La nature...*)

Elle a la fièvre et crée ainsi qu'un sombre artiste (1).

(*D. G.*, VII, 21 janvier 1877.)

(1) A ces métiers, on pourrait ajouter celui de chiffonnier, bien qu'il ne soit pas attribué à des éléments de la nature, mais à Paris :

> Paris élève au loin sa voix,
> Noir chiffonnier qui dans sa hotte
> Porte le sombre tas des rois.

(*C. R. B.*, I, IV, 2, 23 août 1859.)

ou au diable « un croc à la main et une hotte de chiffonnier sur le dos ; car le démon trouve et ramasse les âmes des méchants dans les tas d'ordures que le genre humain dépose au coin de toutes les grandes vérités terrestres ou divines. » (*Rh.*, **XXI**, VI, 194.)

USAGES

Salut, honnêtes bois. Vous n'êtes pas, ô loups,
Des hommes ; les halliers ne sont point des filous.
Vent, sève, azur, salut! Vous n'êtes pas, nuées,
Des coureuses de nuit et des prostituées (1).
(Th. Lib., F. M., sc. III, 1854.)

Les mouches aux ailes de crêpes
Admiraient près de sa Phryné
Ce frelon, officier des guêpes,
Coiffé d'un képi galonné.
(C. R. B., II, I, 2, Ier juin 1859.)

Le myosotis, tout triste,
Y perdrait son allemand.
(C. R. B., I, VI, 21, 14 juin 1859.)

Çà, ton bon saule est un bonhomme ;
Les saules sont de l'Institut.
(C. R. B., II, II, 3, 18 juin 1859.)

La rose sur les clématites
Fixait ce regard un peu sec
Que Rachel jette à ces petites
Qui font le chœur du drame grec.
(C. R. B., II, III, 7, 26 juin 1859.)

Comme grand seigneur et chêne,
J'étais de tous les Marlys.

        ... et vous saurez
Qu'un arbre qui se respecte
Tient à distance les prés.
. . . .
Décloîtré, je fraternise
Avec les rustres souvent...

Plus de caste. Un ver me touche.
L'hysope aime mon orteil,
Je suis l'égal de la mouche,
Étant l'égal du soleil, etc...
(C. R. B., I, v, 1, 2 août 1859.)

(1) Cf. les planètes « coureuses de l'azur » dans <i>C. R. B.</i>, I, v, 1, div. VIII.

Qu'il est joyeux aujourd'hui,
Le chêne aux rameaux sans nombre...

Comme quand nous triomphons,
Il frémit, l'arbre civique ;
Il répand à plis profonds
Sa grande ombre magnifique.
. . . .
C'est le quatorze juillet...
. . . .
Car le vieux chêne est gaulois ;
Il hait la nuit et le cloître...
. . . .
Il est le vieillard des bois...
. . . .
Il me salue en passant,
L'arbre auguste et centenaire.

(*C. R. B.*, II, iii, 3, s. d. [1859-1865 ?].)

Les oiseaux, qui n'ont point à payer de loyer,
Changent d'alcôve autant de fois que bon leur semble.

(*L. S.*, *N. S.*, XVIII, Id. xxi [1860 ?].)

— Oh! les oiseaux! les oiseaux! quel chef-d'œuvre... C'est ça qui est toujours en rupture de ban.

(*Th. J.*, *M. F. R.*, a. I, sc. i, 215, février-mars 1866.)

Une abeille, c'est une ménagère, et cela gronde en chantant (1).

(*Q. V. T.*, III, iii, 235 [1873 ?].)

(1) Cf. *C. R. B.*, *R.* 359, ce fragment :

L'abeille va, vient, fouille, quête,
Travaille comme un moissonneur,
Et par moments lève sa tête
Et dit au nuage : flâneur!

HUMEURS
(LES BOURRUS DE LA NATURE)

... Les granits ridés se plissaient dans les lointains comme des fronts soucieux.

(V., II, 197, Berne-le-Rigi, 17 septembre 1839.)

L'hiver est une bête ; il perd sa marchandise, il perd sa peine, il ne peut pas nous mouiller, et ça le fait bougonner, ce vieux porteur d'eau-là !...

(Mis., IV, VI, 2, 140, 1847-1848.)

L'hiver gronde et fait cent querelles,
O vieilles gens, ô vieilles gens,
Aux girouettes des tourelles...

(T. L., VII, VIII, 27 novembre 1853.)

Un houx noir qui songeait près d'une tombe, un sage,
M'arrêta brusquement par la manche au passage.

(C., I, XVIII, 14 octobre 1854.)

O vieil antre, devant le sourcil que tu fronces...

(T. L., II, XXI, 15 octobre 1854.)

C'est tantôt l'aubépine et tantôt le genêt.
De noirs granits bourrus, puis des mousses riantes.

(C., V, XXIII, 17 décembre 1854.)

Un bouge est là, montrant, dans la sauge et le thym,
Un vieux saint souriant parmi des brocs d'étain.

(C., I, XXIX, 17 avril 1855.)

(si bien qu'on vous admire, oiseaux...)
... Et que le dur tronc d'arbre a des airs attendris...

(C., II, IX, 10 juin 1855.)

Quand flambe l'Etna grognon...

(C. R. B., I, VI, 11, 19 janvier 1859.)

Comme ces champs ont l'air grognon et réfractaire !
Un gros nuage noir est tout près de la terre ;
Le jour a le front bas, et les cieux sont étroits.

(T. L., II, IX, 29 mai 1856.)

Un grand houx, de forme incivile,
Du haut de sa fauve beauté,
Regardait mon habit de ville...

　　　　　　　(*C. R. B.*, II, ı, 2, ı^er juin 1859.)

Si l'on est baisé par la rose,
Par l'épine on est tutoyé (1).

　　　　　　　(*C. R. B.*, II, ıv, 4, 8 Juin 1859.)

Entendre, sous les caresses
Des grands vieux chênes boudeurs...

　　　　　　　(*C. R. B.*, I, ıv, 6, 30 juillet 1859.)

　　　　　　... si cette gorgone,
La foudre, au loin, là-bas, à l'horizon bougonne.

　　　　　　　(*L. S., D. S.*, XIII, ııı [1860?].)

Janvier part, floréal accourt; le dialogue
De l'hiver qui bougonne avec la vive églogue
Tourne en querelle...

　　　　　　　(*T. L.*, VI, ʟ [1876-1878?].)

(1) Cf. *C. R. B.*, *R.* 329 : « rançonnés par les épines ».

INDEX DES PIÈCES

INDEX DES PROSES

INDEX ANALYTIQUE DES TOMES I ET II

Clair de lune : I, xxxii, 40, 89, 94, 177, 212, 218, 240, 243-247, 348, 357, 378-379 ; II, 76, 138, 211, 249, 294, 405, 431.

Classique : I, 57, 93, 113, 226, 262, 264, 382 ; II, 98, 307, 341, 344, 461.

Clocher (beffroi) : I, 81, 89, 112, 223-226, 240, 245, 251 ; II, 123, 207, 219, 294, 453.

Conte : I, 175, 234, 263, 265, 266, 270-274, 309-310, 381 ; II, 209, 375, 431-432.

Contraires : I, 74-75, 289, 372 ; II, 47, 64, 78, 83, 135, 139, 172, 253, 312, 333, 370, 403.

Convention : I, 34, 43, 52, 66, 75, 93, 137, 142, 272, 282 ; II, 14, 196, 281, 468.

Cor : I, 91, 232, 248, 270, 393 ; II, 431.

Couleur : I, 45, 119-122, 177, 228, 289-290, 378-379 ; II, 63-64, 135, 241, 285, 299.

Couleur locale : I, 111 ; II, 111.

Création : I, 142, 302-303, 306, 397, 412-417 ; II, 17, 53, 70, 78-79, 131, 145-146, 154, 181-182, 203, 209, 220, 223, 225, 324-326, 332, 340, 370-372, 412, 436-437, 441, 461-463.

Crépuscule : I, 96, 140, 185, 186, 207, 210-212, 243, 245, 280 ; II, 15, 20, 63, 66, 69, 273, 358, 462, 472.

Critique : I, 32, 53, 79, 122, 132-133, 155 ; II, 228-229, 234, 279, 299, 301, 306-312, 461.

Danse, danseuse : I, 153, 247-250, 333, 340, 380 ; II, 23, 45, 124, 130, 231, 243, 301.

Démon : I, 61, 98, 107, 349, 388 ; II, 39, 76, 161, 346, 349, 401, 428, 455.

Dentelé : I, 51, 107-108, 120-121, 147, 181, 220 ; II, 158-159, 361.

Dépaysement : I, xxxii, 161 ; II, 18-19, 139, 219.

Dessin : I, 31, 165, 172, 176-178, 210, 249, 280, 300, 310, 342-344, 388 ; II, 125, 128-129, 145, 153-162, 181, 194, 220, 294, 319, 356, 378, 379, 403, 415.

Deuil : I, 41, 45, 311 ; II, 96, 101, 116, 120, 131, 378, 439.

Diable : I, 60, 209, 235, 270, 271-274, 369 ; II, 36, 157, 163, 164, 165, 188, 289, 330, 434.

Dialogue : I, 61 ; II, 38-43, 67, 81, 304, 335-336, 380, 384, 424, 437, 446, 448.

Dieu : I, 16, 191, 199, 225, 270, 309, 349 ; II, 24, 36, 64, 120, 121, 122, 123, 135, 148, 155, 163, 164, 165, 178, 180, 184, 189, 218, 277, 294, 327, 330, 392-393, 406, 421, 423, 427, 428, 440, 446, 463.

Difforme : I, 57-58, 145, 186, 206, 255-256, 293 ; II, 47, 416.
Voir aussi *Monstre*.

Disparate : I, 79, 130, 383 ; II, 150, 159, 276, 437.

Dôme : I, 93, 121, 211, 222 ; II, 273.

Don César : I, xxi, 61, 70, 78, 334-344, 347 ; II, 334, 372.

Dragon (hydre) : I, 283 ; II, 157, 161, 173, 180.

Drame : I, 75, 143-145, 316, 334-340, 356 ; II, 371-372, 387-389, 395, 433, 471.

Dualité : I, xxi, 12, 72, 74, 108 ; II, 39, 47, 203, 216-217, 306, 343, 345, 347, 467-468.

Ebloui, éblouissement : I, 147 ; II, 55, 190, 193, 233, 269, 271, 281, 300, 312, 315, 326, 432, 443 447.

Economie (poétique) : I, 67, 279 ; II, 132-136, 151-152, 182, 190, 202, 223.

Effroi, épouvante : I, xxx-xxxi, 29, 53, 55, 91, 112, 181, 223, 269, 413 ; II, 24, 63-77, 275, 347, 351, 358.

Eglise : I, 14, 44, 147, 166, 174, 211, 280, 287 ; II, 122-123, 202, 207, 218-219, 294, 434, 453.
Voir *Chapelle*.

Elégie : I, 33, 38-40, 85-86, 267, 406 ; II, 283.

Enfance : I, 5-29, 151, 174 ; II, 64, 104-105, 247.

Enfant : I, xxvii, 1, 5-28, 29, 37, 64, 131, 153, 155-156, 173-174, 175-178, 182, 190, 201, 269, 271, 294-297, 307, 310, 341-342 ; II, 98-111, 176, 259, 272, 277, 327, 334, 358, 367, 382-384, 410, 435, 442, 444-453, 455, 456, 459.

Ennui : I, 184, 204 ; II, 110, 432.

Epique : I, 49 ; II, 82, 134, 181-201, 278, 325, 333, 339, 406, 418, 457.

Erotisme : I, 12, 66, 169 ; II, 48, 58, 73, 77, 102, 337, 416-418.

Gamin (Gavroche) : I, 61, 321, 347 ; II, 29, 84, 111, 162, 172-177, 191, 272-273, 327-334, 358-359, 391, 403.

Géant : I, 31, 100, 185, 221, 256, 258, 262, 285, 309 ; II, 161, 341, 369.

Génie : I, xx, 7, 32, 67 ; II, 215-216, 292, 341-343, 352, 467-468.

Gothique : I, 48, 81, 91, 107, 118, 134, 287 ; II, 143, 159.

Gouaille : I, 61, 71 ; II, 332-333, 383, 395, 426.

Gouffre : I, 216 ; II, 21, 93, 95, 105, 156, 190, 351, 362, 363, 408, 411, 417, 472.

Voir aussi *Abîme.*

Goût (bon) : I, 359 ; II, 143, 374.

Goût (d'époque) : I, 30-34, 51-53, 80-90, 181, 260-285, 287, 315-316, 328-333, 359, 379, 392, 403-405 ; II, 143-144, 237, 238, 254-257, 288, 290, 301, 373-376, 467, 471.

Goût (personnel) : I, xxiv, 31, 132-133, 166, 216, 271, 310 ; II, 144-145, 240, 288.

Grâce, gracieux : I, 56, 100, 358, 369 ; II, 18, 289, 362, 365, 466.

Gracioso : I, 60, 73, 78-79, 143.

Grand : I, 31, 56, 81, 147, 190, 211, 221, 258, 291, 309 ; II, 144, 182, 264, 332.

Grèce : I, 23 ; II, 22-23, 141, 230-231, 457, 460.

Grimace : I, 58, 62, 71, 73, 143, 207 ; II, 166, 331.

Grisette : II, 84, 174-175, 254-269, 289, 254-269, 283, 289, 301-302, 325.

Grotesque : I, 22, 44, 54-79, 109, 143-145, 227-236, 327-353, 385 ; II, 60, 155, 279, 349, 356, 415, 466.

Guerre : I, 85 ; II, 207, 273, 378, 323, 439, 446-447.

Gueux : I, 22, 54, 231-236, 268, 325, 337, 340-351 ; II, 109, 169, 333, 336, 344, 386-400, 409-410, 426.

Guitare : I, 88, 113, 232, 316-319, 357, 358, 391 ; II, 107, 199, 203, 233, 235, 236, 349.

Habitude : I, xxvii-xxviii, 303 ; II, 105, 316, 461, 469, 476.

Harmonie : I, 140, 152, 179, 196-198, 288 ; II, 81, 104-105, 112, 276.

Herbe : I, 292, 314, 379 ; II, 46, 54, 66, 117, 130, 208, 251, 261, 263, 264, 278, 297.

Historique : I, 53, 82, 146, 264 ; II, 183, 411, 422.

Hiver : I, 125 ; II, 20, 21, 38, 44, 62, 68, 88, 101, 192, 384, 394, 407.

Hollande : II, 320, 322, 440.

Horreur, horrible : I, 183, 209, 256 ; II, 73, 75, 82, 101, 196, 345, 349, 407.

Voir aussi *Effroi, Terrible.*

Humour : I, 203, 224, 257, 258, 271, 285, 344, 351, 406-412 ; II, 38, 125, 161, 191-193, 278, 302, 335, 338, 344, 355-356, 381-382, 384, 428, 449.

Idéal : I, 46, 388 ; II, 52, 126, 148, 180, 251, 257, 261, 341, 377, 450.

Idylle : I, 297-300 ; II, 28, 44, 56, 61, 82, 85, 87, 90, 93, 108, 134, 138, 187, 188-189, 241, 261-262, 313-315, 407-408, 435, 456-457, 460.

Ile : I, 110, 245 ; II, 17, 22-23, 89, 91, 139-140, 214-221, 234, 383, 355-356, 365.

Illusion : I, 267, 270, 281, 363 ; II, 271, 274, 475.

Voir aussi *Chimère.*

Image : I, 119, 256, 270 ; II, 183-184, 270, 277, 291.

Imagination : I, xxiii, xxv, xxxii, 15, 29, 39, 47-50, 53, 57, 73, 77, 105, 108-109, 113, 122, 153, 158, 172, 177, 193, 197, 257, 261, 262, 269, 279-281, 352, 387, 409 ; II, 15-16, 67, 75, 82, 196, 217, 249, 291-295, 309, 316, 340-352, 449, 453, 466.

Imitation : I, 29-31, 74, 79-113, 387.

Impressionniste : I, 177, 219 ; II, 275, 290, 385, 453, 462.

Infini : I, 195, 291 ; II, 72, 81, 83, 130, 151, 152, 316, 364, 406, 447.

Innocent : I, 50 ; II, 61, 85, 108, 189, 195, 263.

Voir aussi *Naïf.*

Insecte : I, 14, 110, 137, 138, 153, 188-191, 214, 291-293, 311-313 ; II, 45, 51, 57, 73, 80, 84, 114, 116, 125-130, 218-219, 261, 278, 295, 325, 326, 327, 367, 435.

Irréel : I, 264, 269, 373 ; II, 55, 348-349, 437, 453.

Italie : I, 319, 331, 357, 362 ; II, 230, 409.

Jardin : I, 12-16, 137-141, 155, 295, 314, 357, 360, 363, 379, 386, 395 ; II, 21, 89, 107, 185, 327.

Noctambule : I, 41, 187 ; II, 357-358.

Noir (roman) : I, 39, 268 ; II, 64, 97.

Nouveauté : I, xxvii, 122, 223 ; II, 232, 303, 340.

Nuage, nébulosité : I, 40, 45, 99, 206, 243, 250 ; II, 66, 75, 157, 186-187, 291, 349, 413.

Nuit : I, 40, 89, 90, 102, 107, 185-186, 211, 244, 246, 252-259, 270, 275, 280-281, 317, 357, 386 ; II, 65-66, 69, 70, 77, 89, 97, 102, 135, 185, 211, 315, 335, 350, 354, 355, 357, 358, 413-414, 431, 456, 462, 472.

Obscur : I, 84, 186, 212-213 ; II, 89. Voir *Sombre.*

Œil : I, 40, 92, 103, 109, 155, 168, 194, 203-204, 211, 219, 223, 243, 248 ; II, 21, 158-159, 219, 304, 429.

Oiseau : I, 3, 14, 24, 34, 110, 136-140, 152-153, 172, 186, 192, 193, 194-195, 203, 207, 253, 312, 316, 324, 388, 407 ; II, 24, 45, 49, 50, 56, 64, 71, 74, 79, 80, 81, 87, 119-124, 202, 211, 219, 235, 264, 285, 296, 314, 320, 327, 330, 332, 355, 367, 394, 408, 445, 474.

Ombre : I, 105, 183, 186, 214, 218, 289 ; II, 51, 65, 71, 95, 178, 264, 364, 411.

Onomastique : I, 64, 346-347, 350 ; II, 200-201, 250, 301-303, 329, 332, 335, 337, 365, 407.

Opéra : I, 115, 329-333, 371, 377, 386, 389 ; II, 232, 429.

Or : I, 120, 124, 157, 177, 178 ; II, 146, 186, 264, 450.

Oriental : I, 93-94, 96, 117, 118-121, 130-131, 234, 272 ; II, 181, 183, 202, 401.

Original, -ité : I, 74, 113, 126, 177, 223, 260, 269 ; II, 306, 311, 352, 386.

Païen, paganisme : I, 26, 31, 33 ; II, 53-54, 77, 92, 185, 195-198, 244-245, 288, 301, 402, 417-418.

Paix : II, 25, 80, 89, 141-142, 165, 189, 368.

Palais : I, 45, 48, 108, 277, 335, 358 ; II, 375, 429. Voir aussi *Château.*

Pan : II, 65, 195, 242, 249, 456.

Parc : I, 14, 105, 360-370, 373-375, 386-389, 391 ; II, 18, 289, 431. Voir aussi *Château.*

Parfum : I, 138, 174, 289, 293 ; II, 117-118, 127, 446.

Parodie : I, 55, 84 ; II, 85-86, 111, 257, 404.

Passé : I, 150, 269, 365 ; II, 45, 49, 104-106, 268-275, 280-281, 284-285. Voir aussi *Mémoire.*

Passeport : I, 167, 169, 398.

Pastorale : I, 33-35, 66, 69, 134, 201, 214, 254, 299, 307-308, 384, 406-407 ; II, 35, 46, 48-49, 57, 73, 79-97, 221, 231, 240-254, 281, 310, 385, 427.

Peinture : voir *Arts visuels.*

Petit : I, 81, 110, 147, 151, 188-191, 291-294, 342 ; II, 83, 144, 175-176, 182, 188, 367.

Peuple, populaire : I, 7, 76, 315-316, 319, 322-326, 372 ; II, 30-31, 224, 227, 230, 304, 320, 328, 355, 411.

Pierre : I, 58, 196-197, 202, 365 ; II, 73, 156. Voir aussi *Rocher.*

Pittoresque : I, 93, 115-122, 146, 157, 178-179, 218, 226-236, 245, 283 ; II, 249, 273, 275, 299.

Pleurs : II, 72, 109, 156, 265.

Pluie : I, 110, 137, 139, 184-185, 190, 244, 352 ; II, 79, 261, 264, 327.

Poète, poésie : I, 29, 33, 46, 74, 77, 112-113, 116, 132-133, 152, 192-193, 199, 283, 302-303, 316, 359, 370, 388 ; II, 19, 30, 63-64, 89, 103, 115, 249, 253, 276, 307-311, 340-352, 377, 436, 447, 449, 453.

Porte : I, 66 ; II, 65, 70, 72, 121.

Portrait (de Hugo) : I, 7, 43-44 ; II, 13-17, 67, 75-77, 146-149, 213, 217, 355, 379, 440-441, 454.

Préciosité : II, 115, 289, 291-292, 296, 305, 310.

Prêtre : I, 13, 23, 149 ; II, 155, 158, 160, 164, 207, 285, 290, 261.

Primitif : I, 1, 145, 271 ; II, 52, 77, 83, 355.

Printemps : I, 136-137, 139, 188, 289, 313, 410-411 ; II, 21, 25, 44-62, 79, 85, 88, 90, 91, 96, 112-118, 127, 140, 171, 180, 194, 216, 277, 327, 345, 365-368, 369, 453.

Promenade : I, 123, 173, 187-191, 291, 341 ; II, 218, 274.

Prosodie : I, 32, 92-93, 129-131, 133, 383 ; II, 35-36, 132, 170, 181, 204, 238-239, 291-292, 310, 313, 461.

TABLE

BIBLIOTHÈQUE FRANÇAISE ET ROMANE

Série C : ÉTUDES LITTÉRAIRES

BIBLIOTHÈQUE FRANÇAISE ET ROMANE

RÉIMPRESSION OFFSET - IMPRIMERIE A. BONTEMPS - LIMOGES (FRANCE)